Le Mariage de Figaro

© Belin Éducation/Humensis – Éditions Gallimard, 2011, pour l'introduction, les notes et le dossier pédagogique. Édition révisée, 2019.
170 bis, boulevard du Montparnasse, 75680 Paris cedex 14

Toutes les références à des sites Internet présentées dans cet ouvrage ont été vérifiées attentivement à la date d'impression. Compte tenu de la volatilité des sites et du détournement possible de leur adresse, les éditions Belin et les éditions Gallimard ne peuvent en aucun cas être tenues pour responsables de leur évolution. Nous appelons donc chaque utilisateur à rester vigilant quant à leur utilisation.

ISBN 979-10-358-0532-6
ISSN 2104-9610

CLASSICOLYCÉE

La Folle Journée

ou

Le Mariage de Figaro

Comédie en cinq actes en prose

BEAUMARCHAIS

Dossier par Julie Proust
Agrégée de lettres modernes

BELIN ■ GALLIMARD

Sommaire

Le tour de l'œuvre en 9 fiches

Groupements de textes

Vers le Bac

Fenêtres sur...   311

Des ouvrages à lire, des mises en scène et des films à voir,
des œuvres d'art à découvrir et des sites Internet à consulter

Glossaire   315

Pour entrer dans l'œuvre

« C'est détestable, cela ne sera jamais joué ! » s'exclame Louis XVI à l'issue d'une lecture du *Mariage de Figaro*. Le roi interdit alors expressément la représentation de la pièce, dont la rédaction est achevée depuis 1778. Beaumarchais doit attendre jusqu'en 1784 pour la voir jouée publiquement à la Comédie-Française. Elle aura fait l'objet de l'une des plus grandes batailles de l'histoire littéraire et théâtrale.

Ce combat commence presque dix ans plus tôt. Fort du succès du *Barbier de Séville* (1775), Beaumarchais envisage d'en écrire la suite. L'inspiration du dramaturge se nourrit de son goût pour l'opéra (d'où l'importance de la musique, de la danse et du chant dans la pièce), de son expérience personnelle, de ses démêlés avec la justice, et de nombreuses lectures, notamment des drames de ses contemporains ou de certaines comédies de Molière. Les personnages principaux du *Barbier de Séville*, en tête desquels Figaro, sont de nouveau présents, mais ils ont évolué. En trois ans, le comte Almaviva est devenu plus autoritaire ; Rosine, sa femme désormais délaissée, a vieilli. Beaumarchais crée de nouveaux personnages, parmi lesquels Suzanne, soubrette honnête, spirituelle, consciencieuse, et Chérubin, jeune page « innocent mais espiègle ».

En 1781, le censeur refuse d'autoriser la pièce malgré les modifications effectuées par Beaumarchais. Louis XVI, quant à lui, manifeste une opposition farouche à sa représentation. Il est en effet sensible à son aspect frondeur, à la critique de la noblesse et des privilèges et surtout à la réflexion audacieuse qu'elle implique sur l'ordre social de l'époque. Dès lors, Beaumarchais multiplie les lectures de la pièce chez des personnalités notables et sollicite son examen par de nouveaux censeurs, plus sévères les uns que les autres. Les difficultés que rencontre le dramaturge exacerbent la curiosité du public et préparent son succès. Avant même d'être représentée, l'œuvre passionne la France et l'Europe. L'impératrice Catherine II aurait ainsi réclamé le texte pour le faire jouer en Russie.

Finalement, en 1783, Beaumarchais obtient l'autorisation d'une représentation privée au château de Gennevilliers. Malgré un accueil favorable, l'interdiction royale n'est levée que l'année suivante. Les obstacles rencontrés par Beaumarchais ont servi sa popularité, et le 27 avril 1784, sa pièce remporte un succès triomphal à la Comédie-Française. Elle est ensuite représentée soixante-huit fois consécutives, ce qui est exceptionnel à l'époque. En 1786, Mozart s'inspire de cette comédie pour composer un opéra, *Les Noces de Figaro*.

Si au XIXe siècle les jugements de la critique restent sévères à l'égard du caractère peu moral de l'œuvre, elle est montée par les plus grands metteurs en scène des siècles suivants: Jean Vilar (1956), Jean-Louis Barrault (1964), Jean-Pierre Vincent (1987), Antoine Vitez (1989) et Christophe Rauck (2007).

En faveur du badinage[1],
Faites grâce à la raison.

Vaudeville de la pièce.

---

1. Badinage : plaisanterie légère, spirituelle et enjouée.

Préface

En écrivant cette préface pour l'édition de 1785, mon but n'est pas de rechercher oiseusement[1] si j'ai mis au théâtre une pièce bonne ou mauvaise ; il n'est plus temps pour moi ; mais d'examiner scrupuleusement, et je le dois toujours, si j'ai fait une œuvre blâmable.

Personne n'étant tenu de faire une comédie qui ressemble aux autres, si je me suis écarté d'un chemin trop battu, pour des raisons qui m'ont paru solides, ira-t-on me juger, comme l'ont fait MM. tels, sur des règles qui ne sont pas les miennes ? imprimer puérilement que je reporte l'art à son enfance, parce que j'entreprends de frayer un nouveau sentier à cet art dont la loi première, et peut-être la seule, est d'amuser en instruisant ? Mais ce n'est pas de cela qu'il s'agit.

Il y a souvent très loin du mal que l'on dit d'un ouvrage à celui qu'on en pense. Le trait qui nous poursuit, le mot qui importune reste enseveli dans le cœur, pendant que la bouche se venge en blâmant presque tout le reste. De sorte qu'on peut regarder comme un point établi au théâtre, qu'en fait de reproche à l'auteur, ce qui nous affecte le plus est ce dont on parle le moins.

Il est peut-être utile de dévoiler aux yeux de tous ce double aspect des comédies, et j'aurai fait encore un bon usage de la mienne, si je parviens, en la scrutant, à fixer l'opinion publique

---

1. **Oiseusement** : inutilement.

sur ce qu'on doit entendre par ces mots: Qu'est-ce que LA
25 DÉCENCE[1] THÉÂTRALE?

À force de nous montrer délicats, fins connaisseurs, et
d'affecter, comme j'ai dit autre part[2], l'hypocrisie de la décence
auprès du relâchement des mœurs, nous devenons des êtres
nuls, incapables de s'amuser et de juger de ce qui leur convient,
30 faut-il le dire enfin? des bégueules[3] rassasiées qui ne savent
plus ce qu'elles veulent ni ce qu'elles doivent aimer ou rejeter.
Déjà ces mots si rebattus, *bon ton, bonne compagnie*, toujours
ajustés au niveau de chaque insipide coterie[4] et dont la latitude
est si grande qu'on ne sait où ils commencent et finissent, ont
35 détruit la franche et vraie gaieté qui distinguait de tout autre
le comique de notre nation.

Ajoutez-y le pédantesque[5] abus de ces autres grands mots,
décence et *bonnes mœurs*, qui donnent un air si important, si supérieur que nos jugeurs de comédies seraient désolés de n'avoir
40 pas à les prononcer sur toutes les pièces de théâtre, et vous
connaîtrez à peu près ce qui garrotte[6] le génie, intimide tous
les auteurs, et porte un coup mortel à la vigueur de l'intrigue,
sans laquelle il n'y a pourtant que du bel esprit à la glace et des
comédies de quatre jours.

45 Enfin, pour dernier mal, tous les états de la société sont
parvenus à se soustraire à la censure dramatique: on ne pourrait mettre au théâtre *Les Plaideurs*[7] de Racine, sans entendre
aujourd'hui les Dandins et les Brid'oisons[8], même des gens

---

1. **Décence**: respect des convenances, bienséance.
2. Dans la *Lettre modérée sur la chute et la critique du* Barbier de Séville.
3. **Bégueules**: prudes, pudibondes (expression péjorative).
4. **Coterie**: groupe de personnes soutenant des intérêts communs.
5. **Pédantesque**: pédant, prétendument savant.
6. **Garrotte**: lie, limite.
7. **Les Plaideurs**: unique comédie écrite par Jean Racine, en 1668.
8. **Dandin, Brid'oison**: noms de juges dans des pièces de théâtre; Dandin dans *Les Plaideurs* de Racine (1639-1699), Brid'oison dans *Le Mariage de Figaro*. Ce nom provient probablement du Bridoye du *Tiers Livre* de François Rabelais (1494-1553), personnage qui laisse les dés à jouer décider de l'issue d'un procès.

plus éclairés, s'écrier qu'il n'y a plus ni mœurs ni respect pour
50 les magistrats.

On ne ferait point le *Turcaret*[1], sans avoir à l'instant sur
les bras fermes, sous-fermes, traites et gabelles, droits-réunis,
tailles, taillons, le trop-plein, le trop-bu[2], tous les impositeurs
royaux. Il est vrai qu'aujourd'hui *Turcaret* n'a plus de modèles.
55 On l'offrirait sous d'autres traits, l'obstacle resterait le même.

On ne jouerait point *les fâcheux, les marquis, les emprunteurs*
de Molière, sans révolter à la fois la haute, la moyenne, la
moderne et l'antique noblesse. Ses *Femmes savantes* irriteraient
nos féminins bureaux d'esprit[3]; mais quel calculateur peut éva-
60 luer la force et la longueur du levier qu'il faudrait, de nos jours,
pour élever jusqu'au théâtre l'œuvre sublime du *Tartuffe*[4]?
Aussi l'auteur qui se compromet avec le public, *pour l'amuser,
ou pour l'instruire,* au lieu d'intriguer à son choix son ouvrage[5],
est-il obligé de tourniller[6] dans des incidents impossibles, de
65 persifler au lieu de rire, et de prendre ses modèles hors de la
société, crainte de se trouver mille ennemis, dont il ne connais-
sait aucun en composant son triste drame.

J'ai donc réfléchi que si quelque homme courageux ne
secouait pas toute cette poussière, bientôt l'ennui des pièces
70 françaises porterait la nation au frivole opéra-comique, et plus
loin encore, aux boulevards, à ce ramas[7] infect de tréteaux
élevés à notre honte, où la décente liberté, bannie du théâtre
français, se change en une licence[8] effrénée, où la jeunesse va

---

1. *Turcaret* : comédie d'Alain-René Lesage (1668-1747) datée de 1709, qui met en scène un homme d'affaires parvenu.
2. Noms d'impôts.
3. Bureau d'esprit : lieu où l'on s'occupe de littérature, salon, cercle.
4. *Tartuffe* : comédie de Molière (1622-1673) qui fit scandale lors de sa création en 1664, et dont le personnage principal est un faux dévot.
5. Intriguer à son choix son ouvrage : mener l'intrigue de son œuvre comme bon lui semble.
6. Tourniller : user de détours.
7. Ramas : ramassis.
8. Licence : liberté excessive, dérèglement.

se nourrir de grossières inepties[1], et perdre, avec ses mœurs,
75 le goût de la décence et des chefs-d'œuvre de nos maîtres. J'ai
tenté d'être cet homme, et si je n'ai pas mis plus de talent à mes
ouvrages, au moins mon intention s'est-elle manifestée dans
tous.

J'ai pensé, je pense encore, qu'on n'obtient ni grand pathé-
80 tique, ni profonde moralité, ni bon et vrai comique au théâtre,
sans des situations fortes et qui naissent toujours d'une disconvenance sociale[2] dans le sujet qu'on veut traiter. L'auteur tragique, hardi dans ses moyens, ose admettre le crime atroce : les
conspirations, l'usurpation du trône, le meurtre, l'empoi-
85 sonnement, l'inceste, dans *Œdipe* et *Phèdre* ; le fratricide dans
Vendôme ; le parricide dans *Mahomet* ; le régicide dans *Macbeth*[3],
etc., etc. La comédie, moins audacieuse, n'excède pas les dis-
convenances, parce que ses tableaux sont tirés de nos mœurs[4],
ses sujets de la société. Mais comment frapper sur l'avarice, à
90 moins de mettre en scène un méprisable avare ? démasquer
l'hypocrisie sans montrer, comme Orgon, dans le *Tartuffe*, un
abominable hypocrite *épousant sa fille et convoitant sa femme*? un
homme à bonnes fortunes, sans le faire parcourir un cercle
entier de femmes galantes ? un joueur effréné, sans l'envelop-
95 per de fripons, s'il ne l'est pas déjà lui-même ?

Tous ces gens-là sont loin d'être vertueux ; l'auteur ne les
donne pas pour tels ; il n'est le patron d'aucun d'eux ; il est le
peintre de leurs vices. Et parce que le lion est féroce, le loup
vorace et glouton, le renard rusé, cauteleux[5], la fable est-elle
100 sans moralité ? Quand l'auteur la dirige contre un sot que la
louange enivre, il fait choir du bec du corbeau le fromage dans

---

1. Inepties : bêtises.
2. Disconvenance sociale : écart entre le caractère d'un personnage et celui que
son rang social laisse attendre.
3. *Œdipe*, *Le Fanatisme ou Mahomet* : tragédies de Voltaire (1694-1778) ; **Vendôme** :
personnage de la tragédie de Voltaire *Adélaïde du Guesclin* ; **Phèdre** : tragédie
de Racine (1639-1699) ; **Macbeth** : tragédie de William Shakespeare (1564-1616).
4. Mœurs : usages, manières de vivre.
5. Cauteleux : sournois.

la gueule du renard; sa moralité est remplie; s'il la tournait contre le bas flatteur, il finirait son apologue[1] ainsi : «Le renard s'en saisit, le dévore, mais le fromage était empoisonné.» La fable est une comédie légère, et toute comédie n'est qu'un long apologue; leur différence est que dans la fable les animaux ont de l'esprit, et que dans notre comédie les hommes sont souvent des bêtes, et, qui pis est, des bêtes méchantes.

Ainsi, lorsque Molière, qui fut si tourmenté par les sots, donne à *L'Avare* un fils prodigue[2] et vicieux qui lui vole sa cassette et l'injurie en face, est-ce des vertus ou des vices qu'il tire sa moralité? Que lui importent ses fantômes? c'est vous qu'il entend corriger. Il est vrai que les afficheurs et balayeurs littéraires[3] de son temps ne manquèrent pas d'apprendre au bon public combien tout cela était horrible! Il est aussi prouvé que des envieux très importants, ou des importants très envieux, se déchaînèrent contre lui. Voyez le sévère Boileau, dans son épître au grand Racine, venger son ami qui n'est plus, en rappelant ainsi les faits :

L'ignorance et l'erreur à ses naissantes pièces
En habits de marquis, en robes de comtesses,
Venaient pour diffamer son chef-d'œuvre nouveau,
Et secouaient la tête à l'endroit le plus beau.
Le commandeur voulait la scène plus exacte;
Le vicomte, indigné, sortait au second acte :
L'un, défenseur zélé des dévots mis en jeu,
Pour prix de ses bons mots, le condamnait au feu;
L'autre, fougueux marquis, *lui déclarant la guerre,*
*Voulait venger la Cour immolée au parterr*e.[4]

---

1. Apologue : court récit allégorique qui permet d'exposer une vérité morale, à la façon des fables, des contes philosophiques ou des paraboles.
2. Prodigue : qui dépense avec excès.
3. Afficheurs et balayeurs littéraires : journalistes et critiques littéraires.
4. Extrait de l'épître VII du poète Nicolas Boileau (1636-1711).

130   On voit même dans un placet[1] de Molière à Louis XIV qui
fut si grand en protégeant les arts, et sans le goût éclairé duquel
notre théâtre n'aurait pas un seul chef-d'œuvre de Molière, on
voit ce philosophe auteur se plaindre amèrement au roi que,
pour avoir démasqué les hypocrites, ils imprimaient partout
135   qu'il était « un libertin, un impie, un athée, un démon vêtu de
chair, habillé en homme » ; et cela s'imprimait avec APPROBA-
TION ET PRIVILÈGE de ce roi qui le protégeait : rien là-dessus
n'est empiré.

Mais, parce que les personnages d'une pièce s'y montrent
140   sous des mœurs vicieuses, faut-il les bannir de la scène ? Que
poursuivrait-on au théâtre ? les travers et les ridicules ? cela vaut
bien la peine d'écrire ! ils sont chez nous comme les modes ; on
ne s'en corrige point, on en change.

Les vices, les abus, voilà ce qui ne change point, mais se
145   déguise en mille formes sous le masque des mœurs domi-
nantes ; leur arracher ce masque et les montrer à découvert,
telle est la noble tâche de l'homme qui se voue au théâtre. Soit
qu'il moralise en riant, soit qu'il pleure en moralisant, Héraclite ou Démocrite[2], il n'a pas un autre devoir ; malheur à lui s'il
150   s'en écarte. On ne peut corriger les hommes qu'en les faisant
voir tels qu'ils sont. La comédie utile et véridique n'est point un
éloge menteur, un vain discours d'académie.

Mais gardons-nous bien de confondre cette critique générale, un des plus nobles buts de l'art, avec la satire[3] odieuse
155   et personnelle : l'avantage de la première est de corriger sans
blesser. Faites prononcer au théâtre par l'homme juste, aigri
de l'horrible abus des bienfaits : « tous les hommes sont des

---

1. Placet : demande écrite destinée à obtenir une faveur d'une personne détenant
un pouvoir important.
2. Héraclite (vie siècle av. J.-C.) ; **Démocrite** (460-370 av. J.-C.) : philosophes de
l'Antiquité grecque. On oppose souvent le pessimisme du premier à l'optimisme du
second.
3. Satire : écrit ou discours visant à dénoncer l'attitude de quelqu'un en le
ridiculisant.

ingrats»; quoique chacun soit bien près de penser comme lui, personne ne s'offensera. Ne pouvant y avoir un ingrat
160 sans qu'il existe un bienfaiteur, ce reproche même établit une balance égale entre les bons et mauvais cœurs; on le sent, et cela console. Que si l'humoriste[1] répond qu'«un bienfaiteur fait cent ingrats», on répliquera justement qu'«il n'y a peut-être pas un ingrat qui n'ait été plusieurs fois bienfaiteur»: cela
165 console encore. Et c'est ainsi qu'en généralisant, la critique la plus amère porte du fruit sans nous blesser; quand la satire personnelle, aussi stérile que funeste, blesse toujours et ne produit jamais. Je hais partout cette dernière, et je la crois un si punissable abus que j'ai plusieurs fois d'office invoqué la vigi-
170 lance du magistrat pour empêcher que le théâtre ne devînt une arène de gladiateurs, où le puissant se crût en droit de faire exercer ses vengeances par les plumes vénales[2] et malheureusement trop communes qui mettent leur bassesse à l'enchère.

N'ont-ils donc pas assez, ces grands, des mille et un feuil-
175 listes[3], faiseurs de bulletins, afficheurs, pour y trier les plus mauvais, en choisir un bien lâche, et dénigrer qui les offusque? On tolère un si léger mal parce qu'il est sans conséquence et que la vermine éphémère démange un instant et périt; mais le théâtre est un géant qui blesse à mort tout ce qu'il frappe. On
180 doit réserver ses grands coups pour les abus et pour les maux publics.

Ce n'est donc ni le vice ni les incidents qu'il amène qui font l'indécence théâtrale; mais le défaut de leçons et de moralité. Si l'auteur, ou faible ou timide, n'ose en tirer de son sujet, voilà
185 ce qui rend sa pièce équivoque ou vicieuse.

Lorsque je mis *Eugénie*[4] au théâtre (et il faut bien que je me cite, puisque c'est toujours moi qu'on attaque), lorsque je mis

---

1. Humoriste: au sens premier, qui a de l'humeur, qui est dans de mauvaises dispositions.
2. Les plumes vénales: les auteurs qui écrivent dans le seul intérêt financier.
3. Feuillistes: pigistes, c'est-à-dire rédacteurs payés à la feuille.
4. *Eugénie*: première pièce de Beaumarchais (1767).

Eugénie au théâtre, tous nos jurés-crieurs à la décence[1] jetaient des flammes dans les foyers sur ce que j'avais osé montrer un seigneur libertin habillant ses valets en prêtres et feignant d'épouser une jeune personne qui paraît enceinte au théâtre[2], sans avoir été mariée.

Malgré leurs cris, la pièce a été jugée, sinon le meilleur, au moins le plus moral des drames, constamment jouée sur tous les théâtres et traduite dans toutes les langues. Les bons esprits ont vu que la moralité, que l'intérêt y naissaient entièrement de l'abus qu'un homme puissant et vicieux fait de son nom, de son crédit pour tourmenter une faible fille, sans appui, trompée, vertueuse et délaissée. Ainsi tout ce que l'ouvrage a d'utile et de bon naît du courage qu'eut l'auteur d'oser porter la disconvenance sociale au plus haut point de liberté.

Depuis, j'ai fait *Les Deux Amis*[3], pièce dans laquelle un père avoue à sa prétendue nièce qu'elle est sa fille illégitime; ce drame est aussi très moral, parce qu'à travers les sacrifices de la plus parfaite amitié, l'auteur s'attache à y montrer les devoirs qu'impose la nature sur les fruits d'un ancien amour, que la rigoureuse dureté des convenances sociales, ou plutôt leur abus, laisse trop souvent sans appui.

Entre autres critiques de la pièce, j'entendis, dans une loge auprès de celle que j'occupais, un jeune *important*[4] de la Cour qui disait gaiement à des dames: «L'auteur, sans doute, est un garçon fripier, qui ne voit rien de plus élevé que des commis des fermes[5] et des marchands d'étoffes; et c'est au fond d'un magasin qu'il va chercher les nobles amis qu'il traduit à la scène française! – Hélas! monsieur, lui dis-je en m'avançant, il a fallu du moins les prendre où il n'est pas impossible de les

---

1. Jurés-crieurs à la décence: censeurs chargés de détourner les populations de certaines pièces jugées immorales.
2. Au théâtre: sur scène.
3. *Les Deux Amis*: pièce de Beaumarchais (1770).
4. Important: personne qui affecte des airs importants.
5. Commis des fermes: personnes qui perçoivent des impôts.

supposer. Vous ririez bien plus de l'auteur, s'il eût tiré deux vrais amis de l'Œil-de-bœuf[1] et des carrosses ? Il faut un peu de vraisemblance, même dans les actes vertueux. »

220   Me livrant à mon gai caractère, j'ai depuis tenté, dans *Le Barbier de Séville*, de ramener au théâtre l'ancienne et franche gaieté, en l'alliant avec le ton léger de notre plaisanterie actuelle ; mais comme cela même était une espèce de nouveauté, la pièce fut vivement poursuivie. Il semblait que j'eusse ébranlé

225   l'État ; l'excès des précautions qu'on prit et des cris qu'on fit contre moi décelait surtout la frayeur que certains vicieux de ce temps avaient de s'y voir démasqués. La pièce fut censurée quatre fois, cartonnée[2] trois fois sur l'affiche à l'instant d'être jouée, dénoncée même au parlement d'alors ; et moi, frappé de

230   ce tumulte, je persistais à demander que le public restât le juge de ce que j'avais destiné à l'amusement du public.

Je l'obtins au bout de trois ans. Après les clameurs, les éloges ; et chacun me disait tout bas : « Faites-nous donc des pièces de ce genre, puisqu'il n'y a plus que vous qui osiez rire en face. »

235   Un auteur désolé par la cabale[3] et les criards, mais qui voit sa pièce marcher, reprend courage, et c'est ce que j'ai fait. Feu M. le prince de Conti[4], de patriotique mémoire (car en frappant l'air de son nom, l'on sent vibrer le vieux mot *patrie*), feu M. le prince de Conti, donc, me porta le défi public de

240   mettre au théâtre ma préface du *Barbier*, plus gaie, disait-il, que la pièce, et d'y montrer la famille de Figaro, que j'indiquais dans cette préface. « Monseigneur, lui répondis-je, si je mettais une seconde fois ce caractère sur la scène, comme je le montrerais plus âgé, qu'il en saurait quelque peu davantage, ce serait

245   bien un autre bruit, et qui sait s'il verrait le jour ! » Cependant,

---

1. Œil-de-bœuf : pièce du château de Versailles, éclairée par une fenêtre en œil-de-bœuf, où les courtisans répandaient les rumeurs en attendant le lever du roi.
2. Cartonnée : annulée par un carton collé sur l'affiche.
3. Cabale : complot mené contre quelqu'un.
4. Prince de Conti (1717-1776) : beau-fils du régent Philippe II d'Orléans et soutien de Beaumarchais.

par respect, j'acceptai le défi : je composai cette *Folle Journée*, qui cause aujourd'hui la rumeur. Il daigna la voir le premier. C'était un homme d'un grand caractère, un prince auguste, un esprit noble et fier : le dirai-je ? il en fut content.

250   Mais quel piège, hélas ! j'ai tendu au jugement de nos critiques en appelant ma comédie du vain nom de *Folle Journée*[1] ! Mon objet était bien de lui ôter quelque importance ; mais je ne savais pas encore à quel point un changement d'annonce peut égarer tous les esprits. En lui laissant son véritable titre,

255 on eût lu *L'Époux suborneur*[2]. C'était pour eux une autre piste ; on me courait différemment[3]. Mais ce nom de *Folle Journée* les a mis à cent lieues de moi : ils n'ont plus rien vu dans l'ouvrage que ce qui n'y sera jamais ; et cette remarque un peu sévère sur la facilité de prendre le change a plus d'étendue qu'on ne

260 croit. Au lieu du nom de *George Dandin*, si Molière eût appelé son drame : *La Sottise des alliances*, il eût porté bien plus de fruit ; si Regnard eût nommé son *Légataire*[4] : *La Punition du célibat*, la pièce nous eût fait frémir. Ce à quoi il ne songea pas, je l'ai fait avec réflexion. Mais qu'on ferait un beau chapitre sur tous les

265 jugements des hommes et la morale du théâtre, et qu'on pourrait intituler : *De l'influence de l'affiche* !

    Quoi qu'il en soit, *La Folle Journée* resta cinq ans au portefeuille[5] ; les Comédiens[6] ont su que je l'avais, ils me l'ont enfin arrachée. S'ils ont bien ou mal fait pour eux, c'est ce qu'on a pu

270 voir depuis. Soit que la difficulté de la rendre excitât leur émulation, soit qu'ils sentissent, avec le public, que pour lui plaire en comédie, il fallait de nouveaux efforts, jamais pièce aussi difficile n'a été jouée avec autant d'ensemble ; et si l'auteur (comme on le

---

1. **La Folle Journée** : premier titre de la pièce, sous-titrée *Le Mariage de Figaro*.
2. **Suborneur** : séducteur.
3. **On me courait différemment** : on m'aurait poursuivi en justice.
4. **Georges Dandin** : comédie de Molière (1622-1673) créée en 1668 ; **Le Légataire universel** : comédie de Jean-François Régnard (1655-1709) représentée en 1708.
5. **Resta cinq ans au portefeuille** : resta en cours durant cinq ans.
6. **Comédiens** : acteurs de la Comédie-Française.

dit) est resté au-dessous de lui-même, il n'y a pas un seul acteur
275 dont cet ouvrage n'ait établi, augmenté ou confirmé la réputation. Mais revenons à sa lecture, à l'adoption des Comédiens.

Sur l'éloge outré qu'ils en firent, toutes les sociétés vou-
lurent le connaître, et dès lors il fallut me faire des querelles de
toute espèce ou céder aux instances universelles. Dès lors aussi
280 les grands ennemis de l'auteur ne manquèrent pas de répandre
à la Cour qu'il blessait dans cet ouvrage, d'ailleurs «un tissu
de bêtises», la religion, le gouvernement, tous les états de la
société, les bonnes mœurs, et qu'enfin la vertu y était opprimée
et le vice triomphant, «comme de raison[1]», ajoutait-on. Si les
285 graves messieurs qui l'ont tant répété me font l'honneur de lire
cette préface, ils y verront au moins que j'ai cité bien juste ; et la
bourgeoise intégrité que je mets à mes citations n'en fera que
mieux ressortir la noble infidélité des leurs.

Ainsi dans *Le Barbier de Séville* je n'avais qu'ébranlé l'État ;
290 dans ce nouvel essai, plus infâme et plus séditieux[2], je le ren-
versais de fond en comble. Il n'y avait plus rien de sacré si l'on
permettait cet ouvrage. On abusait l'autorité par les plus insidieux rapports ; on cabalait auprès des corps puissants ; on
alarmait les dames timorées ; on me faisait des ennemis sur le
295 prie-Dieu des oratoires : et moi, selon les hommes et les lieux,
je repoussais la basse intrigue[3] par mon excessive patience, par
la roideur de mon respect, l'obstination de ma docilité, par la
raison, quand on voulait l'entendre.

Ce combat a duré quatre ans[4]. Ajoutez-les aux cinq du por-
300 tefeuille, que reste-t-il des allusions qu'on s'efforce à voir dans
l'ouvrage ? Hélas ! quand il fut composé, tout ce qui fleurit
aujourd'hui n'avait pas même encore germé. C'était tout un
autre univers.

---

1. Comme de raison : en toute logique.
2. Séditieux : qui incite à se révolter.
3. Intrigue : ensemble de manœuvres et de pratiques secrètes destinées à faire
réussir ou manquer un projet.
4. De 1780 à 1784 (voir p. 6-7).

305 Pendant ces quatre ans de débat je ne demandais qu'un censeur ; on m'en accorda cinq ou six. Que virent-ils dans l'ouvrage, objet d'un tel déchaînement ? la plus badine des intrigues. Un grand seigneur espagnol, amoureux d'une jeune fille qu'il veut séduire, et les efforts que cette fiancée, celui qu'elle doit épouser et la femme du seigneur réunissent pour faire

310 échouer dans son dessein un maître absolu que son rang, sa fortune et sa prodigalité rendent tout-puissant pour l'accomplir. Voilà tout, rien de plus. La pièce est sous vos yeux.

D'où naissaient donc ces cris perçants ? De ce qu'au lieu de poursuivre un seul caractère vicieux, comme le Joueur, l'Ambi-

315 tieux, l'Avare ou l'Hypocrite, ce qui ne lui eût mis sur les bras qu'une seule classe d'ennemis, l'auteur a profité d'une composition légère, ou plutôt a formé son plan de façon à y faire entrer la critique d'une foule d'abus qui désolent la société. Mais, comme ce n'est pas là ce qui gâte un ouvrage aux yeux

320 du censeur éclairé, tous, en l'approuvant, l'ont réclamé pour le théâtre. Il a donc fallu l'y souffrir ; alors les grands du monde ont vu jouer avec scandale

Cette pièce où l'on peint un insolent valet
Disputant sans pudeur son épouse à son maître.

325 M. GUDIN[1].

Oh ! que j'ai de regret de n'avoir pas fait de ce sujet moral une tragédie bien sanguinaire ! Mettant un poignard à la main de l'époux outragé, que je n'aurais pas nommé Figaro, dans sa jalouse fureur je lui aurais fait noblement poignarder le puis-

330 sant vicieux ; et comme il aurait vengé son honneur dans des vers carrés, bien ronflants, et que mon jaloux, tout au moins général d'armée, aurait eu pour rival quelque tyran bien horrible et régnant au plus mal sur un peuple désolé, tout cela, très loin de nos mœurs, n'aurait, je crois, blessé personne ; on eût

---

1. Gudin de La Brénellerie (1738-1812) : ami de Beaumarchais, auteur d'une *Histoire de Beaumarchais.*

335 crié : « Bravo ! ouvrage bien moral ! » Nous étions sauvés, moi et
mon Figaro sauvage.

Mais ne voulant qu'amuser nos Français et non faire ruis-
seler les larmes de leurs épouses, de mon coupable amant j'ai
fait un jeune seigneur de ce temps-là, prodigue, assez galant,
340 même un peu libertin, à peu près comme les autres seigneurs
de ce temps-là. Mais qu'oserait-on dire au théâtre d'un seigneur, sans les offenser tous, sinon de lui reprocher son trop
de galanterie ? N'est-ce pas là le défaut le moins contesté par
eux-mêmes ? J'en vois beaucoup, d'ici, rougir modestement (et
345 c'est un noble effort) en convenant que j'ai raison.

Voulant donc faire le mien coupable, j'ai eu le respect généreux de ne lui prêter aucun des vices du peuple. Direz-vous que
je ne le pouvais pas, que c'eût été blesser toutes les vraisem-
blances ? Concluez donc en faveur de ma pièce, puisque enfin
350 je ne l'ai pas fait.

Le défaut même dont je l'accuse n'aurait produit aucun
mouvement comique, si je ne lui avais gaiement opposé
l'homme le plus dégourdi de sa nation, le *véritable* Figaro, qui,
tout en défendant Suzanne, sa propriété, se moque des projets
355 de son maître et s'indigne très plaisamment qu'il ose jouter[1] de
ruse avec lui, maître passé dans ce genre d'escrime.

Ainsi, d'une lutte assez vive entre l'abus de la puissance,
l'oubli des principes, la prodigalité[2], l'occasion, tout ce que la
séduction a de plus entraînant, et le feu, l'esprit, les ressources
360 que l'infériorité, piquée au jeu, peut opposer à cette attaque, il
naît dans ma pièce un jeu plaisant d'intrigue, où l'*époux suborneur*, contrarié, lassé, harassé, toujours arrêté dans ses vues, est
obligé, trois fois dans cette journée, de tomber aux pieds de sa
femme, qui, bonne, indulgente et sensible, finit par lui pardon-
365 ner : c'est ce qu'elles font toujours. Qu'a donc cette moralité de
blâmable, messieurs ?

---

1. Jouter : lutter.
2. Prodigalité : ici, excès.

La trouvez-vous un peu badine pour le ton grave que je prends? accueillez-en une plus sévère qui blesse vos yeux dans l'ouvrage, quoique vous ne l'y cherchiez pas – c'est qu'un seigneur assez vicieux pour vouloir prostituer à ses caprices tout ce qui lui est subordonné, pour se jouer dans ses domaines de la pudicité[1] de toutes ses jeunes vassales, doit finir, comme celui-ci, par être la risée de ses valets. Et c'est ce que l'auteur a très fortement prononcé, lorsqu'en fureur, au cinquième acte, Almaviva, croyant confondre une femme infidèle, montre à son jardinier un cabinet, en lui criant : «Entres-y, toi, Antonio ; conduis devant son juge l'infâme qui m'a déshonoré» ; et que celui-ci lui répond : «Il y a, parguenne, une bonne Providence ! Vous en avez tant fait dans le pays qu'il faut bien aussi qu'à votre tour[2] !... »

Cette profonde moralité se fait sentir dans tout l'ouvrage ; et s'il convenait à l'auteur de démontrer aux adversaires qu'à travers sa forte leçon il a porté la considération pour la dignité du coupable plus loin qu'on ne devait l'attendre de la fermeté de son pinceau, je leur ferais remarquer que, croisé dans tous ses projets, le comte Almaviva se voit toujours humilié, sans être jamais avili.

En effet, si la comtesse usait de ruse pour aveugler sa jalousie dans le dessein de le trahir, devenue coupable elle-même, elle ne pourrait mettre à ses pieds son époux, sans le dégrader à nos yeux. La vicieuse intention de l'épouse brisant un lien respecté, l'on reprocherait justement à l'auteur d'avoir tracé des mœurs blâmables ; car nos jugements sur les mœurs se rapportent toujours aux femmes ; on n'estime pas assez les hommes pour tant exiger d'eux sur ce point délicat. Mais, loin qu'elle ait ce vil projet, ce qu'il y a de mieux établi dans l'ouvrage est que nul ne veut faire une tromperie au comte mais seulement l'empêcher d'en faire à tout le monde. C'est la

---

1. Pudicité: caractère pudique.
2. Acte V, scène 14.

purété des motifs qui sauve ici les moyens du reproche ; et, de cela seul que la comtesse ne veut que ramener son mari, toutes les confusions qu'il éprouve sont certainement très morales, aucune n'est avilissante.

Pour que cette vérité vous frappe davantage, l'auteur oppose à ce mari peu délicat la plus vertueuse des femmes par goût et par principes.

Abandonnée d'un époux trop aimé, quand l'expose-t-on à vos regards ? Dans le moment critique où sa bienveillance pour un aimable enfant, son filleul, peut devenir un goût dange-reux, si elle permet au ressentiment qui l'appuie de prendre trop d'empire sur elle. C'est pour faire mieux sortir l'amour vrai du devoir que l'auteur la met un moment aux prises avec un goût naissant qui le combat. Oh ! combien on s'est étayé[1] de ce léger mouvement dramatique pour nous accuser d'indé-cence ! On accorde à la tragédie que toutes les reines, les prin-cesses, aient des passions bien allumées qu'elles combattent plus ou moins, et l'on ne souffre pas que, dans la comédie, une femme ordinaire puisse lutter contre la moindre faiblesse ! Ô grande *influence de l'affiche* ! jugement sûr et conséquent ! Avec la différence du genre, on blâme ici ce qu'on approuvait là. Et cependant en ces deux cas c'est toujours le même principe : point de vertu sans sacrifice.

J'ose en appeler à vous, jeunes infortunées que votre mal-heur attache à des Almaviva ! Distingueriez-vous toujours votre vertu de vos chagrins, si quelque intérêt importun, tendant trop à les dissiper, ne vous avertissait enfin qu'il est temps de combattre pour elle ? Le chagrin de perdre un mari n'est pas ici ce qui nous touche ; un regret aussi personnel est trop loin d'être une vertu ! Ce qui nous plaît dans la comtesse, c'est de la voir lutter franchement contre un goût naissant qu'elle blâme et des ressentiments légitimes. Les efforts qu'elle fait alors pour ramener son infidèle époux, mettant dans le plus heureux jour

---

1. **On s'est étayé** : on a fait jouer, on s'est servi.

les deux sacrifices pénibles de son goût et de sa colère, on n'a nul besoin d'y penser pour applaudir à son triomphe ; elle est un modèle de vertu, l'exemple de son sexe et l'amour du nôtre.

435 Si cette métaphysique[1] de l'honnêteté des scènes, si ce principe avoué de toute décence théâtrale n'a point frappé nos juges à la représentation, c'est vainement que j'en étendrais ici le développement, les conséquences ; un tribunal d'iniquité[2] n'écoute point les défenses de l'accusé qu'il est chargé de
440 perdre ; et ma comtesse n'est point traduite au parlement de la nation, c'est une commission qui la juge.

On a vu la légère esquisse de son aimable caractère dans la charmante pièce d'*Heureusement*[3]. Le goût naissant que la jeune femme éprouve pour son petit cousin l'officier n'y parut blâ-
445 mable à personne, quoique la tournure des scènes pût laisser à penser que la soirée eût fini d'autre manière, si l'époux ne fût pas rentré, comme dit l'auteur, « heureusement ». Heureusement aussi l'on n'avait pas le projet de calomnier cet auteur : chacun se livra de bonne foi à ce doux intérêt qu'inspire une jeune
450 femme honnête et sensible qui réprime ses premiers goûts ; et notez que dans cette pièce, l'époux ne paraît qu'un peu sot ; dans la mienne il est infidèle ; ma comtesse a plus de mérite.

Aussi, dans l'ouvrage que je défends, le plus véritable intérêt se porte-t-il sur la comtesse ; le reste est dans le même esprit.

455 Pourquoi Suzanne la camariste[4], spirituelle, adroite et rieuse, a-t-elle aussi le droit de nous intéresser ? C'est qu'atta-quée par un séducteur puissant, avec plus d'avantage qu'il n'en faudrait pour vaincre une fille de son état, elle n'hésite pas à confier les intentions du comte aux deux personnes les plus
460 intéressées à bien surveiller sa conduite : sa maîtresse et son fiancé ; c'est que, dans tout son rôle, presque le plus long de la

---

1. Métaphysique : ici, conception compliquée.
2. Tribunal d'iniquité : tribunal injuste, voire corrompu.
3. *Heureusement* : comédie (1762) de Jacques Rochon de Chabannes (1730-1800).
4. Camariste : camériste, c'est-à-dire femme de chambre (orthographe hispani-sante).

pièce, il n'y a pas une phrase, un mot, qui ne respire la sagesse et l'attachement à ses devoirs. La seule ruse qu'elle se permette est en faveur de sa maîtresse, à qui son dévouement est cher, et
465 dont tous les vœux sont honnêtes.

Pourquoi, dans ses libertés sur son maître, Figaro m'amuse-t-il, au lieu de m'indigner ? C'est que, l'opposé des valets, il n'est pas, et vous le savez, le malhonnête homme de la pièce : en le voyant forcé par son état de repousser l'insulte avec adresse,
470 on lui pardonne tout, dès qu'on sait qu'il ne ruse avec son seigneur que pour garantir ce qu'il aime et sauver sa propriété.

Donc, hors le comte et ses agents, chacun fait dans la pièce à peu près ce qu'il doit. Si vous les croyez malhonnêtes parce qu'ils disent du mal les uns des autres, c'est une règle très fau-
475 tive. Voyez nos honnêtes gens du siècle : on passe la vie à ne faire autre chose ! Il est même tellement reçu de déchirer sans pitié les absents que moi, qui les défends toujours, j'entends murmurer très souvent : « Quel diable d'homme, et qu'il est contrariant ! Il dit du bien de tout le monde ! »

480 Est-ce mon page, enfin, qui vous scandalise ? et l'immoralité qu'on reproche au fond de l'ouvrage serait-elle dans l'accessoire ? Ô censeurs délicats ! beaux esprits sans fatigue ! inquisiteurs pour la morale, qui condamnez en un clin d'œil les réflexions de cinq années ! soyez justes une fois, sans tirer
485 à conséquence[1]. Un enfant de treize ans, aux premiers battements du cœur, cherchant tout sans rien démêler, idolâtre, ainsi qu'on l'est à cet âge heureux, d'un objet céleste pour lui dont le hasard fit sa marraine, est-il un sujet de scandale ? Aimé de tout le monde au château, vif, espiègle et brûlant, comme
490 tous les enfants spirituels, par son agitation extrême, il dérange dix fois, sans le vouloir, les coupables projets du comte. Jeune adepte de la nature, tout ce qu'il voit a droit de l'agiter ; peut-être il n'est plus un enfant, mais il n'est pas encore un homme, et c'est le moment que j'ai choisi pour qu'il obtînt de l'intérêt

---

1. **Sans tirer à conséquence** : sans tirer des conclusions hâtives et erronées.

495 sans forcer personne à rougir. Ce qu'il éprouve innocemment, il l'inspire partout de même. Direz-vous qu'on l'aime d'amour? Censeurs! ce n'est pas là le mot: vous êtes trop éclairés pour ignorer que l'amour, même le plus pur, a un motif intéressé: on ne l'aime donc pas encore; on sent qu'un jour on l'aimera.

500 Et c'est ce que l'auteur a mis, avec gaieté dans la bouche de Suzanne, quand elle dit à cet enfant: «Oh! dans trois ou quatre ans, je prédis que vous serez le plus grand petit vaurien[1]!...»

Pour lui imprimer plus fortement le caractère de l'enfance, nous le faisons exprès tutoyer par Figaro. Supposez-lui deux

505 ans de plus, quel valet dans le château prendrait ces libertés? Voyez-le à la fin de son rôle; à peine a-t-il un habit d'officier, qu'il porte la main à l'épée aux premières railleries du comte, sur le quiproquo d'un soufflet. Il sera fier, notre étourdi! mais c'est un enfant, rien de plus. N'ai-je pas vu nos dames, dans

510 les loges, aimer mon page à la folie? Que lui voulaient-elles? hélas! rien: c'était de l'intérêt aussi; mais, comme celui de la comtesse, un pur et naïf intérêt, un intérêt... sans intérêt.

Mais est-ce la personne du page ou la conscience du seigneur qui fait le tourment du dernier, toutes les fois que l'au-

515 teur les condamne à se rencontrer dans la pièce? Fixez[2] ce léger aperçu, il peut vous mettre sur sa voie; ou plutôt apprenez de lui que cet enfant n'est amené que pour ajouter à la moralité de l'ouvrage, en vous montrant que l'homme le plus absolu chez lui, dès qu'il suit un projet coupable, peut être mis au désespoir

520 par l'être le moins important, par celui qui redoute le plus de se rencontrer sur sa route.

Quand mon page aura dix-huit ans, avec le caractère vif et bouillant que je lui ai donné, je serai coupable, à mon tour, si je le montre sur la scène. Mais à treize ans qu'inspire-t-il?

525 quelque chose de sensible et doux qui n'est ni amitié ni amour, et qui tient un peu de tous deux.

---

1. Acte I, scène 7.
2. Fixez: concentrez-vous sur.

J'aurais de la peine à faire croire à l'innocence de ces impressions, si nous vivions dans un siècle moins chaste, dans un de ces siècles de calcul où, voulant tout prématuré, comme les fruits de leurs serres chaudes, les grands mariaient leurs enfants à douze ans, et faisaient plier la nature, la décence et le goût aux plus sordides convenances, en se hâtant surtout d'arracher, de ces êtres non formés, des enfants encore moins formables dont le bonheur n'occupait personne et qui n'étaient que le prétexte d'un certain trafic d'avantages qui n'avait nul rapport à eux, mais uniquement à leur nom. Heureusement nous en sommes bien loin, et le caractère de mon page, sans conséquence pour lui-même, en a une relative au comte, que le moraliste aperçoit, mais qui n'a pas encore frappé le grand commun de nos jugeurs.

Ainsi, dans cet ouvrage, chaque rôle important a quelque but moral. Le seul qui semble y déroger est le rôle de Marceline.

Coupable d'un ancien égarement, dont son Figaro fut le fruit, elle devrait, dit-on, se voir au moins punie par la confusion de sa faute, lorsqu'elle reconnaît son fils. L'auteur eût pu même en tirer une moralité plus profonde : dans les mœurs qu'il veut corriger, la faute d'une jeune fille séduite est celle des hommes, et non la sienne. Pourquoi donc ne l'a-t-il pas fait ?

Il l'a fait, censeurs raisonnables ! étudiez la scène suivante[1], qui faisait le nerf du troisième acte et que les Comédiens m'ont prié de retrancher, craignant qu'un morceau si sévère n'obscurcît la gaieté de l'action.

Quand Molière a bien humilié la coquette ou coquine du *Misanthrope*, par la lecture publique de ses lettres à tous ses amants, il la laisse avilie sous les coups qu'il lui a portés ; il a raison : qu'en ferait-il ? vicieuse par goût et par choix, veuve aguerrie, femme de cour, sans aucune excuse d'erreur, et fléau d'un fort honnête homme, il l'abandonne à nos mépris,

---

1. **La scène suivante** : la scène 16 de l'acte III.

560 et telle est sa moralité. Quant à moi, saisissant l'aveu naïf de Marceline au moment de la reconnaissance, je montrais cette femme humiliée et Bartholo qui la refuse, et Figaro, leur fils commun, dirigeant l'attention publique sur les vrais fauteurs du désordre où l'on entraîne sans pitié toutes les jeunes filles
565 du peuple douées d'une jolie figure.

Telle est la marche de la scène.

BRID'OISON, *parlant de Figaro qui vient de reconnaître sa mère en Marceline.* – C'est clair : i-il ne l'épousera pas.

BARTHOLO. – Ni moi non plus.

570 **MARCELINE**. – Ni vous ! et votre fils ? Vous m'aviez juré…

BARTHOLO. – J'étais fou. Si pareils souvenirs engageaient, on serait tenu d'épouser tout le monde.

BRID'OISON. – E-et si l'on y regardait de si près, pè-personne n'épouserait personne.

575 **BARTHOLO**. – Des fautes si connues ! une jeunesse déplorable !

MARCELINE, *s'échauffant par degrés.* – Oui, déplorable, et plus qu'on ne croit ! Je n'entends pas nier mes fautes, ce jour les a trop bien prouvées ! mais qu'il est dur de les expier après trente ans d'une vie modeste ! J'étais née, moi, pour être sage, et je
580 la suis devenue sitôt qu'on m'a permis d'user de ma raison. Mais dans l'âge des illusions, de l'inexpérience et des besoins, où les séducteurs nous assiègent, pendant que la misère nous poignarde, que peut opposer une enfant à tant d'ennemis rassemblés ? Tel nous juge ici sévèrement, qui, peut-être, en sa vie
585 a perdu dix infortunées !

FIGARO. – Les plus coupables sont les moins généreux ; c'est la règle.

MARCELINE, *vivement.* – Hommes plus qu'ingrats, qui flétrissez par le mépris les jouets de vos passions, vos victimes ! c'est vous qu'il
590 faut punir des erreurs de notre jeunesse ; vous et vos magistrats, si vains du droit de nous juger, et qui nous laissent enlever, par leur coupable négligence, tout honnête moyen de subsister. Est-il un seul état pour les malheureuses filles ? Elles avaient un

droit naturel à toute la parure des femmes : on y laisse former
595 mille ouvriers de l'autre sexe.

FIGARO, *en colère*. – Ils font broder jusqu'aux soldats.

MARCELINE, *exaltée*. – Dans les rangs même plus élevés, les femmes
n'obtiennent de vous qu'une considération dérisoire ; leurrées
de respects apparents, dans une servitude réelle ; traitées en
600 mineures pour nos biens, punies en majeures pour nos fautes !
ah, sous tous les aspects, votre conduite avec nous fait horreur
ou pitié !

FIGARO. – Elle a raison !

LE COMTE, *à part*. – Que trop raison !

605 BRID'OISON. – Elle a, mon-on Dieu ! raison.

MARCELINE. – Mais que nous font, mon fils, les refus d'un homme
injuste ? ne regarde pas d'où tu viens, vois où tu vas ; cela seul
importe à chacun. Dans quelques mois, ta fiancée ne dépendra
plus que d'elle-même ; elle t'acceptera, j'en réponds : vis entre
610 une épouse, une mère tendres qui te chériront à qui mieux
mieux. Sois indulgent pour elles, heureux pour toi, mon fils ; gai,
libre et bon pour tout le monde : il ne manquera rien à ta mère.

FIGARO. – Tu parles d'or, maman, et je me tiens à ton avis. Qu'on
est sot, en effet ! il y a des mille, mille ans que le monde roule,
615 et dans cet océan de durée où j'ai par hasard attrapé quelques
chétifs trente ans qui ne reviendront plus, j'irais me tourmenter
pour savoir à qui je les dois ! tant pis pour qui s'en inquiète !
Passer ainsi la vie à chamailler, c'est peser sur le collier sans
relâche, comme les malheureux chevaux de la remonte des
620 fleuves qui ne reposent pas, même quand ils s'arrêtent, et qui
tirent toujours, quoiqu'ils cessent de marcher. Nous attendrons.

J'ai bien regretté ce morceau, et maintenant que la pièce est
connue, si les Comédiens avaient le courage de le restituer à ma
prière, je pense que le public leur en saurait beaucoup de gré.
625 Ils n'auraient plus même à répondre, comme je fus forcé de le
faire à certains censeurs du beau monde qui me reprochaient,
à la lecture, de les intéresser pour une femme de mauvaises

mœurs: «Non, messieurs, je n'en parle pas pour excuser ses mœurs, mais pour vous faire rougir des vôtres sur le point le
630 plus destructeur de toute honnêteté publique: *la corruption des jeunes personnes*; et j'avais raison de le dire, que vous trouvez ma pièce trop gaie, parce qu'elle est souvent trop sévère. Il n'y a que façon de s'entendre.

– Mais votre Figaro est un soleil tournant[1], qui brûle, en
635 jaillissant, les manchettes de tout le monde. – Tout le monde est exagéré. Qu'on me sache gré du moins s'il ne brûle pas aussi les doigts de ceux qui croient s'y reconnaître: au temps qui court, on a beau jeu sur cette matière au théâtre. M'est-il permis de composer en auteur qui sort du collège, de toujours
640 faire rire des enfants sans jamais rien dire à des hommes? et ne devez-vous pas me passer un peu de morale, en faveur de ma gaieté, comme on passe aux Français un peu de folie, en faveur de leur raison?»

Si je n'ai versé sur nos sottises qu'un peu de critique badine,
645 ce n'est pas que je ne sache en former de plus sévères: quiconque a dit tout ce qu'il sait dans son ouvrage, y a mis plus que moi dans le mien. Mais je garde une foule d'idées qui me pressent pour un des sujets les plus moraux du théâtre, aujourd'hui sur mon chantier: *La Mère coupable*[2]; et si le dégoût
650 dont on m'abreuve me permet jamais de l'achever, mon projet étant d'y faire verser des larmes à toutes les femmes sensibles, j'élèverai mon langage à la hauteur de mes situations, j'y prodiguerai les traits de la plus austère morale, et je tonnerai fortement sur les vices que j'ai trop ménagés. Apprêtez-vous donc
655 bien, messieurs, à me tourmenter de nouveau: ma poitrine a déjà grondé; j'ai noirci beaucoup de papier au service de votre colère.

---

1. Soleil tournant: pièce de feu d'artifice.
2. *La Mère coupable*: pièce de Beaumarchais représentée en 1792, qui constitue le dernier volet de la trilogie dont Figaro est le personnage principal.

Et vous, honnêtes indifférents, qui jouissez de tout sans prendre parti sur rien, jeunes personnes modestes et timides qui vous plaisez à ma *Folle Journée* (et je n'entreprends sa défense que pour justifier votre goût), lorsque vous verrez dans le monde un de ces hommes tranchants critiquer vaguement la pièce, tout blâmer sans rien désigner, surtout la trouver indécente, examinez bien cet homme-là ; sachez son rang, son état, son caractère, et vous connaîtrez sur-le-champ le mot qui l'a blessé dans l'ouvrage.

On sent bien que je ne parle pas de ces écumeurs littéraires[1] qui vendent leurs bulletins ou leurs affiches à tant de liards[2] le paragraphe. Ceux-là, comme l'abbé Bazile, peuvent calomnier : *ils médiraient qu'on ne les croirait pas*[3].

Je parle moins encore de ces libellistes[4] honteux qui n'ont trouvé d'autre moyen de satisfaire leur rage, l'assassinat étant trop dangereux, que de lancer du cintre de nos salles[5] des vers infâmes contre l'auteur, pendant que l'on jouait sa pièce. Ils savent que je les connais ; si j'avais eu dessein de les nommer, ç'aurait été au ministère public : leur supplice est de l'avoir craint, il suffit à mon ressentiment. Mais on n'imaginera jamais jusqu'où ils ont osé élever les soupçons du public sur une aussi lâche épigramme[6] ! semblables à ces vils charlatans du Pont-Neuf, qui, pour accréditer leurs drogues, farcissent d'ordres, de cordons[7], le tableau qui leur sert d'enseigne.

Non, je cite nos importants, qui, blessés, on ne sait pourquoi, des critiques semées dans l'ouvrage, se chargent d'en dire du mal, sans cesser de venir aux noces.

---

1. **Écumeurs littéraires** : pirates littéraires, c'est-à-dire qui pratiquent le plagiat.
2. **Liards** : monnaie de peu de valeur.
3. Citation tirée du *Barbier de Séville* (acte II, scène 9).
4. **Libellistes** : personnes qui rédigent les textes remis au magistrat au début d'un procès.
5. **Du cintre de nos salles** : depuis la partie supérieure des salles de théâtre.
6. **Épigramme** : poème satirique.
7. **D'ordres, de cordons** : de décorations honorifiques de toutes sortes.

685   C'est un plaisir assez piquant de les voir d'en bas au spectacle, dans le très plaisant embarras de n'oser montrer ni satisfaction ni colère ; s'avançant sur le bord des loges, prêts à se
moquer de l'auteur, et se retirant aussitôt pour celer un peu
de grimace[1] ; emportés par un mot de la scène, et soudaine-
690 ment rembrunis par le pinceau du moraliste ; au plus léger
trait de gaieté, jouer tristement les étonnés, prendre un air
gauche en faisant les pudiques et regardant les femmes dans
les yeux, comme pour leur reprocher de soutenir un tel scandale ; puis, aux grands applaudissements, lancer sur le public
695 un regard méprisant, dont il est écrasé ; toujours prêts à lui
dire, comme ce courtisan dont parle Molière[2], lequel, outré du
succès de *L'École des femmes*, criait des balcons au public : «Ris
donc, public, ris donc ! » En vérité c'est un plaisir, et j'en ai joui
bien des fois.

700   Celui-là m'en rappelle un autre. Le premier jour de *La
Folle Journée*, on s'échauffait dans le foyer[3] (même d'honnêtes
plébéiens[4]) sur ce qu'ils nommaient spirituellement «mon
audace ». Un petit vieillard sec et brusque, impatienté de tous
ces cris, frappe le plancher de sa canne et dit en s'en allant :
705 «Nos Français sont comme les enfants, qui braillent quand on
les éberne[5]. » Il avait du sens, ce vieillard. Peut-être on pouvait
mieux parler, mais pour mieux penser, j'en défie.

    Avec cette intention de tout blâmer, on conçoit que les
traits les plus sensés ont été pris en mauvaise part. N'ai-je pas
710 entendu vingt fois un murmure descendre des loges à cette
réponse de Figaro :

LE COMTE. – Une réputation détestable !

---

1. **Celer un peu de grimace**: dissimuler leurs réactions.
2. Dans *La Critique de l'École des femmes* (1663), scène 5.
3. **Foyer**: dans un théâtre, salle où les spectateurs peuvent circuler et converser pendant les entractes.
4. **Plébéiens**: gens du peuple.
5. **Quand on les éberne**: quand on les nettoie de leurs excréments.

FIGARO. – Et si je vaux mieux qu'elle? y a-t-il beaucoup de seigneurs qui puissent en dire autant[1]?

715   Je dis, moi, qu'il n'y en a point; qu'il ne saurait y en avoir, à moins d'une exception bien rare. Un homme obscur ou peu connu peut valoir mieux que sa réputation, qui n'est que l'opinion d'autrui. Mais de même qu'un sot en place en paraît une fois plus sot parce qu'il ne peut plus rien cacher, de même un
720 grand seigneur, l'homme élevé en dignités, que la fortune et sa naissance ont placé sur le grand théâtre, et qui, en entrant dans le monde, eut toutes les préventions pour lui, vaut presque toujours moins que sa réputation s'il parvient à la rendre mauvaise. Une assertion[2] si simple et si loin du sarcasme[3] devait-
725 elle exciter le murmure? si son application paraît fâcheuse aux grands peu soigneux de leur gloire, en quel sens fait-elle épigramme sur ceux qui méritent nos respects? et quelle maxime[4] plus juste au théâtre peut servir de frein aux puissants et tenir lieu de leçon à ceux qui n'en reçoivent point d'autres?

730   Non qu'il faille oublier (a dit un écrivain sévère, et je me plais à le citer, parce que je suis de son avis), « non qu'il faille oublier, dit-il, ce qu'on doit aux rangs élevés: il est juste au contraire que l'avantage de la naissance soit le moins contesté de tous, parce que ce bienfait gratuit de l'hérédité, relatif aux
735 exploits, vertus ou qualités des aïeux de qui le reçut, ne peut aucunement blesser l'amour-propre de ceux auxquels il fut refusé; parce que dans une monarchie, si l'on ôtait les rangs intermédiaires, il y aurait trop loin du monarque aux sujets; bientôt on n'y verrait qu'un despote et des esclaves; le main-
740 tien d'une échelle graduée du laboureur au potentat[5] intéresse

---

1. Acte III, scène 5.
2. Assertion: affirmation.
3. Sarcasme: remarque d'une ironie mordante.
4. Maxime: précepte, règle de conduite, en général formulée en quelques mots.
5. Potentat: personne puissante, souverain.

également les hommes de tous les rangs, et peut-être est le plus ferme appui de la constitution monarchique ».

Mais quel auteur parlait ainsi ? qui faisait cette profession de foi sur la noblesse, dont on me suppose si loin ? C'était
745 Pierre-Augustin Caron de Beaumarchais, plaidant par écrit au parlement d'Aix, en 1778, une grande et sévère question qui décida bientôt de l'honneur d'un noble[1] et du sien. Dans l'ouvrage que je défends, on n'attaque point les états, mais les abus de chaque état ; les gens seuls qui s'en rendent coupables
750 ont intérêt à le trouver mauvais ; voilà les rumeurs expliquées ; mais quoi donc, les abus sont-ils devenus si sacrés qu'on n'en puisse attaquer aucun sans lui trouver vingt défenseurs ?

Un avocat célèbre, un magistrat respectable iront-ils donc s'approprier le plaidoyer d'un Bartholo, le jugement d'un
755 Brid'oison ? Ce mot de Figaro sur l'indigne abus des plaidoiries de nos jours (« c'est dégrader le plus noble institut »[2]) a bien montré le cas que je fais du noble métier d'avocat, et mon respect pour la magistrature ne sera pas plus suspecté, quand on saura dans quelle école j'en ai recherché la leçon, quand on
760 lira le morceau suivant, aussi tiré d'un moraliste, lequel, parlant des magistrats, s'exprime en ces termes formels :

« Quel homme aisé voudrait, pour le plus modique honoraire, faire le métier cruel de se lever à quatre heures pour aller au Palais tous les jours s'occuper, sous des formes pres-
765 crites, d'intérêts qui ne sont jamais les siens ; d'éprouver sans cesse l'ennui de l'importunité, le dégoût des sollicitations, le bavardage des plaideurs, la monotonie des audiences, la fatigue des délibérations et la contention d'esprit[3] nécessaire aux prononcés des arrêts, s'il ne se croyait pas payé de cette vie
770 laborieuse et pénible par l'estime et la considération publique ? et cette estime est-elle autre chose qu'un jugement qui n'est

---

1. Un noble : allusion au comte de la Blache, qui poursuivait Beaumarchais en justice à cause de l'héritage du financier Paris-Duverney.
2. Acte III, scène 15.
3. Contention d'esprit : effort intellectuel.

même aussi flatteur pour les bons magistrats qu'en raison de sa rigueur excessive contre les mauvais ? »

775 Mais quel écrivain m'instruisait ainsi par ses leçons ? Vous allez croire encore que c'est Pierre-Augustin ? Vous l'avez dit : c'est lui, en 1773, dans son quatrième Mémoire[1], en défendant jusqu'à la mort sa triste existence attaquée par un soi-disant magistrat. Je respecte donc hautement ce que chacun doit honorer, et je blâme ce qui peut nuire.

780 « Mais dans cette *Folle Journée*, au lieu de saper[2] les abus, vous vous donnez des libertés très répréhensibles au théâtre ; votre monologue[3] surtout contient, sur les gens disgraciés, des traits qui passent la licence ! – Eh ! croyez-vous, messieurs, que j'eusse un talisman pour tromper, séduire, enchaîner la censure et 785 l'autorité, quand je leur soumis mon ouvrage ? que je n'aie pas dû justifier ce que j'avais osé écrire ? » Que vais-je dire à Figaro, parlant à l'homme déplacé ? « Que les sottises imprimées n'ont d'importance qu'aux lieux où l'on en gêne le cours. » Est-ce donc là une vérité d'une conséquence dangereuse ? Au lieu de 790 ces inquisitions puériles et fatigantes, et qui seules donnent de l'importance à ce qui n'en aurait jamais, si, comme en Angleterre, on était assez sage ici pour traiter les sottises avec ce mépris qui les tue, loin de sortir du vil fumier qui les enfante, elles y pourriraient en germant, et ne se propageraient point. 795 Ce qui multiplie les libelles[4] est la faiblesse de les craindre ; ce qui fait vendre les sottises est la sottise de les défendre.

Et comment conclut Figaro ? « Que sans la liberté de blâmer, il n'est point d'éloge flatteur ; et qu'il n'y a que les petits hommes qui redoutent les petits écrits. » Sont-ce là des 800 hardiesses coupables, ou bien des aiguillons de gloire[5] ? des

---

1. **Dans son quatrième Mémoire** : dans les *Mémoires contre Goëzman*, rédigés en 1773-1774 par Beaumarchais.
2. **Saper** : dénoncer.
3. **Votre monologue** : le monologue de Figaro à la scène 3 de l'acte V.
4. **Libelles** : décrets interdisant la publication de certaines œuvres.
5. **Aiguillons de gloire** : piques stimulantes.

moralités insidieuses ou des maximes réfléchies, aussi justes qu'encourageantes ?

Supposez-les le fruit des souvenirs. Lorsque, satisfait du présent, l'auteur veille pour l'avenir, dans la critique du passé, qui peut avoir droit de s'en plaindre ? et si, ne désignant ni temps, ni lieu, ni personnes, il ouvre la voie, au théâtre, à des réformes désirables, n'est-ce pas aller à son but ?

La Folle Journée explique donc comment, dans un temps prospère, sous un roi juste et des ministres modérés, l'écrivain peut tonner sur les oppresseurs sans craindre de blesser personne. C'est pendant le règne d'un bon prince qu'on écrit sans danger l'histoire des méchants rois ; et, plus le gouvernement est sage, est éclairé, moins la liberté de dire est en presse[1] ; chacun y faisant son devoir, on n'y craint pas les allusions ; nul homme en place ne redoutant ce qu'il est forcé d'estimer, on n'affecte point alors d'opprimer chez nous cette même littérature, qui fait notre gloire au-dehors et nous y donne une sorte de primauté que nous ne pouvons tirer d'ailleurs.

En effet, à quel titre y prétendrions-nous ? Chaque peuple tient à son culte et chérit son gouvernement. Nous ne sommes pas restés plus braves que ceux qui nous ont battus à leur tour. Nos mœurs plus douces, mais non meilleures, n'ont rien qui nous élève au-dessus d'eux. Notre littérature seule, estimée de toutes les nations, étend l'empire de la langue française et nous obtient de l'Europe entière une prédilection avouée qui justifie, en l'honorant, la protection que le gouvernement lui accorde.

Et comme chacun cherche toujours le seul avantage qui lui manque, c'est alors qu'on peut voir dans nos académies l'homme de la cour siéger avec les gens de lettres, les talents personnels et la considération héritée se disputer ce noble objet, et les archives académiques se remplir presque également de papiers et de parchemins.

---

1. Est en presse : est opprimée.

Revenons à *La Folle Journée*.

835 Un monsieur de beaucoup d'esprit, mais qui l'économise un peu trop, me disait un soir au spectacle : « Expliquez-moi donc, je vous prie, pourquoi, dans votre pièce, on trouve autant de phrases négligées qui ne sont pas de votre style ? – De mon style, monsieur ? Si par malheur j'en avais un, je m'efforcerais

840 de l'oublier quand je fais une comédie, ne connaissant rien d'insipide au théâtre comme ces fades camaïeux[1] où tout est bleu, où tout est rose, où tout est l'auteur, quel qu'il soit. »

Lorsque mon sujet me saisit, j'évoque tous mes personnages et les mets en situation. « Songe à toi, Figaro, ton maître va

845 te deviner. Sauvez-vous vite, Chérubin, c'est le comte que vous touchez. Ah ! comtesse, quelle imprudence, avec un époux si violent ! » Ce qu'ils diront, je n'en sais rien ; c'est ce qu'ils feront qui m'occupe. Puis, quand ils sont bien animés, j'écris sous leur dictée rapide, sûr qu'ils ne me tromperont pas, que je recon-

850 naîtrai Bazile, lequel n'a pas l'esprit de Figaro, qui n'a pas le ton noble du comte, qui n'a pas la sensibilité de la comtesse, qui n'a pas la gaieté de Suzanne, qui n'a pas l'espièglerie du page, et surtout aucun d'eux la sublimité[2] de Brid'oison. Chacun y parle son langage : eh ! que le dieu du naturel les préserve d'en

855 parler d'autre ! Ne nous attachons donc qu'à l'examen de leurs idées, et non à rechercher si j'ai dû leur prêter mon style.

Quelques malveillants ont voulu jeter de la défaveur sur cette phrase de Figaro : « Sommes-nous des soldats qui tuent et se font tuer pour des intérêts qu'ils ignorent ? Je veux savoir,

860 moi, pourquoi je me fâche. »[3] À travers le nuage d'une concep-tion indigeste ils ont feint d'apercevoir *que je répands une lumière décourageante sur l'état pénible du soldat, et il y a des choses qu'il ne faut jamais dire.* Voilà dans toute sa force l'argument de la méchanceté ; reste à en prouver la bêtise.

---

1. **Camaïeux** : peintures faites d'une déclinaison d'une seule couleur.
2. **Sublimité** : caractère de ce qui est sublime, parfait (emploi ironique).
3. Acte V, scène 12.

865 Si, comparant la dureté du service à la modicité de la paye, ou discutant tel autre inconvénient de la guerre et comptant la gloire pour rien, je versais de la défaveur sur ce plus noble des affreux métiers, on me demanderait justement compte d'un mot indiscrètement échappé. Mais, du soldat au colonel, 870 au général exclusivement, quel imbécile homme de guerre a jamais eu la prétention qu'il dût pénétrer les secrets du cabinet pour lesquels il fait la campagne ? C'est de cela seul qu'il s'agit dans la phrase de Figaro. Que ce fou-là se montre, s'il existe ; nous l'enverrons étudier sous le philosophe Babouc[1], lequel 875 éclaircit disertement[2] ce point de discipline militaire.

En raisonnant sur l'usage que l'homme fait de sa liberté dans les occasions difficiles, Figaro pouvait également opposer à sa situation tout état qui exige une obéissance implicite ; et le cénobite[3] zélé, dont le devoir est de tout croire sans jamais rien 880 examiner, comme le guerrier valeureux, dont la gloire est de tout affronter sur des ordres non motivés, de *tuer et se faire tuer pour des intérêts qu'il ignore*. Le mot de Figaro ne dit donc rien, sinon qu'un homme libre de ses actions doit agir sur d'autres principes que ceux dont le devoir est d'obéir aveuglément.

885 Qu'aurait-ce été, bon Dieu ! si j'avais fait usage d'un mot qu'on attribue au Grand Condé[4], et que j'entends louer à outrance par ces mêmes logiciens qui déraisonnent sur ma phrase ? À les croire, le Grand Condé montra la plus noble présence d'esprit, lorsque arrêtant Louis XIV prêt à pousser 890 son cheval dans le Rhin, il dit à ce monarque : «Sire, avez-vous besoin du bâton de maréchal ?»

---

1. Étudier sous le philosophe Babouc : étudier sous la direction du philosophe Babouc, personnage d'un conte de Voltaire, *Le monde comme il va* (1746). Il remarque que seuls les gouverneurs de province connaissent les causes de la guerre.
2. Disertement : longuement, avec éloquence.
3. Cénobite : moine qui vit au sein d'une communauté religieuse.
4. Grand Condé : Louis II de Condé (1621-1686). Il dirigeait une division de soldats lors du passage du Rhin (12 juin 1672), l'une des plus brillantes campagnes militaires du règne de Louis XIV.

Heureusement on ne prouve nulle part que ce grand homme ait dit cette grande sottise. C'eût été dire au roi, devant toute son armée : « Vous moquez-vous donc, Sire, de vous expo-895 ser dans un fleuve ? Pour courir de pareils dangers, il faut avoir besoin d'avancement ou de fortune ! »

Ainsi l'homme le plus vaillant, le plus grand général du siècle, aurait compté pour rien l'honneur, le patriotisme et la gloire ! un misérable calcul d'intérêt eût été, selon lui, le seul 900 principe de la bravoure ! il eût dit là un affreux mot ! et si j'en avais pris le sens pour l'enfermer dans quelque trait, je mérite-rais le reproche qu'on fait gratuitement au mien.

Laissons donc les cerveaux fumeux louer ou blâmer, au hasard, sans se rendre compte de rien, s'extasier sur une sottise 905 qui n'a pu jamais être dite, et proscrire un mot juste et simple qui ne montre que du bon sens.

Un autre reproche assez fort, mais dont je n'ai pu me laver, est d'avoir assigné pour retraite à la comtesse un certain cou-vent d'Ursulines. « Ursulines ! » a dit un seigneur, joignant les 910 mains avec éclat ; « Ursulines ! » a dit une dame en se renversant de surprise sur un jeune Anglais de sa loge ; « "Ursulines !" ah Milord ! si vous entendiez le français !… – Je sens, je sens beau-coup, madame, dit le jeune homme en rougissant. – C'est qu'on n'a jamais mis au théâtre aucune femme aux "Ursulines" ! Abbé, 915 parlez-nous donc ! L'abbé (toujours appuyée sur l'Anglais), comment trouvez-vous "Ursulines" ? – Fort indécent », répond l'abbé sans cesser de lorgner Suzanne. Et tout le beau monde a répété : « "Ursulines" est fort indécent. » Pauvre auteur ! on te croit jugé, quand chacun songe à son affaire. En vain j'essayais 920 d'établir que dans l'événement de la scène, moins la comtesse a dessein de se cloîtrer, plus elle doit le feindre et faire croire à son époux que sa retraite est bien choisie ; ils ont proscrit mes « Ursulines[1] » !

---

1. **Ursulines** : ordre de religieuses (voir acte II, scène 19).

Dans le plus fort de la rumeur, moi, bon homme, j'avais été
925 jusqu'à prier une des actrices qui font le charme de ma pièce
de demander aux mécontents à quel autre couvent de filles
ils estimaient qu'il fût *décent* que l'on fît entrer la comtesse ? À
moi, cela m'était égal, je l'aurais mise où l'on aurait voulu : aux
Augustines, aux Célestines, aux Clairettes, aux Visitandines,
930 même aux Petites Cordelières[1], tant je tiens peu aux Ursulines !
Mais on agit si durement !

Enfin, le bruit croissant toujours, pour arranger l'affaire
avec douceur, j'ai laissé le mot « Ursulines » à la place où je
l'avais mis : chacun alors, content de soi, de tout l'esprit qu'il
935 avait montré, s'est apaisé sur « Ursulines », et l'on a parlé d'autre
chose.

Je ne suis point, comme l'on voit, l'ennemi de mes ennemis.
En disant bien du mal de moi ils n'en ont point fait à ma pièce,
et s'ils sentaient seulement autant de joie à la déchirer que j'eus
940 de plaisir à la faire, il n'y aurait personne d'affligé. Le malheur est qu'ils ne rient point ; et ils ne rient point à ma pièce
parce qu'on ne rit point à la leur. Je connais plusieurs amateurs
qui sont même beaucoup maigris depuis le succès du *Mariage* :
excusons donc l'effet de leur colère.

945 À des moralités d'ensemble et de détail, répandues dans
les flots d'une inaltérable gaieté, à un dialogue assez vif dont
la facilité nous cache le travail, si l'auteur a joint une intrigue
aisément filée, où l'art se dérobe sous l'art, qui se noue et se
dénoue sans cesse à travers une foule de situations comiques,
950 de tableaux piquants et variés qui soutiennent, sans la fatiguer,
l'attention du public pendant les trois heures et demie que
dure le même spectacle (essai que nul homme de lettres n'avait
encore osé tenter !), que restait-il à faire à de pauvres méchants
que tout cela irrite ? attaquer, poursuivre l'auteur par des injures
955 verbales, manuscrites, imprimées : c'est ce qu'on a fait sans

---

1. Augustines, Célestines, Clairettes, Visitandines, Petites Cordelières :
autres ordres de religieuses.

relâche. Ils ont même épuisé jusqu'à la calomnie pour tâcher de me perdre dans l'esprit de tout ce qui influe en France sur le repos d'un citoyen. Heureusement que mon ouvrage est sous les yeux de la nation, qui depuis dix grands mois le voit, le juge et l'apprécie. Le laisser jouer tant qu'il fera plaisir est la seule vengeance que je me sois permise. Je n'écris point ceci pour les lecteurs actuels ; le récit d'un mal trop connu touche peu ; mais dans quatre-vingts ans il portera son fruit. Les auteurs de ce temps-là compareront leur sort au nôtre, et nos enfants sauront à quel prix on pouvait amuser leurs pères.

Allons au fait ; ce n'est pas tout cela qui blesse. Le vrai motif qui se cache et qui dans les replis du cœur produit tous les autres reproches, est renfermé dans ce quatrain :

Pourquoi ce Figaro qu'on va tant écouter
Est-il avec fureur déchiré par les sots ?
Recevoir, prendre et demander :
Voilà le secret en trois mots[1].

En effet, Figaro, parlant du métier de courtisan, le définit dans ces termes sévères. Je ne puis le nier, je l'ai dit. Mais reviendrai-je sur ce point ? Si c'est un mal, le remède serait pire : il faudrait poser méthodiquement ce que je n'ai fait qu'indiquer, revenir à montrer qu'il n'y a point de synonyme en français entre *l'homme de la cour, l'homme de cour,* et *le courtisan par métier.*

Il faudrait répéter qu'*homme de la cour* peint seulement un noble état ; qu'il s'entend de l'homme de qualité vivant avec la noblesse et l'éclat que son rang lui impose ; que, si cet *homme de la cour* aime le bien par goût, sans intérêt, si, loin de jamais nuire à personne, il se fait estimer de ses maîtres, aimer de ses égaux et respecter des autres, alors cette acception reçoit un nouveau lustre[2], et j'en connais plus d'un que je nommerais avec plaisir s'il en était question.

---

1. Les deux derniers vers sont tirés de la scène 2 de l'acte II.
2. Lustre : éclat.

Il faudrait montrer qu'*homme de cour*, en bon français, est moins l'énoncé d'un état que le résumé d'un caractère adroit, liant, mais réservé, pressant la main de tout le monde en glissant chemin à travers, menant finement son intrigue avec l'air de toujours servir, ne se faisant point d'ennemis, mais donnant, près d'un fossé, dans l'occasion, de l'épaule au meilleur ami pour assurer sa chute et le remplacer sur la crête, laissant à part tout préjugé qui pourrait ralentir sa marche, souriant à ce qui lui déplaît et critiquant ce qu'il approuve, selon les hommes qui l'écoutent ; dans les liaisons utiles de sa femme ou de sa maîtresse, ne voyant que ce qu'il doit voir, enfin…

> *Prenant tout, pour le faire court,*
> *En véritable* homme de cour[1].

LA FONTAINE.

Cette acception n'est pas aussi défavorable que celle du *courtisan par métier*, et c'est l'homme dont parle Figaro.

Mais, quand j'étendrais la définition de ce dernier, quand, parcourant tous les possibles, je le montrerais avec son maintien équivoque, haut et bas à la fois, rampant avec orgueil, ayant toutes les prétentions sans en justifier une, se donnant l'air du *protègement*[2] pour se faire chef de parti, dénigrant tous les concurrents qui balanceraient son crédit, faisant un métier lucratif de ce qui ne devrait qu'honorer, vendant ses maîtresses à son maître, lui faisant payer ses plaisirs, etc., etc., et quatre pages d'etc., il faudrait toujours revenir au distique[3] de Figaro : « Recevoir, prendre et demander : voilà le secret en trois mots. »[4]

Pour ceux-ci, je n'en connais point ; il y en eut, dit-on, sous Henri III, sous d'autres rois encore, mais c'est l'affaire de l'historien ; et, quant à moi, je suis d'avis que les vicieux du siècle en sont comme les saints : qu'il faut cent ans pour les canoniser.

---

1. Extrait d'un conte de Jean de La Fontaine (1621-1695), *La Joconde* (1665).
2. **Protègement** : protection (néologisme).
3. **Distique** : ensemble de deux vers formant un énoncé complet.
4. Acte II, scène 2.

Mais, puisque j'ai promis la critique de ma pièce, il faut enfin que je la donne.

En général son grand défaut est *que je ne l'ai point faite en observant le monde; qu'elle ne peint rien de ce qui existe et ne rappelle jamais l'image de la société où l'on vit; que ses mœurs basses et corrompues n'ont pas même le mérite d'être vraies.* Et c'est ce qu'on lisait dernièrement dans un beau discours imprimé, composé par un homme de bien, auquel il n'a manqué qu'un peu d'esprit pour être un écrivain médiocre[1]. Mais, médiocre ou non, moi qui ne fis jamais usage de cette allure oblique et torse[2] avec laquelle un sbire[3] qui n'a pas l'air de vous regarder vous donne du stylet au flanc, je suis de l'avis de celui-ci. Je conviens qu'à la vérité, la génération passée ressemblait beaucoup à ma pièce, que la génération future lui ressemblera beaucoup aussi; mais que, pour la génération présente, elle ne lui ressemble aucunement; que je n'ai jamais rencontré ni mari suborneur, ni seigneur libertin, ni courtisan avide, ni juge ignorant ou passionné, ni avocat injuriant, ni gens médiocres avancés, ni traducteur bassement jaloux; et que, si des âmes pures, qui ne s'y reconnaissent point du tout, s'irritent contre ma pièce et la déchirent sans relâche, c'est uniquement par respect pour leurs grands-pères et sensibilité pour leurs petits-enfants. J'espère, après cette déclaration, qu'on me laissera bien tranquille; ET J'AI FINI.

---

1. Un homme de bien […] un écrivain médiocre: allusion ironique à Jean-Baptiste Suard (1732-1817), censeur de la pièce. En juin 1784, il prononça un discours à l'Académie française pour condamner l'audace de Beaumarchais.
2. Oblique et torse: tordue et hypocrite (sens figuré).
3. Sbire: homme de main.

Caractères
et habillements de la pièce

Le comte Almaviva doit être joué très noblement, mais avec grâce et liberté. La corruption du cœur ne doit rien ôter au *bon ton* de ses manières. Dans les mœurs *de ce temps-là*, les grands traitaient en badinant toute entreprise sur les femmes. Ce rôle est d'autant plus pénible à bien rendre que le personnage est toujours sacrifié. Mais, joué par un comédien excellent (M. Molé[1]), il a fait ressortir tous les rôles et assuré le succès de la pièce.

Son vêtement du premier et second acte est un habit de chasse, avec des bottines à mi-jambe de l'ancien costume espagnol. Du troisième acte jusqu'à la fin, un habit superbe de ce costume.

La comtesse, agitée de deux sentiments contraires, ne doit montrer qu'une sensibilité réprimée, ou une colère très modérée ; rien surtout qui dégrade aux yeux du spectateur son caractère aimable et vertueux. Ce rôle, un des plus difficiles de la pièce, a fait infiniment d'honneur au grand talent de Mlle Saint-Val cadette[2].

Son vêtement du premier, second et quatrième acte est une lévite[3] commode, et nul ornement sur la tête : elle est chez elle et censée incommodée. Au cinquième acte, elle a l'habillement et la haute coiffure de Suzanne.

Figaro. L'on ne peut trop recommander à l'acteur qui jouera ce rôle de bien se pénétrer de son esprit, comme l'a fait M. Dazincourt[4]. S'il y voyait autre chose que de la raison assaisonnée de gaieté et de saillies, surtout s'il y mettait la moindre

---

1. **M. Molé** (1734-1802) : acteur de la Comédie-Française.
2. **Mlle Saint-Val cadette** (1752-1836) : comédienne qui jouait habituellement dans des tragédies.
3. **Lévite** : longue robe de femme.
4. **M. Dazincourt** (1747-1809) : acteur qui jouait les rôles de valets.

charge, il avilirait un rôle que le premier comique du théâtre, M. Préville[1], a jugé devoir honorer le talent de tout comédien qui saurait en saisir les nuances multipliées et pourrait s'élever à son entière conception.

Son vêtement comme dans *Le Barbier de Séville*.

SUZANNE. Jeune personne adroite, spirituelle et rieuse, mais non de cette gaieté presque effrontée de nos soubrettes corruptrices; son joli caractère est dessiné dans la préface, et c'est là que l'actrice qui n'a point vu Mlle Contat[2] doit l'étudier pour le bien rendre.

Son vêtement des quatre premiers actes est un juste blanc à basquines[3], très élégant, la jupe de même, avec une toque appelée depuis par nos marchandes: «à la Suzanne». Dans la fête du quatrième acte, le comte lui pose sur la tête une toque à long voile, à hautes plumes et à rubans blancs. Elle porte au cinquième acte la lévite de sa maîtresse, et nul ornement sur la tête.

MARCELINE est une femme d'esprit, née un peu vive, mais dont les fautes et l'expérience ont réformé le caractère. Si l'actrice qui le joue s'élève avec une fierté bien placée à la hauteur très morale qui suit la reconnaissance du troisième acte, elle ajoutera beaucoup à l'intérêt de l'ouvrage.

Son vêtement est celui des duègnes[4] espagnoles, d'une couleur modeste, un bonnet noir sur la tête.

ANTONIO ne doit montrer qu'une demi-ivresse qui se dissipe par degrés, de sorte qu'au cinquième acte on n'en aperçoive presque plus.

---

1. M. Préville (1721-1799): acteur de la Comédie-Française et ami de Beaumarchais. Il avait tenu le rôle de Figaro dans *Le Barbier de Séville* en 1775 mais était trop âgé en 1784 pour l'interpréter dans *Le Mariage de Figaro*. Il endossa donc le rôle de Brid'oison.
2. Mlle Contat (1760-1818): comédienne qui jouait les rôles d'ingénues.
3. Basquines: seconde jupe que les femmes basques portaient sur la première.
4. Duègnes: femmes âgées chargées de veiller sur la conduite des jeunes filles.

1095 Son vêtement est celui d'un paysan espagnol, où les manches pendent par-derrière ; un chapeau et des souliers blancs.

FANCHETTE est une enfant de douze ans, très naïve. Son petit habit est un juste brun avec des ganses et des boutons d'argent, la jupe de couleur tranchante, et une toque noire à plumes sur la tête. Il sera celui des autres paysannes de la noce.

1100 CHÉRUBIN. Ce rôle ne peut être joué, comme il l'a été, que par une jeune et très jolie femme ; nous n'avons point à nos théâtres de très jeune homme assez formé pour en bien sentir les finesses. Timide à l'excès devant la comtesse, ailleurs un charmant polisson, un désir inquiet et vague est le fond de 1105 son caractère. Il s'élance à la puberté mais sans projet, sans connaissances, et tout entier à chaque événement ; enfin il est ce que toute mère, au fond du cœur, voudrait peut-être que fût son fils, quoiqu'elle dût beaucoup en souffrir.

Son riche vêtement, aux premier et second actes, est celui 1110 d'un page de cour espagnol, blanc et brodé d'argent ; le léger manteau bleu sur l'épaule, et un chapeau chargé de plumes. Au quatrième acte, il a le corset, la jupe et la toque des jeunes paysannes qui l'amènent. Au cinquième acte, un habit uniforme d'officier, une cocarde et une épée.

1115 BARTHOLO. Le caractère et l'habit comme dans *Le Barbier de Séville* ; il n'est ici qu'un rôle secondaire.

BAZILE. Caractère et vêtement comme dans *Le Barbier de Séville* ; il n'est aussi qu'un rôle secondaire.

BRID'OISON doit avoir cette bonne et franche assurance des 1120 bêtes qui n'ont plus leur timidité. Son bégaiement n'est qu'une grâce de plus qui doit être à peine sentie, et l'acteur se tromperait lourdement et jouerait à contresens s'il y cherchait le plaisant de son rôle. Il est tout entier dans l'opposition de la gravité de son état au ridicule du caractère ; et moins l'acteur 1125 le chargera, plus il montrera de vrai talent.

Son habit est une robe de juge espagnol, moins ample que celle de nos procureurs, presque une soutane ; une grosse perruque, une gonille ou rabat espagnol au col, et une longue baguette blanche à la main.

1130   DOUBLE-MAIN. Vêtu comme le juge, mais la baguette blanche plus courte.

L'HUISSIER OU ALGUAZIL[1]. Habit, manteau, épée de Crispin[2], mais portée à son côté sans ceinture de cuir. Point de bottines, une chaussure noire, une perruque blanche naissante et
1135   longue à mille boucles, une courte baguette blanche.

GRIPPE-SOLEIL. Habit de paysan, les manches pendantes ; veste de couleur tranchée, chapeau blanc.

UNE JEUNE BERGÈRE. Son vêtement comme celui de Fanchette.

1140   PÉDRILLE. En veste, gilet, ceinture, fouet et bottes de poste, une résille[3] sur la tête, chapeau de courrier[4].

PERSONNAGES MUETS, les uns en habits de juges, d'autres en habits de paysans, les autres en habits de livrée[5].

Placement des acteurs

Pour faciliter les jeux du théâtre, on a eu l'attention d'écrire
1145   au commencement de chaque scène le nom des personnages dans l'ordre où le spectateur les voit. S'ils font quelque mouvement grave dans la scène, il est désigné par un nouvel ordre

---

1. **Alguazil** : officier de police ou de justice espagnol.
2. **Crispin** : dans la *commedia dell'arte*, valet portant une épée.
3. **Résille** : filet enveloppant les cheveux (hispanisme).
4. **Courrier** : porteur de messages.
5. **Livrée** : uniforme porté par les domestiques.

de noms, écrit en marge à l'instant qu'il arrive. Il est important de conserver les bonnes positions théâtrales; le relâchement dans la tradition donnée par les premiers acteurs en produit bientôt un total dans le jeu des pièces, qui finit par assimiler les troupes négligentes aux plus faibles comédiens de société.

Personnages

LE COMTE ALMAVIVA, *grand corrégidor[1] d'Andalousie*
LA COMTESSE, *sa femme*
FIGARO, *valet de chambre du comte, et concierge[2] du château*
SUZANNE, *première camariste[3] de la comtesse, et fiancée de Figaro*
MARCELINE, *femme de charge[4]*
ANTONIO, *jardinier du château, oncle de Suzanne et père de Fanchette*
FANCHETTE, *fille d'Antonio*
CHERUBIN, *premier page du comte*
BARTHOLO, *médecin de Séville*
BAZILE, *maître de clavecin de la comtesse*
DON GUSMAN BRID'OISON, *lieutenant du siège*
DOUBLE-MAIN, *greffier, secrétaire de don Gusman*
UN HUISSIER-AUDIENCIER
GRIPPE-SOLEIL, *jeune pastoureau[5]*
UNE JEUNE BERGÈRE
PEDRILLE, *piqueur[6] du comte*

TROUPE DE VALETS
TROUPE DE PAYSANNES } *personnages muets*
TROUPE DE PAYSANS

La scène est au château d'Aguas-Frescas,
à trois lieues de Séville.

---

1. **Corrégidor**: premier magistrat.
2. **Concierge**: gardien.
3. **Camariste**: femme de chambre.
4. **Femme de charge**: femme attachée au service d'une grande maison.
5. **Pastoureau**: berger.
6. **Piqueur**: lors d'une chasse, cavalier qui accompagne la meute de chiens.

Dans l'appartement de Figaro et Suzanne, le comte Almaviva
en compagnie de Bazile découvre Chérubin caché dans un fauteuil (I, 9).
J. Saint-Quentin (dessin) et J.-B. Liénard (graveur), «Ce tour-ci vaut
l'autre», illustration de *La Folle Journée ou le Mariage de Figaro*,
Paris, Ruault, 1785.

ACTE I

Le théâtre représente une chambre à demi démeublée ; un grand fauteuil de malade est au milieu. Figaro, avec une toise[1], mesure le plancher. Suzanne attache à sa tête, devant une glace, le petit bouquet de fleurs d'orange appelé chapeau de la mariée.

Scène 1

FIGARO, SUZANNE

FIGARO. – Dix-neuf pieds sur vingt-six.

SUZANNE. – Tiens, Figaro, voilà mon petit chapeau ; le trouves-tu mieux ainsi ?

FIGARO *lui prend les mains.* – Sans comparaison, ma charmante. Oh !
5   que ce joli bouquet virginal[2], élevé sur la tête d'une belle fille, est doux, le matin des noces, à l'œil amoureux d'un époux !…

SUZANNE *se retire.* – Que mesures-tu donc là, mon fils ?

FIGARO. – Je regarde, ma petite Suzanne, si ce beau lit que Monseigneur nous donne aura bonne grâce ici.

10 SUZANNE. – Dans cette chambre ?

FIGARO. – Il nous la cède.

---

1. **Toise** : tige verticale, servant à prendre des mesures.
2. **Virginal** : de vierge, jeune fille non mariée.

SUZANNE. – Et moi je n'en veux point.

FIGARO. – Pourquoi?

SUZANNE. – Je n'en veux point.

15 FIGARO. – Mais encore?

SUZANNE. – Elle me déplaît.

FIGARO. – On dit une raison.

SUZANNE. – Si je n'en veux pas dire?

FIGARO. – Oh! quand elles sont sûres de nous!

20 SUZANNE. – Prouver que j'ai raison serait accorder que je puis avoir tort. Es-tu mon serviteur, ou non?

FIGARO. – Tu prends de l'humeur contre la chambre du château la plus commode, et qui tient le milieu des deux appartements. La nuit, si Madame est incommodée, elle sonnera de son côté; zeste[1]! 25 en deux pas tu es chez elle. Monseigneur veut-il quelque chose? il n'a qu'à tinter du sien; crac! en trois sauts me voilà rendu.

SUZANNE. – Fort bien! mais quand il aura « tinté » le matin pour te donner quelque bonne et longue commission, zeste! en deux pas, il est à ma porte, et crac! en trois sauts…

30 FIGARO. – Qu'entendez-vous par ces paroles?

SUZANNE. – Il faudrait m'écouter tranquillement.

FIGARO. – Eh qu'est-ce qu'il y a? bon Dieu!

SUZANNE. – Il y a, mon ami, que las de courtiser les beautés des environs, M. le comte Almaviva veut rentrer au château, mais non 35 pas chez sa femme; c'est sur la tienne, entends-tu, qu'il a jeté ses vues, auxquelles il espère que ce logement ne nuira pas. Et c'est

---

1. Zeste: interjection exprimant la rapidité d'une action.

ce que le loyal Bazile, honnête agent de ses plaisirs et mon noble
maître à chanter, me répète chaque jour en me donnant leçon.

FIGARO. – Bazile ! ô mon mignon ! si jamais volée de bois vert appliquée
40   sur une échine a dûment redressé la moelle épinière à quelqu'un…

SUZANNE. – Tu croyais, bon garçon ! que cette dot[1] qu'on me donne
était pour les beaux yeux de ton mérite ?

FIGARO. – J'avais assez fait pour l'espérer.

SUZANNE. – Que les gens d'esprit sont bêtes ![2]

45   **FIGARO.** – On le dit.

SUZANNE. – Mais c'est qu'on ne veut pas le croire !

FIGARO. – On a tort.

SUZANNE. – Apprends qu'il la destine à obtenir de moi, secrètement, certain quart d'heure, seul à seule, qu'un ancien droit du
50   seigneur[3]… Tu sais s'il était triste !

FIGARO. – Je le sais tellement que, si monsieur le comte, en se mariant,
n'eût pas aboli ce droit honteux, jamais je ne t'eusse épousée dans
ses domaines.

SUZANNE. – Eh bien ! s'il l'a détruit, il s'en repent ; et c'est de ta
55   fiancée qu'il veut le racheter en secret aujourd'hui.

FIGARO, *se frottant la tête.* – Ma tête s'amollit de surprise ; et mon
front fertilisé…

SUZANNE. – Ne le frotte donc pas !

---

1. Dot : bien, accordé par les parents, qu'une femme apportait à sa nouvelle famille
lors de son mariage.
2. Citation empruntée aux *Liaisons dangereuses* (1782) de Choderlos de Laclos
(1741-1803).
3. Un ancien droit du seigneur : allusion au droit de cuissage, qui autorisait les
seigneurs à avoir des relations sexuelles avec les filles de leurs vassaux au moment
de leur mariage.

FIGARO. – Quel danger ?

60 **SUZANNE,** *riant.* – S'il y venait un petit bouton… Des gens superstitieux…

FIGARO. – Tu ris, friponne ! Ah ! s'il y avait moyen d'attraper ce grand trompeur, de le faire donner dans un bon piège, et d'empocher son or !

65 **SUZANNE.** – De l'intrigue[1] et de l'argent ; te voilà dans ta sphère.

FIGARO. – Ce n'est pas la honte qui me retient.

SUZANNE. – La crainte ?

FIGARO. – Ce n'est rien d'entreprendre une chose dangereuse, mais d'échapper au péril[2] en la menant à bien : car, d'entrer chez
70 quelqu'un la nuit, de lui souffler sa femme et d'y recevoir cent coups de fouet pour la peine, il n'est rien plus aisé ; mille sots coquins l'ont fait. Mais…

On sonne de l'intérieur.

SUZANNE. – Voilà Madame éveillée ; elle m'a bien recommandé d'être la première à lui parler le matin de mes noces.

75 **FIGARO.** – Y a-t-il encore quelque chose là-dessous ?

SUZANNE. – Le berger dit que cela porte bonheur aux épouses délaissées. Adieu, mon petit Fi, Fi, Figaro. Rêve à notre affaire.

FIGARO. – Pour m'ouvrir l'esprit, donne un petit baiser.

SUZANNE. – À mon amant[3] aujourd'hui ? Je t'en souhaite ! Et qu'en
80 dirait demain mon mari ?

Figaro l'embrasse.

---

1. **Intrigue** : ensemble de manœuvres et de pratiques secrètes destinées à faire réussir ou manquer un projet.
2. **Mais d'échapper au péril** : le plus difficile est d'éviter un danger.
3. **Amant** : personne qu'on aime et qui aime en retour.

SUZANNE. – Hé bien ! hé bien !

FIGARO. – C'est que tu n'as pas d'idée de mon amour.

SUZANNE, *se défripant.* – Quand cesserez-vous, importun, de m'en parler du matin au soir ?

85 FIGARO, *mystérieusement.* – Quand je pourrai te le prouver du soir jusqu'au matin.

>*On sonne une seconde fois.*

SUZANNE, *de loin, les doigts unis sur sa bouche.* – Voilà votre baiser, monsieur ; je n'ai plus rien à vous.

FIGARO *court après elle.* – Oh ! mais ce n'est pas ainsi que vous l'avez
90 reçu...

Scène 2

FIGARO, *seul.*

La charmante fille ! toujours riante, verdissante, pleine de gaieté, d'esprit, d'amour et de délices ! mais sage !... *(Il marche vivement en se frottant les mains.)* Ah, monseigneur ! mon cher monseigneur ! vous voulez m'en donner... à garder[1] ? Je cherchais aussi pourquoi,
5 m'ayant nommé concierge, il m'emmène à son ambassade et m'établit courrier de dépêches. J'entends, monsieur le comte : trois promotions à la fois ; vous, compagnon ministre[2] ; moi, casse-cou politique, et Suzon, dame du lieu, l'ambassadrice de poche ; et puis fouette courrier ! pendant que je galoperais d'un côté, vous feriez faire de
10 l'autre à ma belle un joli chemin ! Me crottant, m'échinant pour la gloire de votre famille ; vous, daignant concourir à l'accroissement

---

1. **M'en donner... à garder** : me tromper, vous jouer de moi.
2. **Compagnon ministre** : ambassadeur, diplomate.

de la mienne ! Quelle douce réciprocité ! Mais, monseigneur, il y a de l'abus. Faire à Londres, en même temps, les affaires de votre maître et celles de votre valet ! représenter à la fois le roi et moi,
15 dans une cour étrangère, c'est trop de moitié, c'est trop. Pour toi, Bazile ! fripon mon cadet ! je veux t'apprendre à clocher devant les boiteux[1] ; je veux… non, dissimulons avec eux pour les enferrer l'un par l'autre. Attention sur la journée, monsieur Figaro ! D'abord avancer l'heure de votre petite fête, pour épouser plus sûrement ;
20 écarter une Marceline qui de vous est friande en diable ; empocher l'or et les présents ; donner le change aux petites passions de Monsieur le comte ; étriller rondement[2] monsieur du Bazile et…

Scène 3

Marceline, Bartholo, Figaro

Figaro *s'interrompt.* – … Héééé, voilà le gros docteur, la fête sera complète. Hé, bonjour, cher docteur de mon cœur. Est-ce ma noce avec Suzon qui vous attire au château ?

Bartholo, *avec dédain.* – Ah ! mon cher monsieur, point du tout.

5 **Figaro.** – Cela serait bien généreux !

Bartholo. – Certainement, et par trop sot.

Figaro. – Moi qui eus le malheur de troubler la vôtre ![3]

Bartholo. – Avez-vous autre chose à nous dire ?

Figaro. – On n'aura pas pris soin de votre mule !

---

1. **Clocher devant les boiteux** : jouer au plus fin.
2. **Étriller rondement** : battre sans retenue.
3. Allusion à l'intrigue du *Barbier de Séville* (1775), dans lequel Figaro empêchait le mariage que Bartholo projetait avec Rosine, devenue l'épouse du comte Almaviva.

10   **BARTHOLO,** *en colère.* – Bavard enragé ! laissez-nous.

FIGARO. – Vous vous fâchez, docteur ? les gens de votre état sont bien durs ! pas plus de pitié des pauvres animaux… en vérité… que si c'était des hommes ! Adieu, Marceline : avez-vous toujours envie de plaider contre moi ?

15   Pour n'aimer pas, faut-il qu'on se haïsse[1] ?

Je m'en rapporte au docteur.

BARTHOLO. – Qu'est-ce que c'est ?

FIGARO. – Elle vous le contera de reste.

Il sort.

Scène 4

MARCELINE, BARTHOLO

BARTHOLO *le regarde aller.* – Ce drôle est toujours le même ! et à moins qu'on ne l'écorche vif, je prédis qu'il mourra dans la peau du plus fier insolent…

MARCELINE *le retourne.* – Enfin vous voilà donc, éternel docteur ?
5   toujours si grave et compassé[2] qu'on pourrait mourir en attendant vos secours, comme on s'est marié jadis malgré vos précautions.

BARTHOLO. – Toujours amère et provocante ! Eh bien, qui rend donc ma présence au château si nécessaire ? Monsieur le comte a-t-il eu quelque accident ?

10   **MARCELINE.** – Non, docteur.

---

1. Citation d'une comédie de Voltaire, *Nanine* (1749).
2. **Compassé** : guindé, cérémonieux.

BARTHOLO. – La Rosine, sa trompeuse comtesse, est-elle incommodée, Dieu merci ?

MARCELINE. – Elle languit.

BARTHOLO. – Et de quoi ?

15 **MARCELINE.** – Son mari la néglige.

BARTHOLO, *avec joie.* – Ah, le digne époux qui me venge !

MARCELINE. – On ne sait comment définir le comte ; il est jaloux et libertin.

BARTHOLO. – Libertin par ennui, jaloux par vanité ; cela va sans dire.

20 **MARCELINE.** – Aujourd'hui, par exemple, il marie notre Suzanne à son Figaro qu'il comble en faveur de cette union...

BARTHOLO. – Que Son Excellence a rendue nécessaire !

MARCELINE. – Pas tout à fait ; mais dont Son Excellence voudrait égayer en secret l'événement avec l'épousée...

25 **BARTHOLO.** – De M. Figaro ? C'est un marché qu'on peut conclure avec lui.

MARCELINE. – Bazile assure que non.

BARTHOLO. – Cet autre maraud[1] loge ici ? C'est une caverne[2] ! Eh, qu'y fait-il ?

30 **MARCELINE.** – Tout le mal dont il est capable. Mais le pis que j'y trouve est cette ennuyeuse passion qu'il a pour moi depuis si longtemps.

BARTHOLO. – Je me serais débarrassée vingt fois de sa poursuite.

MARCELINE. – De quelle manière ?

BARTHOLO. – En l'épousant.

---

1. **Maraud** : gredin, fripon (terme péjoratif).
2. **Caverne** : repaire de brigands.

35 MARCELINE. – Railleur fade et cruel, que ne vous débarrassez-vous de la mienne à ce prix ? ne le devez-vous pas ? où est le souvenir de vos engagements ? qu'est devenu celui de notre petit Emmanuel, ce fruit d'un amour oublié, qui devait nous conduire à des noces ?

BARTHOLO, *ôtant son chapeau*. – Est-ce pour écouter ces sornettes
40 que vous m'avez fait venir de Séville ? Et cet accès d'hymen[1] qui vous reprend si vif…

MARCELINE. – Eh bien ! n'en parlons plus. Mais si rien n'a pu vous porter à la justice de m'épouser, aidez-moi donc du moins à en épouser un autre.

45 BARTHOLO. – Ah ! volontiers : parlons. Mais quel mortel abandonné du Ciel et des femmes ?…

MARCELINE. – Eh ! qui pourrait-ce être, docteur, sinon le beau, le gai, l'aimable Figaro ?

BARTHOLO. – Ce fripon-là ?

50 MARCELINE. – Jamais fâché ; toujours en belle humeur ; donnant le présent à la joie, et s'inquiétant de l'avenir tout aussi peu que du passé ; sémillant[2], généreux ! généreux…

BARTHOLO. – Comme un voleur.

MARCELINE. – Comme un seigneur. Charmant enfin ; mais c'est le
55 plus grand monstre !

BARTHOLO. – Et sa Suzanne ?

MARCELINE. – Elle ne l'aurait pas, la rusée, si vous vouliez m'aider, mon petit docteur, à faire valoir un engagement que j'ai de lui.

BARTHOLO. – Le jour de son mariage ?

---

1. **Hymen** : mariage.
2. **Sémillant** : vif et gai.

60 MARCELINE. – On en rompt de plus avancés ; et si je ne craignais d'éventer un petit secret des femmes !…

BARTHOLO. – En ont-elles pour le médecin du corps ?

MARCELINE. – Ah, vous savez que je n'en ai pas pour vous ! Mon sexe est ardent, mais timide : un certain charme a beau nous attirer
65 vers le plaisir, la femme la plus aventurée[1] sent en elle une voix qui lui dit : sois belle si tu peux, sage si tu veux ; mais sois considérée, il le faut. Or, puisqu'il faut être au moins considérée, que toute femme en sent l'importance, effrayons d'abord la Suzanne sur la divulgation des offres qu'on lui fait.

70 BARTHOLO. – Où cela mènera-t-il ?

MARCELINE. – Que la honte la prenant au collet, elle continuera de refuser le comte, lequel pour se venger, appuiera l'opposition que j'ai faite à son mariage ; alors le mien devient certain.

BARTHOLO. – Elle a raison. Parbleu, c'est un bon tour que de faire
75 épouser ma vieille gouvernante au coquin qui fit enlever ma jeune maîtresse[2].

MARCELINE, *vite*. – Et qui croit ajouter à ses plaisirs en trompant mes espérances.

BARTHOLO, *vite*. – Et qui m'a volé dans le temps cent écus que j'ai
80 sur le cœur.

MARCELINE. – Ah ! quelle volupté !…

BARTHOLO. – De punir un scélérat…

MARCELINE. – De l'épouser, docteur, de l'épouser !

---

1. **Aventurée** : aventureuse, hardie.
2. **Maîtresse** : femme aimée.

Scène 5

Marceline, Bartholo, Suzanne

Suzanne, *un bonnet de femme avec un large ruban dans la main, une robe de femme sur le bras.* – L'épouser! l'épouser! qui donc? Mon Figaro?

Marceline, *aigrement.* – Pourquoi non? Vous l'épousez bien!

Bartholo, *riant.* – Le bon argument de femme en colère! Nous
5 parlions, belle Suzon, du bonheur qu'il aura de vous posséder.

Marceline. – Sans compter Monseigneur dont on ne parle pas.

Suzanne, *une révérence.* – Votre servante, madame; il y a toujours quelque chose d'amer dans vos propos.

Marceline, *une révérence.* – Bien la vôtre, madame; où donc est
10 l'amertume? N'est-il pas juste qu'un libéral[1] seigneur partage un peu la joie qu'il procure à ses gens?

Suzanne. – Qu'il procure?

Marceline. – Oui, madame.

Suzanne. – Heureusement la jalousie de Madame est aussi connue
15 que ses droits sur Figaro sont légers.

Marceline. – On eût pu les rendre plus forts en les cimentant à la façon de Madame.

Suzanne. – Oh! cette façon, madame, est celle des dames savantes.

Marceline. – Et l'enfant ne l'est pas du tout! Innocente comme
20 un vieux juge!

Bartholo, *attirant Marceline.* – Adieu, jolie fiancée de notre Figaro.

---

1. **Libéral**: généreux.

Marceline, *une révérence.* – L'accordée[1] secrète de Monseigneur.

Suzanne, *une révérence.* – Qui vous estime beaucoup, madame.

Marceline, *une révérence.* – Me fera-t-elle aussi l'honneur de me
25 chérir un peu, madame ?

Suzanne, *une révérence.* – À cet égard, Madame n'a rien à désirer.

Marceline, *une révérence.* – C'est une si jolie personne que Madame !

Suzanne, *une révérence.* – Eh ! mais assez pour désoler Madame.

Marceline, *une révérence.* – Surtout bien respectable !

30 **Suzanne,** *une révérence.* – C'est aux duègnes[2] à l'être.

Marceline, *outrée.* – Aux duègnes ! aux duègnes !

Bartholo, *l'arrêtant.* – Marceline !

Marceline. – Allons, docteur ; car je n'y tiendrais pas. Bonjour,
madame. *(Une révérence.)*

Scène 6

Suzanne, *seule.*

Allez, madame ! allez, pédante[3] ! je crains aussi peu vos efforts que
je méprise vos outrages. Voyez cette vieille sibylle[4] ! parce qu'elle
a fait quelques études et tourmenté la jeunesse de Madame, elle

---

1. **Accordée** : fiancée.
2. **Duègnes** : gouvernantes âgées chargées de veiller sur la conduite des jeunes filles.
3. **Pédante** : qui veut paraître savante (terme péjoratif).
4. **Sibylle** : femme qui a le don de prédire l'avenir.

veut tout dominer au château ! *(Elle jette la robe qu'elle tient sur une*
5 *chaise.)* Je ne sais plus ce que je venais prendre.

Scène 7

SUZANNE, CHÉRUBIN

CHÉRUBIN, *accourant.* – Ah, Suzon ! depuis deux heures j'épie le
moment de te trouver seule. Hélas ! tu te maries, et moi je vais partir.

SUZANNE. – Comment mon mariage éloigne-t-il du château le premier page de Monseigneur ?

5 CHÉRUBIN, *piteusement.* – Suzanne, il me renvoie.

SUZANNE *le contrefait.* – Chérubin, quelque sottise !

CHÉRUBIN. – Il m'a trouvé hier au soir chez ta cousine Fanchette,
à qui je faisais répéter son petit rôle d'innocente, pour la fête de
ce soir : il s'est mis dans une fureur en me voyant ! « Sortez, m'a-t-il
10 dit, petit… » Je n'ose pas prononcer devant une femme le gros mot
qu'il a dit… « Sortez ; et demain vous ne coucherez pas au château. »
Si Madame, si ma belle marraine ne parvient pas à l'apaiser, c'est
fait, Suzon, je suis à jamais privé du bonheur de te voir.

SUZANNE. – De me voir ! moi ? c'est mon tour ! Ce n'est donc plus
15 pour ma maîtresse que vous soupirez en secret ?

CHÉRUBIN. – Ah ! Suzon, qu'elle est noble et belle ! mais qu'elle
est imposante !

SUZANNE. – C'est-à-dire que je ne le suis pas, et qu'on peut oser
avec moi…

20 CHÉRUBIN. – Tu sais trop bien, méchante, que je n'ose pas oser. Mais
que tu es heureuse ! à tous moments la voir, lui parler, l'habiller le

matin et la déshabiller le soir, épingle à épingle… ah! Suzon! je donnerais… Qu'est-ce que tu tiens donc là?

SUZANNE, *raillant.* – Hélas! l'heureux bonnet et le fortuné ruban
25 qui renferment la nuit les cheveux de cette belle marraine…

CHÉRUBIN, *vivement.* – Son ruban de nuit! Donne-le-moi, mon cœur.

SUZANNE, *le retirant.* – Eh! que non pas; «son cœur!» Comme il est familier donc! si ce n'était pas un morveux sans conséquence… *(Chérubin arrache le ruban.)* Ah! le ruban!

30 **CHÉRUBIN** *tourne autour du grand fauteuil.* – Tu diras qu'il est égaré, gâté; qu'il est perdu. Tu diras tout ce que tu voudras.

SUZANNE *tourne après lui.* – Oh! dans trois ou quatre ans, je prédis que vous serez le plus grand petit vaurien!… Rendez-vous le ruban?

Elle veut le reprendre.

CHÉRUBIN *tire une romance de sa poche.* – Laisse, ah, laisse-le-moi,
35 Suzon; je te donnerai ma romance, et pendant que le souvenir de ta belle maîtresse attristera tous mes moments, le tien y versera le seul rayon de joie qui puisse encore amuser mon cœur.

SUZANNE *arrache la romance.* – Amuser votre cœur, petit scélérat! vous croyez parler à votre Fanchette; on vous surprend chez elle;
40 et vous soupirez pour Madame; et vous m'en contez à moi, par-dessus le marché!

CHÉRUBIN, *exalté.* – Cela est vrai, d'honneur! je ne sais plus ce que je suis; mais depuis quelque temps je sens ma poitrine agitée; mon cœur palpite au seul aspect d'une femme; les mots *amour* et *volupté*
45 le font tressaillir et le troublent. Enfin le besoin de dire à quelqu'un *je vous aime* est devenu pour moi si pressant que je le dis tout seul, en courant dans le parc, à ta maîtresse, à toi, aux arbres, aux nuages, au vent qui les emporte avec mes paroles perdues. Hier je rencontrai Marceline…

50 **SUZANNE**, *riant.* – Ah, ah, ah, ah!

CHÉRUBIN. – Pourquoi non ? elle est femme ! elle est fille[1] ! une fille ! une femme ! ah que ces noms sont doux ! qu'ils sont intéressants !

SUZANNE. – Il devient fou !

CHÉRUBIN. – Fanchette est douce ; elle m'écoute au moins ; tu ne
55 l'es pas, toi !

SUZANNE. – C'est bien dommage ; écoutez donc Monsieur !

Elle veut arracher le ruban.

CHÉRUBIN *tourne en fuyant.* – Ah ! ouiche ! on ne l'aura, vois-tu, qu'avec ma vie. Mais, si tu n'es pas contente du prix, j'y joindrai mille baisers.

Il lui donne chasse à son tour.

SUZANNE *tourne en fuyant.* – Mille soufflets[2], si vous approchez. Je
60 vais m'en plaindre à ma maîtresse ; et loin de supplier pour vous, je dirai moi-même à Monseigneur : C'est bien fait, monseigneur ; chassez-nous ce petit voleur ; renvoyez à ses parents un petit mauvais sujet qui se donne les airs d'aimer Madame, et qui veut toujours m'embrasser par contrecoup.

65 **CHÉRUBIN** *voit le comte entrer ; il se jette derrière le fauteuil avec effroi.* – Je suis perdu !

SUZANNE. – Quelle frayeur ?

---

1. **Fille** : célibataire.
2. **Soufflets** : gifles.

Scène 8

SUZANNE, LE COMTE, CHÉRUBIN *caché*.

SUZANNE *aperçoit le comte.* – Ah !… *(Elle s'approche du fauteuil pour masquer Chérubin.)*

LE COMTE *s'avance.* – Tu es émue, Suzon ! tu parlais seule, et ton petit cœur paraît dans une agitation… bien pardonnable, au reste, un jour comme celui-ci.

SUZANNE, *troublée.* – Monseigneur, que me voulez-vous ? Si l'on vous trouvait avec moi…

LE COMTE. – Je serais désolé qu'on m'y surprît ; mais tu sais tout l'intérêt que je prends à toi. Bazile ne t'a pas laissé ignorer mon amour. Je n'ai rien qu'un instant pour t'expliquer mes vues ; écoute.

Il s'assied dans le fauteuil.

SUZANNE, *vivement.* – Je n'écoute rien.

LE COMTE *lui prend la main.* – Un seul mot. Tu sais que le roi m'a nommé son ambassadeur à Londres. J'emmène avec moi Figaro ; je lui donne un excellent poste ; et comme le devoir d'une femme est de suivre son mari…

SUZANNE. – Ah ! si j'osais parler !

LE COMTE *la rapproche de lui.* – Parle, parle, ma chère ; use aujourd'hui d'un droit que tu prends sur moi pour la vie.

SUZANNE, *effrayée.* – Je n'en veux point, monseigneur, je n'en veux point. Quittez-moi, je vous prie.

LE COMTE. – Mais dis auparavant.

SUZANNE, *en colère.* – Je ne sais plus ce que je disais.

LE COMTE. – Sur le devoir des femmes.

SUZANNE. – Eh bien! lorsque Monseigneur enleva la sienne de chez
25   le docteur, et qu'il l'épousa par amour, lorsqu'il abolit pour elle un
certain affreux droit du seigneur…

LE COMTE, *gaiement.* – Qui faisait bien de la peine aux filles! Ah
Suzette! ce droit charmant! si tu venais en jaser sur la brune[1] au
jardin, je mettrais un tel prix à cette légère faveur…

30   BAZILE *parle en dehors.* – Il n'est pas chez lui, monseigneur.

LE COMTE *se lève.* – Quelle est cette voix?

SUZANNE. – Que je suis malheureuse!

LE COMTE. – Sors, pour qu'on n'entre pas.

SUZANNE, *troublée.* – Que je vous laisse ici?

35   BAZILE *crie en dehors.* – Monseigneur était chez Madame, il en est
sorti: je vais voir.

LE COMTE. – Et pas un lieu pour se cacher! ah! derrière ce fauteuil…
assez mal; mais renvoie-le bien vite.

*Suzanne lui barre le chemin; il la pousse doucement, elle recule, et se
met ainsi entre lui et le petit page; mais pendant que le comte s'abaisse
et prend sa place, Chérubin tourne et se jette effrayé sur le fauteuil à
genoux, et s'y blottit. Suzanne prend la robe qu'elle apportait, en couvre
le page et se met devant le fauteuil.*

---

1. **En jaser sur la brune**: en discuter à la tombée de la nuit.

Scène 9

LE COMTE *et* CHÉRUBIN *cachés*, SUZANNE, BAZILE

BAZILE. – N'auriez-vous pas vu Monseigneur, mademoiselle?

SUZANNE, *brusquement*. – Hé! pourquoi l'aurais-je vu? Laissez-moi.

BAZILE *s'approche*. – Si vous étiez plus raisonnable, il n'y aurait rien d'étonnant à ma question. C'est Figaro qui le cherche.

5 SUZANNE. – Il cherche donc l'homme qui lui veut le plus de mal après vous?

LE COMTE, *à part*. – Voyons un peu comme il me sert.

BAZILE. – Désirer du bien à une femme, est-ce vouloir du mal à son mari?

10 SUZANNE. – Non, dans vos affreux principes, agent de corruption.

BAZILE. – Que vous demande-t-on ici que vous n'alliez prodiguer[1] à un autre? Grâce à la douce cérémonie, ce qu'on vous défendait hier, on vous le prescrira demain.

SUZANNE. – Indigne!

15 BAZILE. – De toutes les choses sérieuses le mariage étant la plus bouffonne, j'avais pensé…

SUZANNE, *outrée*. – Des horreurs! Qui vous permet d'entrer ici?

BAZILE. – Là, là, mauvaise! Dieu vous apaise! il n'en sera que ce que vous voulez; mais ne croyez pas non plus que je regarde Monsieur 20 Figaro comme l'obstacle qui nuit à Monseigneur; et sans le petit page…

SUZANNE, *timidement*. – Don Chérubin?

---

1. Prodiguer : offrir.

Bazile *la contrefait.* – *Cherubino di amore*[1], qui tourne autour de vous sans cesse, et qui ce matin encore, rôdait ici pour y entrer quand
25   je vous ai quittée ; dites que cela n'est pas vrai ?

Suzanne. – Quelle imposture ! Allez-vous-en, méchant homme !

Bazile. – On est un méchant homme parce qu'on y voit clair. N'est-ce pas pour vous aussi cette romance dont il fait mystère ?

Suzanne, *en colère.* – Ah ! oui, pour moi !

30   **Bazile.** – À moins qu'il ne l'ait composée pour Madame ! en effet, quand il sert à table on dit qu'il la regarde avec des yeux !… mais, peste, qu'il ne s'y joue pas ! Monseigneur est *brutal* sur l'article[2].

Suzanne, *outrée.* – Et vous bien scélérat, d'aller semant de pareils bruits pour perdre un malheureux enfant tombé dans la disgrâce
35   de son maître.

Bazile. – L'ai-je inventé ? Je le dis parce que tout le monde en parle.

Le comte *se lève.* – Comment, tout le monde en parle !

Suzanne*. – Ah Ciel !

Bazile. – Ah ! Ah !

40   **Le comte.** – Courez, Bazile, et qu'on le chasse.

Bazile. – Ah ! Que je suis fâché d'être entré !

Suzanne, *troublée.* – Mon Dieu ! Mon Dieu !

Le comte, *à Bazile.* – Elle est saisie. Asseyons-la dans ce fauteuil.

Suzanne *le repousse vivement.* – Je ne veux pas m'asseoir. Entrer
45   ainsi librement, c'est indigne !

---

1. *Cherubino di amore* : « Chérubin d'amour », en italien.
2. **Sur l'article** : à ce sujet.
* Chérubin dans le fauteuil. Le comte. Suzanne. Bazile. [*Note de Beaumarchais.*]

Le comte. – Nous sommes deux avec toi, ma chère. Il n'y a plus le moindre danger !

Bazile. – Moi je suis désolé de m'être égayé[1] sur le page puisque vous l'entendiez. Je n'en usais ainsi que pour pénétrer ses senti-
50 ments[2], car au fond...

Le comte. – Cinquante pistoles[3], un cheval, et qu'on le renvoie à ses parents.

Bazile. – Monseigneur, pour un badinage[4] ?

Le comte. – Un petit libertin que j'ai surpris encore hier avec la
55 fille du jardinier.

Bazile. – Avec Fanchette ?

Le comte. – Et dans sa chambre.

Suzanne, *outrée.* – Où Monseigneur avait sans doute affaire aussi !

Le comte, *gaiement.* – J'en aime assez la remarque.

60 **Bazile.** – Elle est d'un bon augure.

Le comte, *gaiement.* – Mais non ! j'allais chercher ton oncle Antonio, mon ivrogne de jardinier, pour lui donner des ordres. Je frappe, on est longtemps à m'ouvrir ; ta cousine a l'air empêtré ; je prends un soupçon, je lui parle, et tout en causant j'examine. Il y avait derrière
65 la porte une espèce de rideau, de portemanteau, de je ne sais pas quoi, qui couvrait des hardes[5] ; sans faire semblant de rien je vais doucement, doucement lever ce rideau* *(pour imiter le geste, il lève la robe du fauteuil)* et je vois... *(Il aperçoit le page.)* Ah...

Bazile. – Ha ! Ha !

---

1. **M'être égayé** : m'être permis des plaisanteries.
2. **Pénétrer ses sentiments** : connaître ses sentiments.
3. **Pistole** : ancienne monnaie espagnole.
4. **Badinage** : bagatelle, jeu de séduction qui ne prête pas à conséquence.
5. **Hardes** : vêtements.
* Suzanne. Chérubin dans le fauteuil. Le comte. Bazile. [*Note de Beaumarchais.*]

70 LE COMTE. – Ce tour-ci vaut l'autre.

BAZILE. – Encore mieux.

LE COMTE, *à Suzanne.* – À merveille, mademoiselle : à peine fiancée
vous faites de ces apprêts[1] ? C'était pour recevoir mon page que
vous désiriez d'être seule ? Et vous, monsieur, qui ne changez point
75 de conduite, il vous manquait de vous adresser, sans respect pour
votre marraine, à sa première camariste, à la femme de votre ami !
Mais je ne souffrirai pas que Figaro, qu'un homme que j'estime
et que j'aime soit victime d'une pareille tromperie : était-il avec
vous, Bazile ?

80 SUZANNE, *outrée.* – Il n'y a tromperie ni victime ; il était là lorsque
vous me parliez.

LE COMTE, *emporté.* – Puisses-tu mentir en le disant ! son plus cruel
ennemi n'oserait lui souhaiter ce malheur.

SUZANNE. – Il me priait d'engager Madame à vous demander sa grâce.
85 Votre arrivée l'a si fort troublé qu'il s'est masqué de ce fauteuil[2].

LE COMTE, *en colère.* – Ruse d'enfer ! je m'y suis assis en entrant.

CHÉRUBIN. – Hélas, monseigneur, j'étais tremblant derrière.

LE COMTE. – Autre fourberie[3] ! je viens de m'y placer moi-même.

CHÉRUBIN. – Pardon, mais c'est alors que je me suis blotti dedans.

90 LE COMTE, *plus outré.* – C'est donc une couleuvre, que ce petit…
serpent-là ! il nous écoutait !

CHÉRUBIN. – Au contraire, monseigneur, j'ai fait ce que j'ai pu pour
ne rien entendre.

LE COMTE. – Ô perfidie ! *(À Suzanne :)* Tu n'épouseras pas Figaro.

---

1. **Apprêts** : préparatifs.
2. **Il s'est masqué de ce fauteuil** : il s'est caché derrière ce fauteuil.
3. **Fourberie** : tour, ruse.

95 **BAZILE.** – Contenez-vous, on vient.

LE COMTE, *tirant Chérubin du fauteuil et le mettant sur ses pieds.* – Il resterait là devant toute la terre !

Scène 10

CHÉRUBIN, SUZANNE, FIGARO, LA COMTESSE,
LE COMTE, FANCHETTE, BAZILE ; *beaucoup de valets,
paysannes, paysans vêtus en habits de fête.*

FIGARO, *tenant une toque[1] de femme garnie de plumes blanches et de rubans blancs, parle à la comtesse.* – Il n'y a que vous, madame, qui puissiez nous obtenir cette faveur.

LA COMTESSE. – Vous les voyez, monsieur le comte, ils me supposent
5 un crédit[2] que je n'ai point : mais comme leur demande n'est pas déraisonnable…

LE COMTE, *embarrassé.* – Il faudrait qu'elle le fût beaucoup…

FIGARO, *bas à Suzanne.* – Soutiens bien mes efforts.

SUZANNE, *bas à Figaro.* – Qui ne mèneront à rien.

10 **FIGARO,** *bas.* – Va toujours.

LE COMTE, *à Figaro.* – Que voulez-vous ?

FIGARO. – Monseigneur, vos vassaux, touchés de l'abolition d'un certain droit fâcheux, que votre amour pour Madame…

LE COMTE. – Eh bien, ce droit n'existe plus, que veux-tu dire ?

---

1. Toque : sorte de chapeau.
2. Crédit : autorité, pouvoir, influence.

15 **FIGARO**, *malignement*. – Qu'il est bien temps que la vertu d'un si bon maître éclate ; elle m'est d'un tel avantage aujourd'hui que je désire être le premier à la célébrer à mes noces.

LE COMTE, *plus embarrassé*. – Tu te moques, ami ! l'abolition d'un droit honteux n'est que l'acquit[1] d'une dette envers l'honnêteté.
20 Un Espagnol peut vouloir conquérir la beauté par des soins ; mais en exiger le premier, le plus doux emploi, comme une servile redevance, ah ! c'est la tyrannie d'un Vandale[2], et non le droit avoué d'un noble Castillan.

FIGARO, *tenant Suzanne par la main*. – Permettez donc que cette
25 jeune créature, de qui votre sagesse a préservé l'honneur, reçoive de votre main publiquement la toque virginale, ornée de plumes et de rubans blancs, symbole de la pureté de vos intentions ; adoptez-en la cérémonie pour tous les mariages, et qu'un quatrain chanté en chœur rappelle à jamais le souvenir…

30 **LE COMTE**, *embarrassé*. – Si je ne savais pas qu'amoureux, poète et musicien sont trois titres d'indulgence pour toutes les folies…

FIGARO. – Joignez-vous à moi, mes amis !

TOUS ENSEMBLE. – Monseigneur ! Monseigneur !

SUZANNE, *au comte*. – Pourquoi fuir un éloge que vous méritez si bien ?

35 **LE COMTE**, *à part*. – La perfide !

FIGARO. – Regardez-la donc, monseigneur ; jamais plus jolie fiancée ne montrera mieux la grandeur de votre sacrifice.

SUZANNE. – Laisse là ma figure, et ne vantons que sa vertu.

LE COMTE, *à part*. – C'est un jeu que tout ceci.

---

1. **Acquit** : acquittement de la dette.
2. **Vandale** : destructeur barbare.

40 LA COMTESSE. – Je me joins à eux, monsieur le comte ; et cette cérémonie me sera toujours chère, puisqu'elle doit son motif à l'amour
charmant que vous aviez pour moi.

LE COMTE. – Que j'ai toujours, madame ; et c'est à ce titre que je
me rends.

45 TOUS ENSEMBLE. – Vivat[1] !

LE COMTE, *à part.* – Je suis pris. *(Haut.)* Pour que la cérémonie eût
un peu plus d'éclat, je voudrais seulement qu'on la remît à tantôt.
(À part.) Faisons vite chercher Marceline.

FIGARO, *à Chérubin.* – Eh bien, espiègle ! vous n'applaudissez pas ?

50 SUZANNE. – Il est au désespoir ; Monseigneur le renvoie.

LA COMTESSE. – Ah ! monsieur, je vous demande sa grâce.

LE COMTE. – Il ne la mérite point.

LA COMTESSE. – Hélas ! il est si jeune !

LE COMTE. – Pas tant que vous le croyez.

55 CHÉRUBIN, *tremblant.* – Pardonner généreusement n'est pas le droit
du seigneur auquel vous avez renoncé en épousant Madame.

LA COMTESSE. – Il n'a renoncé qu'à celui qui vous affligeait tous.

SUZANNE. – Si Monseigneur avait cédé le droit de pardonner, ce
serait sûrement le premier qu'il voudrait racheter en secret.

60 LE COMTE, *embarrassé.* – Sans doute.

LA COMTESSE. – Eh ! pourquoi le racheter ?

CHÉRUBIN, *au comte.* – Je fus léger dans ma conduite, il est vrai, monseigneur ; mais jamais la moindre indiscrétion dans mes paroles…

LE COMTE, *embarrassé.* – Eh bien, c'est assez…

---

1. **Vivat** : acclamation par laquelle on souhaite longue vie à quelqu'un.

65 FIGARO. – Qu'entend-il?

LE COMTE, *vivement.* – C'est assez, c'est assez, tout le monde exige son pardon, je l'accorde, et j'irai plus loin : je lui donne une compagnie dans ma légion.

TOUS ENSEMBLE. – Vivat!

70 LE COMTE. – Mais c'est à condition qu'il partira sur-le-champ pour joindre en Catalogne[1].

FIGARO. – Ah! monseigneur, demain.

LE COMTE *insiste.* – Je le veux.

CHÉRUBIN. – J'obéis.

75 LE COMTE. – Saluez votre marraine, et demandez sa protection. *(Chérubin met un genou en terre devant la comtesse, et ne peut parler.)*

LA COMTESSE, *émue.* – Puisqu'on ne peut vous garder seulement aujourd'hui, partez, jeune homme. Un nouvel état vous appelle ; allez le remplir dignement. Honorez votre bienfaiteur. Souvenez-
80 vous de cette maison, où votre jeunesse a trouvé tant d'indulgence. Soyez soumis, honnête et brave ; nous prendrons part à vos succès.

Chérubin se relève et retourne à sa place.

LE COMTE. – Vous êtes bien émue, madame!

LA COMTESSE. – Je ne m'en défends pas. Qui sait le sort d'un enfant jeté dans une carrière aussi dangereuse? Il est allié de mes parents ;
85 et de plus, il est mon filleul.

LE COMTE, *à part.* – Je vois que Bazile avait raison. *(Haut.)* Jeune homme, embrassez Suzanne… pour la dernière fois.

FIGARO. – Pourquoi cela, monseigneur? Il viendra passer ses hivers. Baise-moi donc aussi, capitaine! *(Il l'embrasse.)* Adieu, mon petit

---

1. Joindre en Catalogne : rejoindre le régiment en Catalogne, région du Nord-Est de l'Espagne.

90 Chérubin. Tu vas mener un train de vie bien différent, mon enfant: dame! tu ne rôderas plus tout le jour au quartier des femmes: plus d'échaudés[1], de goûters à la crème; plus de main chaude[2] ou de colin-maillard. De bons soldats, morbleu! basanés, mal vêtus; un grand fusil bien lourd; tourne à droite, tourne à gauche, en avant,
95 marche à la gloire; et ne va pas broncher en chemin; à moins qu'un bon coup de feu…

SUZANNE. – Fi donc, l'horreur!

LA COMTESSE. – Quel pronostic!

LE COMTE. – Où donc est Marceline? Il est bien singulier qu'elle
100 ne soit pas des vôtres!

FANCHETTE. – Monseigneur, elle a pris le chemin du bourg, par le petit sentier de la ferme.

LE COMTE. – Et elle en reviendra?…

BAZILE. – Quand il plaira à Dieu.

105 FIGARO. – S'il lui plaisait qu'il ne lui plût jamais…

FANCHETTE. – Monsieur le docteur lui donnait le bras.

LE COMTE, *vivement*. – Le docteur est ici?

BAZILE. – Elle s'en est d'abord emparée…

LE COMTE, *à part*. – Il ne pouvait venir plus à propos.

110 FANCHETTE. – Elle avait l'air bien échauffé, elle parlait tout haut en marchant, puis elle s'arrêtait, et faisait comme ça, de grands bras… et Monsieur le docteur lui faisait comme ça de la main, en l'apaisant: elle paraissait si courroucée! elle nommait mon cousin Figaro.

LE COMTE *lui prend le menton*. – Cousin… futur.

---

1. Échaudés: gâteaux.
2. Main chaude: jeu où l'on met la main derrière le dos et où l'on doit deviner l'identité de celui qui la frappe.

115 **FANCHETTE**, *montrant Chérubin*. – Monseigneur, nous avez-vous pardonné d'hier ?…

LE COMTE *interrompt*. – Bonjour, bonjour, petite.

FIGARO. – C'est son chien d'amour qui la berce ; elle aurait troublé notre fête.

120 **LE COMTE**, *à part*. – Elle la troublera, je t'en réponds. *(Haut.)* Allons, madame, entrons. Bazile, vous passerez chez moi.

SUZANNE, *à Figaro*. – Tu me rejoindras, mon fils ?

FIGARO, *bas à Suzanne*. – Est-il bien enfilé[1] ?

SUZANNE, *bas*. – Charmant garçon !

Ils sortent tous.

Scène 11

CHÉRUBIN, FIGARO, BAZILE. *Pendant qu'on sort,*
Figaro les arrête tous deux et les ramène.

FIGARO. – Ah çà, vous autres ! la cérémonie adoptée, ma fête de ce soir en est la suite ; il faut bravement nous recorder[2] : ne faisons point comme ces acteurs qui ne jouent jamais si mal que le jour où la critique est le plus éveillée. Nous n'avons point de lendemain qui
5 nous excuse, nous. Sachons bien nos rôles aujourd'hui.

BAZILE, *malignement*. – Le mien est plus difficile que tu ne crois.

FIGARO, *faisant, sans qu'il le voie, le geste de le rosser*. – Tu es loin aussi de savoir tout le succès qu'il te vaudra.

---

1. **Enfilé** : dupé.
2. **Il faut bravement nous recorder** : il faut que nous répétions nos rôles.

CHÉRUBIN. – Mon ami, tu oublies que je pars.

10   FIGARO. – Et toi, tu voudrais bien rester !

CHÉRUBIN. – Ah ! si je le voudrais !

FIGARO. – Il faut ruser. Point de murmure à ton départ. Le manteau de voyage à l'épaule ; arrange ouvertement ta trousse, et qu'on voie ton cheval à la grille ; un temps de galop jusqu'à la ferme ; reviens à
15   pied par les derrières ; Monseigneur te croira parti : tiens-toi seulement hors de sa vue ; je me charge de l'apaiser après la fête.

CHÉRUBIN. – Mais Fanchette qui ne sait pas son rôle !

BAZILE. – Que diable lui apprenez-vous donc, depuis huit jours que vous ne la quittez pas ?

20   FIGARO. – Tu n'as rien à faire aujourd'hui, donne-lui par grâce une leçon.

BAZILE. – Prenez garde, jeune homme, prenez garde ! le père n'est pas satisfait ; la fille a été soufffletée ; elle n'étudie pas avec vous : Chérubin ! Chérubin ! vous lui causerez des chagrins ! « Tant va la
25   cruche à l'eau » !…

FIGARO. – Ah ! voilà notre imbécile, avec ses vieux proverbes ! Eh bien ! pédant ! que dit la sagesse des nations ? « Tant va la cruche à l'eau qu'à la fin… »

BAZILE. – Elle s'emplit[1].

30   FIGARO, *en s'en allant.* – Pas si bête, pourtant, pas si bête !

FIN DU PREMIER ACTE

---

1. Jeu de mots sur l'expression « tant va la cruche à l'eau qu'à la fin elle se brise ».

Pour comprendre l'essentiel

Un mariage en jeu

1 Dès la première scène, l'intrigue se noue autour du mariage de Figaro. Indiquez les personnages qui soutiennent ce mariage et ceux qui s'y opposent. Expliquez les motivations de chacun d'entre eux.

2 Suzanne et Figaro apparaissent comme des personnages amoureux, enjoués et pleins d'humour. Relevez les répliques ou les traits d'esprit qui le prouvent.

3 Les personnages semblent se jouer la comédie les uns aux autres. Repérez les répliques qui soulignent cet aspect (scènes 10 et 11) et analysez l'effet produit.

Des personnages de comédie

4 Figaro est le personnage principal de la pièce : présent dès le titre, il prononce la première réplique. Recensez ses traits de caractère afin de dresser son portrait.

5 Le comte n'apparaît que tardivement, à la scène 8, mais les autres personnages l'ont déjà présenté au spectateur. Repérez ces passages puis dites si le comportement du comte (scènes 8 à 10) coïncide avec le portrait qui a été fait de lui.

6 L'entrée en scène de Chérubin provoque des réactions contrastées. Analysez ce qui fait l'originalité de ce personnage (nom, costume, répliques, jeux de scène...).

Une comédie teintée de gravité

7 Dans la scène 9, Bazile sert avec cynisme la cause du comte. Dites comment il persuade Suzanne de céder à son maître.

8 À la fin de l'acte I, Figaro croit avoir triomphé mais le procès que Marceline veut lui intenter menace son avenir. Étudiez la façon dont Beaumarchais joue sur la double énonciation pour suggérer au spectateur les retournements à venir.

9 Marceline et la comtesse peuvent apparaître comme des personnages pathétiques. Expliquez pourquoi en vous appuyant précisément sur le texte.

✔ *Rappelez-vous !*

• On appelle scènes d'**exposition** les moments de l'acte I qui délivrent au lecteur ou au spectateur toutes les informations essentielles à la compréhension de l'intrigue.

• Traditionnellement, le **valet de comédie** (➡ voir Fiche 8, p. 256-259) a recours à la ruse et aux fourberies pour duper son maître. Cependant, Beaumarchais confère à son personnage éponyme une nouvelle épaisseur. Plus lucide et réfléchi, Figaro n'a pas le caractère bouffon du valet classique. Il théorise son art de la manipulation dans un monologue (scène 2).

Zoom sur...

La scène 9 de l'acte I, l. 37-97, p. 69-72

> → *Montrer que Beaumarchais ne se contente pas de divertir le spectateur dans cette scène comique*

📖 *Analyse du texte*

■ *Conseils pour la lecture à voix haute*

– N'oubliez pas de lire, de manière neutre, les didascalies sans lesquelles votre auditeur ne peut comprendre la scène.

– Changez de ton pour distinguer les voix des différents personnages.

– Veillez à ne pas faire la liaison lorsque vous dites «des hardes» (l. 66).

■ *Introduction rédigée*

Chérubin, chassé du château par le comte, est venu demander à Suzanne de plaider sa cause auprès de la comtesse pour qu'elle implore la clémence de son époux. Mais, pris de panique à l'arrivée inattendue de ce dernier, Chérubin se cache précipitamment derrière le fauteuil de la chambre. Le comte Almaviva, qui se croit en tête-à-tête avec Suzanne, se permet de lui proposer une promenade badine et secrète. Survient alors Bazile, ce qui pousse le comte à se dissimuler lui aussi derrière le même fauteuil. Agile, Chérubin libère la place et s'enfouit sous une robe placée sur le fauteuil. Quatre personnages sont donc présents sur scène, mais deux d'entre eux sont cachés et le dramaturge doit dénouer cet imbroglio. Comment Beaumarchais exploite-t-il cette situation pour amuser le spectateur tout en faisant avancer l'action? Nous verrons que le plaisir du spectateur tient aux effets de surprise et aux comportements comiques des personnages, avant d'analyser la fonction dramatique de la scène.

■ *Analyse guidée*

I. De surprise en surprise

a. Deux coups de théâtre animent le passage. Identifiez-les et analysez les différents procédés utilisés pour surprendre le spectateur. Vous serez notamment attentif(ve) aux jeux de scène, aux changements de rythme, ainsi qu'aux effets comiques liés à la démultiplication de l'énonciation, puisque certaines paroles sont entendues par des personnages que les autres croient absents.

b. On s'attend à ce que Chérubin soit découvert d'un moment à l'autre. Repérez le moment où le dramaturge met en place une fausse alerte qui fait craindre la découverte du page.

c. La fin de la scène 8 repose sur un véritable tour de passe-passe autour du fauteuil. Étudiez la façon dont Beaumarchais redouble le plaisir du spectateur en lui faisant revivre ce moment dans la fin de la scène 9.

II. Des personnages de comédie

a. Aussitôt sorti de sa cachette, le comte cherche à affirmer son autorité. Montrez que sa tentative échoue, en vous appuyant sur les modes verbaux, les types de phrases, les didascalies et la distribution de la parole.

b. Suzanne est perspicace, elle intervient avec à-propos dans la conversation. Montrez-le et analysez le caractère pertinent, parfois même spirituel, de ses répliques.

c. Si Bazile et Chérubin interviennent peu, leur attitude prête néanmoins à sourire. Expliquez le caractère comique de leur comportement.

III. La fonction dramatique de la scène

a. Le comte, qui apparaît pour la première fois à la scène 8 de l'acte I, révèle son esprit acerbe et manipulateur. Pour illustrer ce trait de caractère, observez la manière dont le comte recourt au mensonge et à l'ironie.

b. Le comte accuse Chérubin deux fois : pour avoir courtisé d'abord Fanchette, puis Suzanne. Montrez que ces accusations revêtent un caractère paradoxal et révèlent une rivalité entre le comte et Chérubin.

c. La fin de la scène ménage un certain suspens. Dites quelles questions se pose le spectateur quant à la suite de l'action.

■ *Conclusion rédigée*

Dans cette scène, Beaumarchais ravit le spectateur en multipliant
les coups de théâtre et les effets de surprise, parfois proches du comique
de répétition. Cependant, le sourire naît surtout du comportement
des personnages, qu'ils soient ridiculisés comme le comte, plaisants
et spirituels comme Suzanne, ou empêtrés dans une situation
embarrassante comme Chérubin et, dans une moindre mesure, Bazile.
À ce titre, la scène 9 participe de l'exposition: elle permet de captiver
le spectateur tout en donnant le ton général de la pièce, qui multipliera
les situations de mensonge, de doubles discours et de dissimulation. Mais
le dramaturge ne se contente pas de divertir le spectateur: il approfondit
le portrait du comte, qui demeure menaçant et qui compromet l'avenir
de Chérubin au château ainsi que le mariage de Figaro.

 # *Étude de la langue*

Figaro est le valet du comte et Suzanne la camériste de la comtesse.
Cherchez tous les synonymes des mots «valet» et «camériste» dans
un dictionnaire papier ou numérique et vérifiez que vous maîtrisez leur
sens. Puis rendez-vous sur le site Internet nuagesdemots.fr pour créer
un nuage de mots autour du valet et de son pendant féminin, en recensant
tous les termes rencontrés. Imprimez votre nuage de mots et distinguez
les mots masculins et féminins en les surlignant dans deux couleurs
différentes.

 # *Activité d'appropriation*

Transposez la scène d'exposition du *Mariage de Figaro* de Beaumarchais
en incipit romanesque. Attention! Vous devez non seulement informer
votre lecteur en lui présentant les personnages et la situation initiale,
mais aussi piquer sa curiosité en lui donnant envie de lire la suite du récit.

Pour préparer ce travail, inspirez-vous d'autres incipit: choisissez
au hasard plusieurs romans ou nouvelles au CDI, lisez-en les premiers
paragraphes, puis relevez ce qui vous semble saisissant, plaisant, intrigant
ou non dans ces débuts de récit. Repérez également quelques procédés
d'écriture qui permettent de susciter l'intérêt du lecteur.

Dans les appartements de la comtesse, le comte Almaviva, croyant
trouver caché l'amant de son épouse, découvre Suzanne (II, 16 et 17).
J. Saint-Quentin (dessin) et J.-B. Liénard (graveur), « "Je le tuerai,
je le tuerai." Tuez-le donc, ce méchant page ! »), illustration de *La Folle
Journée ou le Mariage de Figaro*, Paris, Ruault, 1785.

ACTE II

Le théâtre représente une chambre à coucher superbe, un grand lit en alcôve[1], une estrade au-devant. La porte pour entrer s'ouvre et se ferme à la troisième coulisse à droite, celle d'un cabinet à la première coulisse à gauche. Une porte dans le fond, va chez les femmes. Une fenêtre s'ouvre de l'autre côté.

Scène 1

SUZANNE, LA COMTESSE
entrent par la porte à droite.

LA COMTESSE *se jette dans une bergère[2].* – Ferme la porte, Suzanne, et conte-moi tout, dans le plus grand détail.

SUZANNE. – Je n'ai rien caché à Madame.

LA COMTESSE. – Quoi, Suzon, il voulait te séduire ?

5   SUZANNE. – Oh ! que non ! Monseigneur n'y met pas tant de façons avec sa servante. – il voulait m'acheter.

LA COMTESSE. – Et le petit page était présent ?

SUZANNE. – C'est-à-dire, caché derrière le grand fauteuil. Il venait me prier de vous demander sa grâce.

---

1. **Lit en alcôve**: lit placé dans un renfoncement.
2. **Bergère**: fauteuil.

10 **LA COMTESSE.** – Eh! pourquoi ne pas s'adresser à moi-même? est-ce que je l'aurais refusé, Suzon?

SUZANNE. – C'est ce que j'ai dit: mais ses regrets de partir, et surtout de quitter Madame! «Ah! Suzon, qu'elle est noble et belle! mais qu'elle est imposante!»

15 **LA COMTESSE.** – Est-ce que j'ai cet air-là, Suzon? moi qui l'ai toujours protégé.

SUZANNE. – Puis il a vu votre ruban de nuit que je tenais, il s'est jeté dessus…

LA COMTESSE, *souriant.* – Mon ruban?… quelle enfance[1]!

20 **SUZANNE.** – J'ai voulu le lui ôter; madame, c'était un lion; ses yeux brillaient… «Tu ne l'auras qu'avec ma vie», disait-il, en forçant sa petite voix douce et grêle[2].

LA COMTESSE, *rêvant.* – Eh bien, Suzon?

SUZANNE. – Eh bien, madame, est-ce qu'on peut faire finir ce petit
25 démon-là? ma marraine par-ci; je voudrais bien par l'autre; et parce qu'il n'oserait seulement baiser la robe de Madame, il voudrait toujours m'embrasser[3], moi.

LA COMTESSE, *rêvant.* – Laissons… laissons ces folies… Enfin, ma pauvre Suzanne, mon époux a fini par te dire…?

30 **SUZANNE.** – Que si je ne voulais pas l'entendre, il allait protéger Marceline.

LA COMTESSE *se lève et se promène, en se servant fortement de l'éventail.* – Il ne m'aime plus du tout.

SUZANNE. – Pourquoi tant de jalousie?

---

1. **Enfance**: enfantillage.
2. **Grêle**: faible et aiguë.
3. **M'embrasser**: me prendre dans les bras.

35   **La comtesse**. – Comme tous les maris, ma chère ! uniquement par orgueil. Ah ! je l'ai trop aimé ! je l'ai lassé de mes tendresses, et fatigué de mon amour ; voilà mon seul tort avec lui. Mais je n'entends pas que cet honnête aveu te nuise, et tu épouseras Figaro. Lui seul peut nous y aider : viendra-t-il ?

40   **Suzanne**. – Dès qu'il verra partir la chasse.

La comtesse, *se servant de l'éventail*. – Ouvre un peu la croisée[1] sur le jardin. Il fait une chaleur ici !…

Suzanne. – C'est que Madame parle et marche avec action.

                        Elle va ouvrir la croisée du fond.

La comtesse, *rêvant longtemps*. – Sans cette constance à me fuir…
45   Les hommes sont bien coupables !

Suzanne *crie de la fenêtre*. – Ah ! voilà Monseigneur qui traverse à cheval le grand potager, suivi de Pédrille, avec deux, trois, quatre lévriers.

La comtesse. – Nous avons du temps devant nous. *(Elle s'assied.)* On frappe, Suzon ?

50   **Suzanne** *court ouvrir en chantant*. – Ah ! c'est mon Figaro ! ah ! c'est mon Figaro !

Scène 2

FIGARO, SUZANNE ; LA COMTESSE, *assise*.

Suzanne. – Mon cher ami, viens donc. Madame est dans une impatience !…

---

1. **Croisée** : fenêtre.

FIGARO. – Et toi, ma petite Suzanne ? Madame n'en doit prendre aucune. Au fait, de quoi s'agit-il ? d'une misère. Monsieur le comte
5 trouve notre jeune femme aimable, il voudrait en faire sa maîtresse ; et c'est bien naturel.

SUZANNE. – Naturel ?

FIGARO. – Puis il m'a nommé courrier de dépêches, et Suzon conseiller d'ambassade. Il n'y a pas là d'étourderie.

10 **SUZANNE.** – Tu finiras ?

FIGARO. – Et parce que Suzanne, ma fiancée, n'accepte pas le diplôme[1], il va favoriser les vues de Marceline ; quoi de plus simple encore ? Se venger de ceux qui nuisent à nos projets en renversant les leurs ; c'est ce que chacun fait ; ce que nous allons faire nous-mêmes. Eh
15 bien ! voilà tout pourtant.

LA COMTESSE. – Pouvez-vous, Figaro, traiter si légèrement un dessein qui nous coûte à tous le bonheur ?

FIGARO. – Qui dit cela, madame ?

SUZANNE. – Au lieu de t'affliger de nos chagrins…

20 **FIGARO.** – N'est-ce pas assez que je m'en occupe ? Or, pour agir aussi méthodiquement que lui, tempérons[2] d'abord son ardeur de nos possessions, en l'inquiétant sur les siennes.

LA COMTESSE. – C'est bien dit : mais comment ?

FIGARO. – C'est déjà fait, madame ; un faux avis donné sur vous…

25 **LA COMTESSE.** – Sur moi ? la tête vous tourne !

FIGARO. – Oh ! c'est à lui qu'elle doit tourner.

LA COMTESSE. – Un homme aussi jaloux !…

---

1. **Diplôme** : mission.
2. **Tempérons** : modérons.

FIGARO. – Tant mieux. – pour tirer parti des gens de ce caractère, il ne faut qu'un peu leur fouetter le sang ; c'est ce que les femmes
30 entendent si bien ! Puis, les tient-on fâchés tout rouge, avec un brin d'intrigue on les mène où l'on veut, par le nez, dans le Guadalqui-vir[1]. Je vous ai fait rendre à Bazile un billet inconnu, lequel avertit Monseigneur qu'un galant doit chercher à vous voir aujourd'hui pendant le bal.

35 LA COMTESSE. – Et vous vous jouez ainsi de la vérité sur le compte d'une femme d'honneur !

FIGARO. – Il y en a peu, madame, avec qui je l'eusse osé, crainte de rencontrer juste.

LA COMTESSE. – Il faudra que je l'en remercie !

40 FIGARO. – Mais dites-moi s'il n'est pas charmant de lui avoir taillé ses morceaux de la journée[2], de façon qu'il passe à rôder, à jurer après sa dame, le temps qu'il destinait à se complaire avec la nôtre ? Il est déjà tout dérouté : galopera-t-il celle-ci[3] ? surveillera-t-il celle-là ? dans son trouble d'esprit, tenez, tenez, le voilà qui court la plaine,
45 et force un lièvre qui n'en peut mais[4]. L'heure du mariage arrive en poste[5] ; il n'aura pas pris de parti contre ; et jamais il n'osera s'y opposer devant Madame.

SUZANNE. – Non ; mais Marceline, le bel esprit, osera le faire, elle.

FIGARO. – Brrr. Cela m'inquiète bien, ma foi ! Tu feras dire à Mon-
50 seigneur que tu te rendras sur la brune au jardin.

SUZANNE. – Tu comptes sur celui-là ?

FIGARO. – Oh ! dame ! écoutez donc ; les gens qui ne veulent rien faire de rien, n'avancent rien et ne sont bons à rien. Voilà mon mot.

---

1. **Guadalquivir** : fleuve d'Andalousie ; région du sud de l'Espagne.
2. **Taillé ses morceaux de la journée** : organisé sa journée.
3. **Galopera-t-il celle-ci** : courra-t-il après celle-ci (figuré et familier).
4. **Qui n'en peut mais** : qui n'en peut plus.
5. **En poste** : rapidement.

SUZANNE. – Il est joli !

55 **LA COMTESSE**. – Comme son idée : vous consentiriez qu'elle s'y rendît ?

FIGARO. – Point du tout. Je fais endosser un habit de Suzanne à quelqu'un : surpris par nous au rendez-vous, le comte pourra-t-il s'en dédire[1] ?

SUZANNE. – À qui mes habits ?

60 **FIGARO**. – Chérubin.

LA COMTESSE. – Il est parti.

FIGARO. – Non pas pour moi : veut-on me laisser faire ?

SUZANNE. – On peut s'en fier à lui pour mener une intrigue.

FIGARO. – Deux, trois, quatre à la fois ; bien embrouillées, qui se
65 croisent. J'étais né pour être courtisan.

SUZANNE. – On dit que c'est un métier si difficile !

FIGARO. – Recevoir, prendre, et demander ; voilà le secret en trois mots.

LA COMTESSE. – Il a tant d'assurance qu'il finit par m'en inspirer.

FIGARO. – C'est mon dessein.

70 **SUZANNE**. – Tu disais donc ?

FIGARO. – Que pendant l'absence de Monseigneur je vais vous envoyer le Chérubin : coiffez-le, habillez-le ; je le renferme et l'endoctrine[2] ; et puis dansez, monseigneur.

Il sort.

---

1. **S'en dédire** : se rétracter, dire le contraire de ce qu'on avait promis.
2. **Je l'endoctrine** : je l'informe et lui donne mes instructions.

Scène 3

SUZANNE, LA COMTESSE, *assise.*

LA COMTESSE, *tenant sa boîte à mouches*[1]. – Mon Dieu, Suzon, comme je suis faite !… ce jeune homme qui va venir !…

SUZANNE. – Madame ne veut donc pas qu'il en réchappe ?

LA COMTESSE *rêve devant sa petite glace.* – Moi ?… tu verras comme je vais le gronder.

SUZANNE. – Faisons-lui chanter sa romance[2].

> *Elle la met sur la comtesse.*

LA COMTESSE. – Mais c'est qu'en vérité, mes cheveux sont dans un désordre…

SUZANNE, *riant.* – Je n'ai qu'à reprendre ces deux boucles, Madame le grondera bien mieux.

LA COMTESSE, *revenant à elle.* – Qu'est-ce que vous dites donc, mademoiselle ?

Scène 4

CHÉRUBIN *l'air honteux,* SUZANNE,
LA COMTESSE *assise.*

SUZANNE. – Entrez, monsieur l'officier ; on est visible.

---

1. Mouches : petits morceaux de taffetas noir que les femmes posaient sur leur visage pour imiter un grain de beauté.
2. Romance : poème chanté, d'origine espagnole, populaire et sentimental. La romance de Chérubin emprunte de nombreux termes au lexique médiéval.

CHÉRUBIN *avance en tremblant.* – Ah, que ce nom m'afflige, madame !
il m'apprend qu'il faut quitter des lieux… une marraine si… bonne !…

SUZANNE. – Et si belle !

5 **CHÉRUBIN,** *avec un soupir.* – Ah ! oui.

SUZANNE *le contrefait.* – « Ah ! Oui. » Le bon jeune homme ! avec
ses longues paupières hypocrites. Allons, bel oiseau bleu, chantez
la romance à Madame.

LA COMTESSE *la déplie.* – De qui… dit-on qu'elle est ?

10 **SUZANNE.** – Voyez la rougeur du coupable : en a-t-il un pied sur
les joues[1] ?

CHÉRUBIN. – Est-ce qu'il est défendu… de chérir…

SUZANNE *lui met le poing sous le nez.* – Je dirai tout, vaurien !

LA COMTESSE. – Là… chante-t-il ?

15 **CHÉRUBIN.** – Oh ! madame, je suis si tremblant !…

SUZANNE, *en riant.* – Et gnian, gnian, gnian, gnian, gnian, gnian, gnian ;
dès que[2] Madame le veut, modeste auteur ! Je vais l'accompagner.

LA COMTESSE. – Prends ma guitare.

*La comtesse, assise, tient le papier pour suivre. Suzanne est derrière son
fauteuil, et prélude[3] en regardant la musique par-dessus sa maîtresse.
Le petit page est devant elle, les yeux baissés. Ce tableau est juste la belle
estampe d'après Van Loo, appelée* La Conversation espagnole*.*

---

1. **En a-t-il un pied sur les joues** : il a les joues très rouges (expression figurée).
2. **Dès que** : puisque.
3. **Prélude** : se prépare à jouer en essayant différents tons.
* Chérubin. La comtesse. Suzanne. [*Note de Beaumarchais.*]

ROMANCE

Air : «Marlbroug s'en va-t-en guerre.»

Premier couplet

Mon coursier hors d'haleine,
20   (Que mon cœur, mon cœur a de peine!)
J'errais de plaine en plaine,
Au gré du destrier.

Deuxième couplet

Au gré du destrier,
Sans varlet, n'écuyer[1];
25   Là près d'une fontaine*,
(Que mon cœur, mon cœur a de peine!)
Songeant à ma marraine,
Sentais mes pleurs couler.

Troisième couplet

Sentais mes pleurs couler,
30   Prêt à me désoler;
Je gravais sur un frêne
(Que mon cœur, mon cœur a de peine!)
Sa lettre sans la mienne;
Le Roi vint à passer.

Quatrième couplet

35   Le Roi vint à passer,
Ses barons, son clergier.
Beau page, dit la reine,
(Que mon cœur, mon cœur a de peine!)
Qui vous met à la gêne?
40   Qui vous fait tant plorer?

---

1. **Sans varlet, n'écuyer**: sans valet ni écuyer.

* Au spectacle, on a commencé la romance à ce vers en disant: *Auprès* d'une fontaine. [*Note de Beaumarchais.*]

Cinquième couplet

Qui vous fait tant plorer?
Nous faut le déclarer.
– Madame et Souveraine,
(Que mon cœur, mon cœur a de peine!)
45   J'avais une marraine,
Que toujours adorai*.

Sixième couplet

Que toujours adorai:
Je sens que j'en mourrai.
– Beau page, dit la reine,
50   (Que mon cœur, mon cœur a de peine!)
N'est-il qu'une marraine?
Je vous en servirai.

Septième couplet

Je vous en servirai;
Mon page vous ferai;
55   Puis à ma jeune Hélène,
(Que mon cœur, mon cœur a de peine!)
Fille d'un capitaine,
Un jour vous marirai.

Huitième couplet

Un jour vous marirai.
60   – Nenni, n'en faut parler;
Je veux, traînant ma chaîne,
(Que mon cœur, mon cœur a de peine!)
Mourir de cette peine;
Mais non m'en consoler.»

---

* Ici la comtesse arrête le page en fermant le papier. Le reste ne se chante pas au théâtre. [*Note de Beaumarchais.*]

65 La comtesse. – Il y a de la naïveté[1]… du sentiment même.

Suzanne *va poser la guitare sur un fauteuil**. – Oh ! pour du sentiment, c'est un jeune homme qui… Ah çà ! monsieur l'officier, vous
a-t-on dit que pour égayer la soirée, nous voulons savoir d'avance
si un de mes habits vous ira passablement ?

70 La comtesse. – J'ai peur que non.

Suzanne *se mesure avec lui.* – Il est de ma grandeur. Ôtons d'abord
le manteau. *(Elle le détache.)*

La comtesse. – Et si quelqu'un entrait ?

Suzanne. – Est-ce que nous faisons du mal donc ? Je vais fermer la
75 porte ; *(elle court)* mais c'est la coiffure que je veux voir.

La comtesse. – Sur ma toilette, une baigneuse[2] à moi.

Suzanne entre dans le cabinet dont la porte est au bord du théâtre.

Scène 5

Chérubin, la comtesse *assise.*

La comtesse. – Jusqu'à l'instant du bal le comte ignorera que vous
soyez au château. Nous lui dirons après que le temps d'expédier
votre brevet nous a fait naître l'idée…

Chérubin *le lui montre.* – Hélas ! madame, le voici ; Bazile me l'a
5 remis de sa part.

---

1. Naïveté : ici, simplicité, grâce.
2. Sur ma toilette, une baigneuse : sur ma table de toilette se trouve un bonnet,
une sorte de coiffe.
* Chérubin. Suzanne. La comtesse. [*Note de Beaumarchais.*]

LA COMTESSE. – Déjà ? l'on a craint d'y perdre une minute. *(Elle lit.)* Ils se sont tant pressés qu'ils ont oublié d'y mettre son cachet[1].

Elle le lui rend.

Scène 6

CHÉRUBIN, LA COMTESSE, SUZANNE

SUZANNE *entre avec un grand bonnet.* – Le cachet, à quoi ?

LA COMTESSE. – À son brevet.

SUZANNE. – Déjà ?

LA COMTESSE. – C'est ce que je disais. Est-ce là ma baigneuse ?

5   **SUZANNE** *s'assied près de la comtesse*.* – Et la plus belle de toutes. *(Elle chante avec des épingles dans sa bouche :)*

Tournez-vous donc envers ici,
Jean de Lyra, mon bel ami.

(Chérubin se met à genoux. Elle le coiffe.) Madame, il est charmant !

10 **LA COMTESSE.** – Arrange son collet, d'un air un peu plus féminin.

SUZANNE *l'arrange.* – Là… mais voyez donc ce morveux, comme il est joli en fille ! j'en suis jalouse, moi ! *(Elle lui prend le menton.)* Voulez-vous bien n'être pas joli comme ça ?

LA COMTESSE. – Qu'elle est folle ! Il faut relever la manche, afin
15 que l'amadis[2] prenne mieux… *(Elle la retrousse.)* Qu'est-ce qu'il a donc au bras ? un ruban !

---

1. **Cachet** : sceau, tampon.
2. **Amadis** : extrémité de la manche d'une veste, qui se boutonne sur le poignet.
* Chérubin. Suzanne. La comtesse. [*Note de Beaumarchais.*]

SUZANNE. – Et un ruban à vous. Je suis bien aise que Madame l'ait vu. Je lui avais dit que je le dirais, déjà ! Oh ! si Monseigneur n'était pas venu, j'aurais bien repris le ruban ; car je suis presque aussi
20 forte que lui.

LA COMTESSE. – Il y a du sang ! (*Elle détache le ruban.*)

CHÉRUBIN, *honteux.* – Ce matin, comptant partir, j'arrangeais la gourmette[1] de mon cheval ; il a donné de la tête, et la bossette[2] m'a effleuré le bras.

25 LA COMTESSE. – On n'a jamais mis un ruban…

SUZANNE. – Et surtout un ruban volé. Voyons donc… ce que la bossette… la courbette… la cornette du cheval… Je n'entends rien à tous ces noms-là. Ah ! qu'il a le bras blanc ! c'est comme une femme ! plus blanc que le mien ! regardez donc, madame ! (*Elle les compare.*)

30 LA COMTESSE, *d'un ton glacé.* – Occupez-vous plutôt de m'avoir du taffetas gommé[3], dans ma toilette.

> *Suzanne lui pousse la tête, en riant ; il tombe sur les deux mains.*
> *Elle entre dans le cabinet au bord du théâtre.*

Scène 7

CHÉRUBIN *à genoux*, LA COMTESSE *assise.*

LA COMTESSE *reste un moment sans parler, les yeux sur son ruban. Chérubin la dévore de ses regards.* – Pour mon ruban, monsieur… comme c'est celui dont la couleur m'agrée le plus… j'étais fort en colère de l'avoir perdu.

---

1. **Gourmette** : chaînette passant sous la mâchoire inférieure du cheval et servant à fixer le mors dans sa bouche.
2. **Bossette** : ornement en bosse placé sur le harnais d'un cheval.
3. **Taffetas gommé** : tissu utilisé pour faire des pansements.

Scène 8

CHÉRUBIN *à genoux*,
LA COMTESSE *assise*, SUZANNE

SUZANNE, *revenant.* – Et la ligature[1] à son bras?

> *Elle remet à la comtesse du taffetas gommé et des ciseaux.*

LA COMTESSE. – En allant lui chercher tes hardes, prends le ruban d'un autre bonnet.

> *Suzanne sort par la porte du fond,*
> *en emportant le manteau du page.*

Scène 9

CHÉRUBIN *à genoux*, LA COMTESSE *assise.*

CHÉRUBIN, *les yeux baissés.* – Celui qui m'est ôté m'aurait guéri en moins de rien.

LA COMTESSE. – Par quelle vertu? *(Lui montrant le taffetas.)* Ceci vaut mieux.

5 **CHÉRUBIN,** *hésitant.* – Quand un ruban… a serré la tête… ou touché la peau d'une personne…

LA COMTESSE, *coupant la phrase.* – … étrangère, il devient bon pour les blessures? J'ignorais cette propriété. Pour l'éprouver, je garde celui-ci qui vous a serré le bras. À la première égratignure… de mes 10 femmes, j'en ferai l'essai.

---

1. Ligature: bande de drap utilisée par les médecins comme pansement; ici, il s'agit du ruban.

CHÉRUBIN, *pénétré.* – Vous le gardez, et moi, je pars.

LA COMTESSE. – Non pour toujours.

CHÉRUBIN. – Je suis si malheureux!

LA COMTESSE, *émue.* – Il pleure à présent! c'est ce vilain Figaro avec
15 son pronostic!

CHÉRUBIN, *exalté.* – Ah! je voudrais toucher au terme qu'il m'a
prédit! sûr de mourir à l'instant, peut-être ma bouche oserait…

LA COMTESSE *l'interrompt et lui essuie les yeux avec son mouchoir.* –
Taisez-vous, taisez-vous, enfant. Il n'y a pas un brin de raison dans
20 tout ce que vous dites. *(On frappe à la porte, elle élève la voix.)* Qui
frappe ainsi chez moi?

Scène 10

CHÉRUBIN, LA COMTESSE, LE COMTE,
en dehors.

LE COMTE, *en dehors.* – Pourquoi donc enfermée?

LA COMTESSE, *troublée, se lève.* – C'est mon époux! grands dieux!…
(À Chérubin qui s'est levé aussi:) Vous sans manteau, le col[1] et les bras
nus! seul avec moi! cet air de désordre, un billet reçu, sa jalousie!…

5 **LE COMTE,** *en dehors.* – Vous n'ouvrez pas?

LA COMTESSE. – C'est que… je suis seule.

LE COMTE, *en dehors.* – Seule! Avec qui parlez-vous donc?

LA COMTESSE, *cherchant.* – … Avec vous sans doute.

---

1. Col: COU.

CHÉRUBIN, *à part.* – Après les scènes d'hier, et de ce matin, il me
10 tuerait sur la place !

> *Il court au cabinet de toilette,*
> *y entre, et tire la porte sur lui.*

Scène 11

LA COMTESSE, *seule, en ôte la clef*
et court ouvrir au comte.

Ah ! quelle faute ! quelle faute !

Scène 12

LE COMTE, LA COMTESSE

LE COMTE, *un peu sévère.* – Vous n'êtes pas dans l'usage[1] de vous
enfermer !

LA COMTESSE, *troublée.* – Je… je chiffonnais… oui, je chiffonnais
avec Suzanne ; elle est passée un moment chez elle.

5 **LE COMTE** *l'examine.* – Vous avez l'air et le ton bien altérés[2] !

LA COMTESSE. – Cela n'est pas étonnant… pas étonnant du tout…
je vous assure… nous parlions de vous… elle est passée, comme
je vous dis…

---

1. **Vous n'êtes pas dans l'usage** : vous n'avez pas pour habitude.
2. **Altérés** : changés par une émotion visible.

LE COMTE. – Vous parliez de moi !... Je suis ramené par l'inquié-
10 tude. – en montant à cheval, un billet, qu'on m'a remis, mais auquel
je n'ajoute aucune foi[1], m'a... pourtant agité.

LA COMTESSE. – Comment, monsieur ?... quel billet ?

LE COMTE. – Il faut avouer, madame, que vous ou moi sommes entourés
d'êtres... bien méchants ! On me donne avis que dans la journée,
15 quelqu'un que je crois absent doit chercher à vous entretenir.

LA COMTESSE. – Quel que soit cet audacieux, il faudra qu'il pénètre
ici ; car mon projet est de ne pas quitter ma chambre de tout le jour.

LE COMTE. – Ce soir, pour la noce de Suzanne ?

LA COMTESSE. – Pour rien au monde ; je suis très incommodée[2].

20 **LE COMTE.** – Heureusement le docteur est ici. *(Le page fait tomber
une chaise dans le cabinet.)* Quel bruit entends-je ?

LA COMTESSE, *plus troublée.* – Du bruit ?

LE COMTE. – On a fait tomber un meuble.

LA COMTESSE. – Je... je n'ai rien entendu, pour moi.

25 **LE COMTE.** – Il faut que vous soyez furieusement préoccupée !

LA COMTESSE. – Préoccupée ! de quoi ?

LE COMTE. – Il y a quelqu'un dans ce cabinet, madame.

LA COMTESSE. – Hé... qui voulez-vous qu'il y ait, monsieur ?

LE COMTE. – C'est moi qui vous le demande ; j'arrive.

30 **LA COMTESSE.** – Hé mais... Suzanne apparemment qui range.

LE COMTE. – Vous avez dit qu'elle était passée chez elle !

LA COMTESSE. – Passée... ou entrée là ; je ne sais lequel.

---

1. **Auquel je n'ajoute aucune foi** : auquel je n'accorde aucun crédit.
2. **Incommodée** : indisposée, souffrante.

Le comte. – Si c'est Suzanne, d'où vient le trouble où je vous vois ?

La comtesse. – Du trouble pour ma camariste ?

35 **Le comte.** – Pour votre camariste, je ne sais ; mais pour du trouble, assurément.

La comtesse. – Assurément, monsieur, cette fille vous trouble, et vous occupe beaucoup plus que moi.

Le comte, *en colère.* – Elle m'occupe à tel point, madame, que je

40 veux la voir à l'instant.

La comtesse. – Je crois en effet, que vous le voulez souvent ; mais voilà bien les soupçons les moins fondés…

Scène 13

Le comte, la comtesse ; Suzanne
entre avec des hardes et pousse la porte du fond.

Le comte. – Ils en seront plus aisés à détruire. *(Il parle au cabinet.)* Sortez, Suzon ; je vous l'ordonne.

> *Suzanne s'arrête auprès de l'alcôve dans le fond.*

La comtesse. – Elle est presque nue, monsieur ; vient-on troubler ainsi des femmes dans leur retraite ? Elle essayait des hardes que je

5 lui donne en la mariant ; elle s'est enfuie quand elle vous a entendu.

Le comte. – Si elle craint tant de se montrer, au moins elle peut parler. *(Il se tourne vers la porte du cabinet.)* Répondez-moi, Suzanne ; êtes-vous dans ce cabinet ?

> *Suzanne, restée au fond,*
> *se jette dans l'alcôve et s'y cache.*

LA COMTESSE, *vivement, parlant au cabinet.* – Suzon, je vous défends
10 de répondre. *(Au comte:)* On n'a jamais poussé si loin la tyrannie!

LE COMTE *s'avance au cabinet.* – Oh! bien, puisqu'elle ne parle pas,
vêtue ou non, je la verrai.

LA COMTESSE *se met au-devant.* – Partout ailleurs je ne puis l'empêcher; mais j'espère aussi que chez moi…

15 **LE COMTE.** – Et moi j'espère savoir dans un moment[1] quelle est
cette Suzanne mystérieuse. Vous demander la clef serait, je le vois,
inutile! mais il est un moyen sûr de jeter en dedans cette légère
porte. Holà! quelqu'un!

LA COMTESSE. – Attirer vos gens, et faire un scandale public d'un
20 soupçon qui nous rendrait la fable[2] du château?

LE COMTE. – Fort bien, madame; en effet, j'y suffirai; je vais à l'instant
prendre chez moi ce qu'il faut… *(Il marche pour sortir et revient.)* Mais
pour que tout reste au même état, voudrez-vous bien m'accompagner
sans scandale et sans bruit, puisqu'il vous déplaît tant?… une chose
25 aussi simple, apparemment, ne me sera pas refusée!

LA COMTESSE, *troublée.* – Eh! monsieur, qui songe à vous contrarier?

LE COMTE. – Ah! j'oubliais la porte qui va chez vos femmes; il faut
que je la ferme aussi, pour que vous soyez pleinement justifiée[3].

Il va fermer la porte du fond et en ôte la clef.

LA COMTESSE, *à part.* – Ô Ciel! étourderie funeste!

30 **LE COMTE**, *revenant à elle.* – Maintenant que cette chambre est
close, acceptez mon bras, je vous prie; *(il élève la voix)* et quant à la
Suzanne du cabinet, il faudra qu'elle ait la bonté de m'attendre, et
le moindre mal qui puisse lui arriver à mon retour…

---

1. Dans un moment: à l'instant, immédiatement.
2. Fable: risée.
3. Justifiée: innocentée.

LA COMTESSE. – En vérité, monsieur, voilà bien la plus odieuse
35 aventure…

Le comte l'emmène et ferme la porte à la clef.

Scène 14
SUZANNE, CHÉRUBIN

SUZANNE *sort de l'alcôve, accourt au cabinet et parle à la serrure.* – Ouvrez, Chérubin, ouvrez vite, c'est Suzanne ; ouvrez et sortez.

CHÉRUBIN *sort**. – Ah ! Suzon, quelle horrible scène !

SUZANNE. – Sortez, vous n'avez pas une minute.

5 **CHÉRUBIN**, *effrayé*. – Eh ! par où sortir ?

SUZANNE. – Je n'en sais rien, mais sortez.

CHÉRUBIN. – S'il n'y a pas d'issue ?

SUZANNE. – Après la rencontre de tantôt, il vous écraserait, et nous serions perdues. Courez conter à Figaro…

10 **CHÉRUBIN**. – La fenêtre du jardin n'est peut-être pas bien haute. *(Il court y regarder.)*

SUZANNE, *avec effroi*. – Un grand étage ! Impossible ! Ah ! ma pauvre maîtresse ! Et mon mariage, ô Ciel !

CHÉRUBIN *revient*. – Elle donne sur la melonnière ; quitte à gâter
15 une couche[1] ou deux…

---

1. Melonnière: espace où l'on cultive des melons ; **couches**: châssis formé de planches et rempli de fumier afin de faire des semis.

* Chérubin. Suzanne. [*Note de Beaumarchais.*]

SUZANNE *le retient et s'écrie.* – Il va se tuer !

CHÉRUBIN, *exalté.* – Dans un gouffre allumé, Suzon ! oui, je m'y jetterais, plutôt que de lui nuire… Et ce baiser va me porter bonheur.

Il l'embrasse et court sauter par la fenêtre.

Scène 15
SUZANNE, *seule, un cri de frayeur.*

Ah !… *(Elle tombe assise un moment. Elle va péniblement regarder à la fenêtre et revient.)* Il est déjà bien loin. Oh ! le petit garnement ! aussi leste[1] que joli ! si celui-là manque de femmes… Prenons sa place au plus tôt. *(En entrant dans le cabinet.)* Vous pouvez à présent, monsieur le comte, rompre la cloison, si cela vous amuse ; au diantre[2] qui répond un mot !

Elle s'enferme.

Scène 16
LE COMTE, LA COMTESSE *rentrent dans la chambre.*

LE COMTE, *une pince à la main, qu'il jette sur le fauteuil.* – Tout est bien comme je l'ai laissé. Madame, en m'exposant à briser cette porte, réfléchissez aux suites : encore une fois, voulez-vous l'ouvrir ?

---

1. **Leste** : souple, agile.
2. **Au diantre** : au diable.

LA COMTESSE. – Eh, monsieur, quelle horrible humeur peut alté-
5 rer ainsi les égards entre deux époux ? Si l'amour vous dominait
au point de vous inspirer ces fureurs, malgré leur déraison je les
excuserais ; j'oublierais peut-être, en faveur du motif, ce qu'elles
ont d'offensant pour moi. Mais la seule vanité peut-elle jeter dans
cet excès un galant homme ?

10 **LE COMTE.** – Amour ou vanité, vous ouvrirez la porte ; ou je vais à
l'instant…

LA COMTESSE, *au-devant.* – Arrêtez, monsieur, je vous prie. Me croyez-
vous capable de manquer à ce que je me dois ?

LE COMTE. – Tout ce qu'il vous plaira, madame ; mais je verrai qui
15 est dans ce cabinet.

LA COMTESSE, *effrayée.* – Eh bien, monsieur, vous le verrez. Écoutez-
moi… tranquillement.

LE COMTE. – Ce n'est donc pas Suzanne ?

LA COMTESSE, *timidement.* – Au moins n'est-ce pas non plus une
20 personne… dont vous deviez rien redouter… Nous disposions une
plaisanterie… bien innocente en vérité, pour ce soir… et je vous jure…

LE COMTE. – Et vous me jurez ?

LA COMTESSE. – Que nous n'avions pas plus de dessein de vous
offenser l'un que l'autre.

25 **LE COMTE,** *vite.* – L'un que l'autre ? c'est un homme ?

LA COMTESSE. – Un enfant, monsieur.

LE COMTE. – Hé qui donc ?

LA COMTESSE. – À peine osé-je le nommer !

LE COMTE, *furieux.* – Je le tuerai.

30 **LA COMTESSE.** – Grands dieux !

LE COMTE. – Parlez donc !

LA COMTESSE. – Ce jeune… Chérubin…

LE COMTE. – Chérubin ! l'insolent ! voilà mes soupçons et le billet expliqués.

35 LA COMTESSE, *joignant les mains.* – Ah ! monsieur, gardez de penser…

LE COMTE, *frappant du pied.* – *(À part.)* Je trouverai partout ce maudit page ! *(Haut.)* Allons, madame, ouvrez ; je sais tout maintenant. Vous n'auriez pas été si émue en le congédiant ce matin, il serait parti quand je l'ai ordonné, vous n'auriez pas mis tant de fausseté
40 dans votre conte de Suzanne, il ne se serait pas si soigneusement caché, s'il n'y avait rien de criminel.

LA COMTESSE. – Il a craint de vous irriter en se montrant.

LE COMTE, *hors de lui, crie au cabinet.* – Sors donc, petit malheureux !

LA COMTESSE *le prend à bras-le-corps, en l'éloignant.* – Ah ! monsieur,
45 monsieur, votre colère me fait trembler pour lui. N'en croyez pas un injuste soupçon, de grâce ; et que le désordre où vous l'allez trouver…

LE COMTE. – Du désordre !

LA COMTESSE. – Hélas oui ; prêt à s'habiller en femme, une coiffure
50 à moi sur la tête, en veste et sans manteau, le col ouvert, les bras nus ; il allait essayer…

LE COMTE. – Et vous vouliez garder votre chambre ! Indigne épouse ! ah ! vous la garderez… longtemps ; mais il faut avant que j'en chasse un insolent, de manière à ne plus le rencontrer nulle part.

55 LA COMTESSE *se jette à genoux, les bras élevés.* – Monsieur le comte, épargnez un enfant ; je ne me consolerais pas d'avoir causé…

LE COMTE. – Vos frayeurs aggravent son crime.

LA COMTESSE. – Il n'est pas coupable, il partait : c'est moi qui l'ai fait appeler.

60 LE COMTE, *furieux*. – Levez-vous. Ôtez-vous… Tu es bien audacieuse d'oser me parler pour un autre !

LA COMTESSE. – Eh bien ! je m'ôterai, monsieur, je me lèverai ; je vous remettrai même la clef du cabinet : mais, au nom de votre amour…

LE COMTE. – De mon amour ! Perfide !

65 LA COMTESSE *se lève et lui présente la clef*. – Promettez-moi que vous laisserez aller cet enfant sans lui faire aucun mal ; et puisse après tout votre courroux tomber sur moi ; si je ne vous convaincs pas…

LE COMTE, *prenant la clef*. – Je n'écoute plus rien.

LA COMTESSE *se jette sur une bergère, un mouchoir sur les yeux*. – Oh !
70 Ciel ! il va périr.

LE COMTE *ouvre la porte et recule*. – C'est Suzanne !

Scène 17
LA COMTESSE, LE COMTE, SUZANNE

SUZANNE *sort en riant*. – « Je le tuerai, je le tuerai. » Tuez-le donc, ce méchant page !

LE COMTE, *à part*. – Ah ! quelle école[1] ! (*Regardant la comtesse qui est restée stupéfaite.*) Et vous aussi, vous jouez l'étonnement ?… Mais
5 peut-être elle n'y est pas seule.

Il entre.

---

1. **Quelle école** : quelle erreur.

Scène 18

LA COMTESSE *assise*, SUZANNE

SUZANNE *accourt à sa maîtresse.* – Remettez-vous, madame, il est bien loin, il a fait un saut...

LA COMTESSE. – Ah, Suzon, je suis morte.

Scène 19

LA COMTESSE *assise*, SUZANNE, LE COMTE

LE COMTE *sort du cabinet d'un air confus. Après un court silence.* – Il n'y a personne, et pour le coup j'ai tort. Madame... vous jouez fort bien la comédie.

SUZANNE, *gaiement.* – Et moi, monseigneur?

La comtesse, son mouchoir sur sa bouche pour se remettre, ne parle pas*.

5   **LE COMTE** *s'approche.* – Quoi, madame, vous plaisantiez?

LA COMTESSE, *se remettant un peu.* – Eh! pourquoi non, monsieur?

LE COMTE. – Quel affreux badinage[1]! et par quel motif, je vous prie?...

LA COMTESSE. – Vos folies méritent-elles de la pitié?

LE COMTE. – Nommer folies ce qui touche à l'honneur!

---

1. Badinage: ici, plaisanterie.
*   Suzanne. La comtesse, assise. Le comte. [*Note de Beaumarchais.*]

10 **LA COMTESSE**, *assurant son ton par degrés.* – Me suis-je unie à vous pour être éternellement dévouée à l'abandon et à la jalousie, que vous seul osez concilier?

LE COMTE. – Ah! madame, c'est sans ménagement.

SUZANNE. – Madame n'avait qu'à vous laisser appeler les gens.

15 **LE COMTE.** – Tu as raison, et c'est à moi de m'humilier[1]... Pardon, je suis d'une confusion!...

SUZANNE. – Avouez, monseigneur, que vous la méritez un peu!

LE COMTE. – Pourquoi donc ne sortais-tu pas lorsque je t'appelais? Mauvaise!

20 **SUZANNE.** – Je me rhabillais de mon mieux, à grand renfort d'épingles, et Madame qui me le défendait avait bien ses raisons pour le faire.

LE COMTE. – Au lieu de rappeler mes torts, aide-moi plutôt à l'apaiser.

LA COMTESSE. – Non, monsieur; un pareil ouvrage ne se couvre point[2]. Je vais me retirer aux Ursulines[3], et je vois trop qu'il en est temps.

25 **LE COMTE.** – Le pourriez-vous sans quelques regrets?

SUZANNE. – Je suis sûre, moi, que le jour du départ serait la veille des larmes.

LA COMTESSE. – Eh! quand cela serait, Suzon? j'aime mieux le regretter que d'avoir la bassesse de lui pardonner; il m'a trop offensée.

30 **LE COMTE.** – Rosine!...

LA COMTESSE. – Je ne la suis plus, cette Rosine que vous avez tant poursuivie[4]! Je suis la pauvre comtesse Almaviva, la triste femme délaissée, que vous n'aimez plus.

---

1. M'humilier: m'abaisser.
2. Ne se couvre point: ne peut trouver d'excuses.
3. Ursulines: ordre de religieuses catholiques qui se consacrait à l'éducation des filles et qui accueillait les femmes adultères.
4. Poursuivie: courtisée. Voir *Le Barbier de Séville*, Belin-Gallimard, «Classico», 2017.

Suzanne. – Madame !

35 Le comte, *suppliant.* – Par pitié !

La comtesse. – Vous n'en aviez aucune pour moi.

Le comte. – Mais aussi ce billet… Il m'a tourné le sang !

La comtesse. – Je n'avais pas consenti qu'on l'écrivît.

Le comte. – Vous le saviez ?

40 La comtesse. – C'est cet étourdi de Figaro…

Le comte. – Il en était ?

La comtesse. – … qui l'a remis à Bazile.

Le comte. – Qui m'a dit le tenir d'un paysan. Ô perfide chanteur[1] ! lame à deux tranchants ! c'est toi qui payeras pour tout le monde.

45 La comtesse. – Vous demandez pour vous un pardon que vous refusez aux autres : voilà bien les hommes ! Ah ! Si jamais je consentais à pardonner en faveur de l'erreur où vous a jeté ce billet, j'exigerais que l'amnistie fût générale.

Le comte. – Eh bien ! de tout mon cœur, comtesse. Mais comment 50 réparer une faute aussi humiliante ?

La comtesse *se lève.* – Elle l'était pour tous deux.

Le comte. – Ah ! dites pour moi seul. Mais je suis encore à concevoir comment les femmes prennent si vite et si juste l'air et le ton des circonstances. Vous rougissiez, vous pleuriez, votre visage était 55 défait… D'honneur il l'est encore.

La comtesse, *s'efforçant de sourire.* – Je rougissais… du ressentiment[2] de vos soupçons. Mais les hommes sont-ils assez délicats pour distinguer l'indignation d'une âme honnête outragée, d'avec la confusion qui naît d'une accusation méritée ?

---

1. Chanteur : ici, menteur.
2. Du ressentiment : par rancune, au souvenir de l'injure.

60 LE COMTE, *souriant.* – Et ce page en désordre, en veste et presque nu…

LA COMTESSE, *montrant Suzanne.* – Vous le voyez devant vous. N'aimez-vous pas mieux l'avoir trouvé que l'autre ? en général, vous ne haïssez pas de rencontrer celui-ci.

LE COMTE, *riant plus fort.* – Et ces prières, ces larmes feintes…

65 LA COMTESSE. – Vous me faites rire, et j'en ai peu d'envie.

LE COMTE. – Nous croyons valoir quelque chose en politique, et nous ne sommes que des enfants. C'est vous, c'est vous, madame, que le roi devrait envoyer en ambassade à Londres ! Il faut que votre sexe ait fait une étude bien réfléchie de l'art de se composer[1] pour
70 réussir à ce point !

LA COMTESSE. – C'est toujours vous qui nous y forcez.

SUZANNE. – Laissez-nous prisonniers sur parole, et vous verrez si nous sommes gens d'honneur.

LA COMTESSE. – Brisons là[2], monsieur le comte. J'ai peut-être été
75 trop loin ; mais mon indulgence en un cas aussi grave doit au moins m'obtenir la vôtre.

LE COMTE. – Mais vous répéterez que vous me pardonnez.

LA COMTESSE. – Est-ce que je l'ai dit, Suzon ?

SUZANNE. – Je ne l'ai pas entendu, madame.

80 LE COMTE. – Eh bien ! que ce mot vous échappe.

LA COMTESSE. – Le méritez-vous, ingrat ?

LE COMTE. – Oui, par mon repentir.

SUZANNE. – Soupçonner un homme dans le cabinet de Madame !

LE COMTE. – Elle m'en a si sévèrement puni !

---

1. Se composer : maîtriser son apparence pour masquer ses émotions.
2. Brisons là : arrêtons là.

85 **SUZANNE.** – Ne pas s'en fier à elle quand elle dit que c'est sa camariste !

LE COMTE. – Rosine, êtes-vous donc implacable[1] ?

LA COMTESSE. – Ah ! Suzon ! que je suis faible ! quel exemple je te donne ! *(Tendant la main au comte.)* On ne croira plus à la colère des femmes.

90 **SUZANNE.** – Bon ! madame, avec eux ne faut-il pas toujours en venir là ?

Le comte baise ardemment la main de sa femme.

Scène 20

SUZANNE, FIGARO, LA COMTESSE, LE COMTE

FIGARO, *arrivant tout essoufflé.* – On disait Madame incommodée. Je suis vite accouru… je vois avec joie qu'il n'en est rien.

LE COMTE, *sèchement.* – Vous êtes fort attentif[2] !

FIGARO. – Et c'est mon devoir. Mais puisqu'il n'en est rien, monsei-
5 gneur, tous vos jeunes vassaux des deux sexes sont en bas avec les violons et les cornemuses, attendant, pour m'accompagner, l'instant où vous permettrez que je mène ma fiancée…

LE COMTE. – Et qui surveillera la comtesse au château ?

FIGARO. – La veiller ! elle n'est pas malade.

10 **LE COMTE.** – Non ; mais cet homme absent qui doit l'entretenir ?

FIGARO. – Quel homme absent ?

LE COMTE. – L'homme du billet que vous avez remis à Bazile.

---

1. **Implacable** : inflexible.
2. **Attentif** : prévenant, attentionné.

Figaro. – Qui dit cela ?

Le comte. – Quand je ne le saurais pas d'ailleurs, fripon ! ta physionomie qui t'accuse me prouverait déjà que tu mens.

Figaro. – S'il en est ainsi, ce n'est pas moi qui mens, c'est ma
physionomie.

Suzanne. – Va, mon pauvre Figaro, n'use pas ton éloquence en
défaites[1] ; nous avons tout dit.

Figaro. – Et quoi dit ? vous me traitez comme un Bazile !

Suzanne. – Que tu avais écrit le billet de tantôt pour faire accroire
à Monseigneur, quand il entrerait, que le petit page était dans ce
cabinet où je me suis enfermée.

Le comte. – Qu'as-tu à répondre ?

La comtesse. – Il n'y a plus rien à cacher, Figaro ; le badinage est
consommé[2].

Figaro, *cherchant à deviner.* – Le badinage… est consommé ?

Le comte. – Oui, consommé. Que dis-tu là-dessus ?

Figaro. – Moi ! je dis… que je voudrais bien qu'on en pût dire
autant de mon mariage ; et si vous l'ordonnez…

Le comte. – Tu conviens donc enfin du billet ?

Figaro. – Puisque Madame le veut, que Suzanne le veut, que vous
le voulez vous-même, il faut bien que je le veuille aussi : mais à votre
place, en vérité, monseigneur, je ne croirais pas un mot de tout ce
que nous vous disons.

Le comte. – Toujours mentir contre l'évidence ! à la fin cela m'irrite.

La comtesse, *en riant.* – Eh, ce pauvre garçon ! pourquoi voulez-
vous, monsieur, qu'il dise une fois la vérité ?

---

1. **En défaites** : en vain, de manière inutile.
2. **Le badinage est consommé** : la plaisanterie est terminée.

FIGARO, *bas à Suzanne.* – Je l'avertis de son danger ; c'est tout ce qu'un honnête homme peut faire.

SUZANNE, *bas.* – As-tu vu le petit page ?

FIGARO, *bas.* – Encore tout froissé.

SUZANNE, *bas.* – Ah, pécaïre[1] !

LA COMTESSE. – Allons, monsieur le comte, ils brûlent de s'unir : leur impatience est naturelle ! entrons pour la cérémonie.

LE COMTE, *à part.* – Et Marceline, Marceline… *(Haut.)* Je voudrais être… au moins vêtu.

LA COMTESSE. – Pour nos gens ! Est-ce que je le suis ?

Scène 21

FIGARO, SUZANNE, LA COMTESSE, LE COMTE, ANTONIO

ANTONIO, *demi-gris[2], tenant un pot de giroflées[3] écrasées.* – Monseigneur ! Monseigneur !

LE COMTE. – Que me veux-tu, Antonio ?

ANTONIO. – Faites donc une fois griller les croisées[4] qui donnent sur mes couches. On jette toutes sortes de choses par ces fenêtres ; et tout à l'heure encore on vient d'en jeter un homme.

LE COMTE. – Par ces fenêtres ?

ANTONIO. – Regardez comme on arrange mes giroflées !

---

1. **Pécaïre** : interjection traduisant la surprise.
2. **Demi-gris** : à moitié ivre.
3. **Giroflées** : fleurs.
4. **Griller les croisées** : grillager les fenêtres.

SUZANNE, *bas à Figaro.* – Alerte, Figaro ! alerte.

10 FIGARO. – Monseigneur, il est gris dès le matin.

ANTONIO. – Vous n'y êtes pas. C'est un petit reste d'hier. Voilà comme on fait des jugements… ténébreux.

LE COMTE, *avec feu.* – Cet homme ! cet homme ! où est-il ?

ANTONIO. – Où il est ?

15 LE COMTE. – Oui.

ANTONIO. – C'est ce que je dis. Il faut me le trouver déjà. Je suis votre domestique ; il n'y a que moi qui prends soin de votre jardin ; il y tombe un homme, et vous sentez… que ma réputation en est effleurée.

20 SUZANNE, *bas à Figaro.* – Détourne, détourne[1].

FIGARO. – Tu boiras donc toujours ?

ANTONIO. – Et si je ne buvais pas, je deviendrais enragé.

LA COMTESSE. – Mais en prendre ainsi sans besoin…

ANTONIO. – Boire sans soif et faire l'amour en tout temps, madame, 25 il n'y a que ça qui nous distingue des autres bêtes.

LE COMTE, *vivement.* – Réponds-moi donc ou je vais te chasser.

ANTONIO. – Est-ce que je m'en irais ?

LE COMTE. – Comment donc ?

ANTONIO, *se touchant le front.* – Si vous n'avez pas assez de ça pour 30 garder un bon domestique, je ne suis pas assez bête, moi, pour renvoyer un si bon maître.

LE COMTE *le secoue avec colère.* – On a, dis-tu, jeté un homme par cette fenêtre ?

---

1. Détourne : change de sujet.

ANTONIO. – Oui, Mon Excellence ; tout à l'heure, en veste blanche,
35 et qui s'est enfui, jarni[1], courant…

LE COMTE, *impatienté.* – Après ?

ANTONIO. – J'ai bien voulu courir après ; mais je me suis donné
contre la grille une si fière gourde à la main que je ne peux plus
remuer ni pied ni patte de ce doigt-là.

Levant le doigt.

40 **LE COMTE.** – Au moins tu reconnaîtrais l'homme ?

ANTONIO. – Oh ! que oui-da !… si je l'avais vu pourtant !

SUZANNE, *bas à Figaro.* – Il ne l'a pas vu.

FIGARO. – Voilà bien du train[2] pour un pot de fleurs ! combien te
faut-il, pleurard ! avec ta giroflée ? Il est inutile de chercher, mon-
45 seigneur, c'est moi qui ai sauté.

LE COMTE. – Comment ? c'est vous !

ANTONIO. – « Combien te faut-il, pleurard ? » Votre corps a donc
bien grandi depuis ce temps-là ? car je vous ai trouvé beaucoup plus
moindre et plus fluet[3] !

50 **FIGARO.** – Certainement ; quand on saute, on se pelotonne…

ANTONIO. – M'est avis que c'était plutôt… qui dirait, le gringalet
de page.

LE COMTE. – Chérubin, tu veux dire ?

FIGARO. – Oui, revenu tout exprès avec son cheval, de la porte de
55 Séville, où peut-être il est déjà.

ANTONIO. – Oh ! non, je ne dis pas ça, je ne dis pas ça ; je n'ai pas
vu sauter de cheval, car je le dirais de même.

---

1. **Jarni** : juron.
2. **Train** : bruit, tapage.
3. **Fluet** : mince.

LE COMTE. – Quelle patience !

FIGARO. – J'étais dans la chambre des femmes en veste blanche : il
60 fait un chaud !… J'attendais là ma Suzannette, quand j'ai ouï tout
à coup la voix de Monseigneur et le grand bruit qui se faisait : je
ne sais quelle crainte m'a saisi à l'occasion de ce billet ; et s'il faut
avouer ma bêtise, j'ai sauté sans réflexion sur les couches, où je me
suis même un peu foulé le pied droit.

Il frotte son pied.

65 **ANTONIO.** – Puisque c'est vous, il est juste de vous rendre ce brimborion[1] de papier qui a coulé[2] de votre veste en tombant.

LE COMTE *se jette dessus.* – Donne-le-moi.

Il ouvre le papier et le referme.

FIGARO, *à part.* – Je suis pris.

LE COMTE, *à Figaro.* – La frayeur ne vous aura pas fait oublier ce
70 que contient ce papier, ni comment il se trouvait dans votre poche ?

FIGARO, *embarrassé, fouille dans ses poches et en tire des papiers.* – Non
sûrement… Mais c'est que j'en ai tant. Il faut répondre à tout…
(Il regarde un des papiers.) Ceci ? ah ! c'est une lettre de Marceline,
en quatre pages ; elle est belle !… Ne serait-ce pas la requête de ce
75 pauvre braconnier en prison ?… non, la voici… J'avais l'état des
meubles du petit château dans l'autre poche…

Le comte rouvre le papier qu'il tient.

LA COMTESSE, *bas à Suzanne.* – Ah dieux ! Suzon. C'est le brevet
d'officier.

SUZANNE, *bas à Figaro.* – Tout est perdu, c'est le brevet.

80 **LE COMTE** *replie le papier.* – Eh bien ! l'homme aux expédients[3], vous
ne devinez pas ?

---

1. **Brimborion** : morceau.
2. **Qui a coulé** : qui est tombé.
3. **Expédients** : moyens ingénieux de se tirer d'affaire.

ANTONIO, *s'approchant de Figaro**. – Monseigneur dit si vous ne devinez pas !

FIGARO *le repousse.* – Fi donc ! vilain, qui me parle dans le nez !

85 **LE COMTE.** – Vous ne vous rappelez pas ce que ce peut être ?

FIGARO. – A, a, a, ah ! *Povero*[1] ! ce sera le brevet de ce malheureux enfant, qu'il m'avait remis et que j'ai oublié de lui rendre. O, o, o, oh ! étourdi que je suis ! que fera-t-il sans son brevet ? Il faut courir…

LE COMTE. – Pourquoi vous l'aurait-il remis ?

90 **FIGARO**, *embarrassé.* – Il… désirait qu'on y fît quelque chose.

LE COMTE *regarde son papier.* – Il n'y manque rien.

LA COMTESSE, *bas à Suzanne.* – Le cachet.

SUZANNE, *bas à Figaro.* – Le cachet manque.

LE COMTE, *à Figaro.* – Vous ne répondez pas ?

95 **FIGARO.** – C'est… qu'en effet il y manque peu de chose. Il dit que c'est l'usage…

LE COMTE. – L'usage ! l'usage ! l'usage de quoi ?

FIGARO. – D'y apposer le sceau de vos armes. Peut-être aussi que cela ne valait pas la peine.

100 **LE COMTE** *rouvre le papier et le chiffonne de colère.* – Allons, il est écrit que je ne saurai rien. *(À part.)* C'est ce Figaro qui les mène et je ne m'en vengerais pas !

Il veut sortir avec dépit[2].

FIGARO, *l'arrêtant.* – Vous sortez sans ordonner mon mariage ?

---

1. ***Povero*** : « le pauvre », en italien.
2. **Dépit** : mouvement de colère et d'amertume dû à une déception.
* Antonio. Figaro. Suzanne. La comtesse. Le comte. [*Note de Beaumarchais.*]

Scène 22

BAZILE, BARTHOLO, MARCELINE, FIGARO, LE COMTE,
GRIPPE-SOLEIL, LA COMTESSE, SUZANNE, ANTONIO ;
VALETS DU COMTE, SES VASSAUX

MARCELINE, *au comte.* – Ne l'ordonnez pas, monseigneur ! Avant de lui faire grâce, vous nous devez justice. Il a des engagements avec moi.

LE COMTE, *à part.* – Voilà ma vengeance arrivée.

FIGARO. – Des engagements ! de quelle nature ? Expliquez-vous.

5 MARCELINE. – Oui, je m'expliquerai, malhonnête !

La comtesse s'assied sur une bergère. Suzanne est derrière elle.

LE COMTE. – De quoi s'agit-il, Marceline ?

MARCELINE. – D'une obligation de mariage.

FIGARO. – Un billet, voilà tout, pour de l'argent prêté.

MARCELINE, *au comte.* – Sous condition de m'épouser. Vous êtes un
10 grand seigneur, le premier juge de la province…

LE COMTE. – Présentez-vous au tribunal ; j'y rendrai justice à tout le monde.

BAZILE, *montrant Marceline.* – En ce cas, Votre Grandeur permet que je fasse aussi valoir mes droits sur Marceline ?

15 LE COMTE, *à part.* – Ah ! voilà mon fripon du billet.

FIGARO. – Autre fou de la même espèce !

LE COMTE, *en colère, à Bazile.* – Vos droits ! vos droits ! Il vous convient bien de parler devant moi, maître sot !

ANTONIO, *frappant dans sa main.* – Il ne l'a, ma foi, pas manqué du
20 premier coup. – c'est son nom.

LE COMTE. – Marceline, on suspendra tout jusqu'à l'examen de vos titres, qui se fera publiquement dans la grand-salle d'audience. Honnête Bazile ! agent fidèle et sûr ! allez au bourg chercher les gens du Siège[1].

25 BAZILE. – Pour son affaire ?

LE COMTE. – Et vous m'amènerez le paysan du billet.

BAZILE. – Est-ce que je le connais ?

LE COMTE. – Vous résistez !

BAZILE. – Je ne suis pas entré au château pour en faire les commissions.

30 LE COMTE. – Quoi donc ?

BAZILE. – Homme à talent sur l'orgue du village, je montre le clavecin à Madame, à chanter à ses femmes, la mandoline aux pages ; et mon emploi surtout est d'amuser votre compagnie avec ma guitare, quand il vous plaît de l'ordonner.

35 GRIPPE-SOLEIL *s'avance.* – J'irai bien, monsigneu, si cela vous plaira.

LE COMTE. – Quel est ton nom, et ton emploi ?

GRIPPE-SOLEIL. – Je suis Grippe-Soleil, mon bon signeu ; le petit patouriau des chèvres, commandé pour le feu d'artifice. C'est fête aujourd'hui dans le troupiau ; et je sais oùs-ce qu'est toute l'enragée
40 boutique à procès du pays.

LE COMTE. – Ton zèle[2] me plaît ; vas-y. – mais vous, *(à Bazile)* accompagnez Monsieur en jouant de la guitare, et chantant pour l'amuser en chemin. Il est de ma compagnie.

GRIPPE-SOLEIL, *joyeux.* – Oh ! moi, je suis de la… ?

Suzanne l'apaise de la main, en lui montrant la comtesse.

---

1. **Les gens du Siège** : au tribunal, les gens qui rendent justice, qui étaient assis, et non ceux qui plaident, qui se tenaient debout.
2. **Zèle** : dévouement.

45 **BAZILE,** *surpris.* – Que j'accompagne Grippe-Soleil en jouant?…

LE COMTE. – C'est votre emploi. Partez, ou je vous chasse.

Il sort.

Scène 23
LES ACTEURS PRÉCÉDENTS, *excepté* LE COMTE

BAZILE, *à lui-même.* – Ah! je n'irai pas lutter contre le pot de fer[1], moi qui ne suis…

FIGARO. – Qu'une cruche.

BAZILE, *à part.* – Au lieu d'aider à leur mariage, je m'en vais assurer
5 le mien avec Marceline. *(À Figaro:)* Ne conclus rien, crois-moi, que je ne sois de retour.

Il va prendre la guitare sur le fauteuil du fond.

FIGARO *le suit.* – Conclure! oh! va, ne crains rien; quand même tu ne reviendrais jamais… Tu n'as pas l'air en train de chanter; veux-tu que je commence?… allons gai, haut, la-mi-la, pour ma fiancée.

Il se met en marche à reculons, danse en chantant la séguedille[2] suivante. Bazile accompagne, et tout le monde le suit.

---

1. Le pot de fer: allusion à une fable de Jean de La Fontaine, «Le Pot de terre et le Pot de fer» (V, 2) qui se conclut par la morale: «Ne nous associons qu'avecque nos égaux». Bazile s'identifie ici au plus faible, le pot de terre, qui se brise dans le récit en se heurtant au plus fort, le pot de fer.
2. Séguedille: nom d'une danse andalouse.

SÉGUEDILLE

Air noté.

10 Je préfère à richesse,
La sagesse
De ma Suzon ;
Zon, zon, zon,
Zon, zon, zon,
15 Zon, zon, zon,
Zon, zon, zon.
Aussi sa gentillesse
Est maîtresse
De ma raison ;
20 Zon, zon, zon,
Zon, zon, zon,
Zon, zon, zon,
Zon, zon, zon.

Le bruit s'éloigne, on n'entend pas le reste.

Scène 24

SUZANNE, LA COMTESSE

LA COMTESSE, *dans sa bergère.* – Vous voyez, Suzanne, la jolie scène que votre étourdi m'a value avec son billet.

SUZANNE. – Ah ! madame, quand je suis rentrée du cabinet, si vous aviez vu votre visage ! il s'est terni tout à coup ; mais ce n'a été qu'un
5 nuage ; et par degrés vous êtes devenue rouge, rouge, rouge !

LA COMTESSE. – Il a donc sauté par la fenêtre ?

SUZANNE. – Sans hésiter, le charmant enfant ! léger… comme une abeille !

LA COMTESSE. – Ah! ce fatal jardinier! Tout cela m'a remuée au point… que je ne pouvais rassembler deux idées.

SUZANNE. – Ah! madame, au contraire; et c'est là que j'ai vu combien l'usage du grand monde donne d'aisance aux dames comme il faut, pour mentir sans qu'il y paraisse.

LA COMTESSE. – Crois-tu que le comte en soit la dupe? et s'il trouvait cet enfant au château!

SUZANNE. – Je vais recommander de le cacher si bien…

LA COMTESSE. – Il faut qu'il parte. Après ce qui vient d'arriver, vous croyez bien que je ne suis pas tentée de l'envoyer au jardin à votre place.

SUZANNE. – Il est certain que je n'irai pas non plus. Voilà donc mon mariage encore une fois…

LA COMTESSE *se lève.* – Attends… Au lieu d'un autre ou de toi, si j'y allais moi-même?

SUZANNE. – Vous, madame?

LA COMTESSE. – Il n'y aurait personne d'exposé… Le comte alors ne pourrait nier… Avoir puni sa jalousie et lui prouver son infidélité, cela serait… Allons. – le bonheur d'un premier hasard[1] m'enhardit à tenter le second. Fais-lui savoir promptement que tu te rendras au jardin. Mais surtout que personne…

SUZANNE. – Ah! Figaro.

LA COMTESSE. – Non, non. Il voudrait mettre ici du sien. Mon masque de velours et ma canne; que j'aille y rêver sur la terrasse.

Suzanne entre dans le cabinet de toilette.

---

1. Le bonheur d'un premier hasard: ce premier coup de chance.

Scène 25

La comtesse, *seule.*

Il est assez effronté, mon petit projet! *(Elle se retourne.)* Ah! le
ruban! mon joli ruban! je t'oubliais! *(Elle le prend sur sa bergère et
le roule.)* Tu ne me quitteras plus... tu me rappelleras la scène où ce
malheureux enfant... Ah! monsieur le comte, qu'avez-vous fait?...
5 Et moi, que fais-je en ce moment?...

Scène 26

La comtesse, Suzanne
(La comtesse met furtivement le ruban dans son sein.)

Suzanne. – Voici la canne et votre loup[1].

La comtesse. – Souviens-toi que je t'ai défendu d'en dire un mot
à Figaro.

Suzanne, *avec joie.* – Madame, il est charmant votre projet. Je viens
5 d'y réfléchir. Il rapproche tout, termine tout, embrasse tout; et,
quelque chose qui arrive, mon mariage est maintenant certain.

> *Elle baise la main de sa maîtresse. Elles sortent.*

Fin du second acte

---

1. **Loup**: masque de velours.

Pendant l'entracte, des valets arrangent la salle d'audience : on apporte les deux banquettes à dossier des avocats, que l'on place aux deux côtés du théâtre, de façon que le passage soit libre par-derrière. On pose une estrade à deux marches dans le milieu du théâtre, vers le fond, sur laquelle on place le fauteuil du comte. On met la table du greffier[1] et son tabouret de côté sur le devant, et des sièges pour Brid'oison et d'autres juges, des deux côtés de l'estrade du comte.

---

1. Greffier : au tribunal, officier qui tient les registres et assiste le juge dans ses fonctions.

Arrêt sur lecture 2

Pour comprendre l'essentiel

Les valets, de fins stratèges

1 Figaro ne cesse d'échafauder des plans pour duper le comte et pour réussir à se marier avec Suzanne. Analysez le ton de Figaro dans la scène 2 de l'acte II, et relevez les tournures grammaticales qu'il emploie pour théoriser son art de la manipulation.

2 Dans la scène 21, Figaro parvient à faire croire au comte que c'est lui qui a sauté de la fenêtre. Faites la liste de tous les moyens auxquels Figaro et ses complices ont recours pour rendre ce mensonge probant puis commentez leur effet.

3 Dans l'acte II, Figaro n'est pas le seul à manipuler la ruse. Repérez les passages où Suzanne et sa maîtresse mettent elles aussi en œuvre des subterfuges et commentez la manière dont les personnages féminins évoluent.

Une comédie haletante

4 De nombreuses péripéties rythment l'acte II. Repérez-les, puis classez-les selon qu'elles surprennent uniquement certains personnages, l'ensemble d'entre eux, avec ou sans les spectateurs.

5 Le comte entre au plus mauvais moment dans la chambre de sa femme (scène 10). Expliquez la manière dont le dramaturge parvient à saisir le spectateur en montrant que tout semble accuser la comtesse.

6 Beaumarchais a mis en place un véritable espace de jeu qui contribue à tenir en haleine le spectateur. Justifiez cette idée en observant la façon dont l'espace scénique se démultiplie et s'ouvre sur d'autres lieux.

Du rire aux larmes : le mélange des tonalités

7 Les scènes 4 à 9 de l'acte II constituent une parenthèse heureuse où la comtesse et Chérubin tombent sous le charme l'un de l'autre. Montrez comment, dans ce passage, les tonalités comique et lyrique se mêlent.

8 Avec la scène 16, Beaumarchais joue sur le cliché de la scène d'aveu, fréquente dans les tragédies. Montrez en quoi cette scène du *Mariage de Figaro* peut sembler parodique.

9 Antonio apparaît sur scène à moitié ivre (scène 21). Analysez la façon dont Beaumarchais joue sur le comique de farce lié au jardinier, sans pour autant faire de lui un personnage seulement bouffon et caricatural.

✔ *Rappelez-vous !*

• Les **ressorts du comique** sont très variés dans *Le Mariage de Figaro* : effets grotesques issus de la farce, quiproquos et imbroglios (dus à l'écart d'information entre les différents personnages), sous-entendus et messes basses, aveux détournés en parodie de scène tragique.

• Le mélange des tonalités et le choix d'une intrigue domestique dans *Le Mariage de Figaro* reflètent **l'évolution des genres dramatiques au xviiie siècle**. Les dramaturges de l'époque rejettent l'ancienne tragédie classique, inspirée de l'Antiquité, jugée trop artificielle et grandiloquente. Apparaît alors **un nouveau genre, le drame**, forme hybride entre la tragédie et la comédie, tantôt sérieux, larmoyant ou amusant, qui rend compte de la vie quotidienne avec une volonté de naturel et un souci d'édification morale.

Zoom sur...

La scène 19 de l'acte II, l. 20-71, p. 110-112

> → *Montrer comment cette scène conjugue sourire et émotion*

📖 *Analyse du texte*

■ *Conseils pour la lecture à voix haute*

– Changez de ton en fonction des personnages.

– Faites entendre la gravité de la comtesse. Certaines de ses répliques peuvent être prononcées comme si elles étaient écrites en vers (par exemple « Je ne la suis plus, cette Rosine que vous avez tant poursuivie ! », l. 31-32, p. 110).

■ *Introduction rédigée*

Après le jeu de scène virtuose autour du fauteuil dans le premier acte, l'acte II met en place un nouveau tour de passe-passe. En effet, alors que la comtesse est seule dans sa chambre avec Chérubin, le comte veut entrer. Le page se cache donc dans le cabinet de toilette que le comte, pris de soupçons, veut ouvrir. Face à la résistance de son épouse, il va chercher une pince pour forcer la porte. Pendant ce temps et sans que la comtesse s'aperçoive de rien, Suzanne quitte l'alcôve où elle était cachée et prend la place de Chérubin, qui saute par la fenêtre. Au retour de son époux, la comtesse, prise au dépourvu, finit par avouer toute la vérité. Or, quand le comte ouvre la porte du cabinet, il se trouve face à Suzanne et croit que son épouse vient de lui jouer un tour ! Sauvée par sa camériste, la comtesse doit alors soutenir son rôle et jouer la comédie à son époux. De prime abord, cette scène paraît ainsi plaisante ; pourtant, la comtesse demeure un personnage émouvant et sérieux qui laisse parfois affleurer le pathétique et le tragique.

■ *Analyse guidée*

I. Une comédie du mensonge et de la vérité

a. Le comte prend pour faux ce qui était vrai en décrivant l'attitude sincère de la comtesse. Précisez la façon dont il apparaît alors au spectateur.

b. La scène opère un renversement de situation : le comte qui accusait son épouse dans les scènes précédentes devient accusé. Repérez et commentez les répliques qui témoignent de la perspicacité de Suzanne et de la comtesse.

c. En suivant le jeu de Suzanne et en mentant à son époux, la comtesse finit par mettre au jour le stratagème du billet imaginé par Figaro. Observez la manière dont la comtesse dévoile le plan du valet et expliquez ce que cela révèle de son personnage.

II. La comtesse : un rôle émouvant

a. La comtesse est une aristocrate qui exprime son désarroi avec une certaine grandeur. Relevez dans ses répliques les thèmes et les expressions qui peuvent rappeler les grandes héroïnes tragiques.

b. Pour la première fois, le comte appelle son épouse par son prénom (l. 30), ce qui la fait réagir : « Je ne la suis plus, cette Rosine que vous avez tant poursuivie ! Je suis la pauvre comtesse Almaviva, la triste femme délaissée, que vous n'aimez plus. » En vous appuyant sur l'analyse de cette réplique, dites quelles émotions elle suscite.

c. La comtesse reproche à son époux sa conduite, mais ne se contente pas de le dénoncer à titre personnel : elle plaide aussi la cause des femmes. Analysez la façon dont le comte et la comtesse évoquent l'autre sexe.

■ *Conclusion rédigée*

Cette scène plaisante joue sur les affinités du mensonge et de la comédie pour faire entendre certaines vérités. Le procédé du théâtre dans le théâtre fait ainsi sourire le spectateur, par ailleurs touché par la sincère souffrance de la comtesse. En cela, le passage est emblématique de l'évolution du genre théâtral au XVIIIe siècle. Les dramaturges de l'époque refusent autant l'aspect caricatural des comédies que le carcan contraignant des tragédies classiques. Apparaissent donc, comme ici, des scènes de « drame comique », que Beaumarchais définit dans son *Essai sur le genre dramatique sérieux* (1767) : « Souvent, au milieu d'une scène agréable, une émotion charmante fait tomber des yeux des larmes abondantes et faciles, qui se mêlent aux traces du sourire et peignent sur le visage l'attendrissement retrouvé et la joie.»

Étude de la langue

Dans ce passage, relevez les propositions grammaticales employant la **forme négative**.

1. Identifiez les propositions où la négation indique la rupture d'une continuité temporelle. Expliquez ces répliques en tenant compte du personnage qui les prononce.

2. Parmi les propositions que vous avez relevées, déterminez celle qui n'exprime pas à proprement parler une négation.

3. Dans les autres cas, précisez la portée de la négation (totale ou partielle), ce qu'elle vise et ce qu'elle révèle de l'attitude de la comtesse.

Activités d'appropriation

1. Comparez la scène 16 de l'acte II et la scène 12 de l'acte II du *Barbier de Séville*, où le comte Almaviva fait semblant d'être ivre pour s'entretenir avec Rosine, sa future épouse. Comment Beaumarchais exploite-t-il le cliché comique de l'ivresse dans les deux cas ?

2. Lisez la scène 8 de l'acte I de *La Mère coupable*, dernier volet de la trilogie de Figaro écrite par Beaumarchais, puis expliquez ce qu'est devenue l'idylle entre la comtesse et Chérubin.

Le procès de Figaro (III, 15).
J. Saint-Quentin (dessin) et J.-B. Liénard (graveur), « Un pâ-âté ?
je sais ce que c'est », illustration de *La Folle Journée ou le Mariage
de Figaro*, Paris, Ruault, 1785.

ACTE III

Le théâtre représente une salle du château, appelée salle du trône et servant de salle d'audience, ayant sur le côté une impériale en dais[1] *et, dessous, le portrait du roi.*

Scène 1

LE COMTE, PÉDRILLE, *en veste et botté,*
tenant un paquet cacheté.

LE COMTE, *vite.* – M'as-tu bien entendu ?

PÉDRILLE. – Excellence, oui.

Il sort.

Scène 2

LE COMTE *seul, criant.*

Pédrille ?

Scène 3

LE COMTE, PÉDRILLE *revient.*

PÉDRILLE. – Excellence ?

---

1. **Impériale en dais** : sorte de tenture déployée au-dessus d'un trône.

LE COMTE. – On ne t'a pas vu ?

PÉDRILLE. – Âme qui vive.

LE COMTE. – Prenez le cheval barbe[1].

5 **PÉDRILLE.** – Il est à la grille du potager, tout sellé.

LE COMTE. – Ferme, d'un trait, jusqu'à Séville.

PÉDRILLE. – Il n'y a que trois lieues[2], elles sont bonnes.

LE COMTE. – En descendant, sachez si le page est arrivé.

PÉDRILLE. – Dans l'hôtel ?

10 **LE COMTE.** – Oui ; surtout depuis quel temps.

PÉDRILLE. – J'entends.

LE COMTE. – Remets-lui son brevet et reviens vite.

PÉDRILLE. – Et s'il n'y était pas ?

LE COMTE. – Revenez plus vite et m'en rendez compte. Allez.

Scène 4

LE COMTE *seul, marche en rêvant.*

J'ai fait une gaucherie[3] en éloignant Bazile !… la colère n'est bonne
à rien. Ce billet remis par lui, qui m'avertit d'une entreprise sur
la comtesse ; la camariste enfermée quand j'arrive ; la maîtresse
affectée d'une terreur fausse ou vraie ; un homme qui saute par la

---

1. Cheval barbe : ancienne race de chevaux d'Afrique du Nord.
2. Lieues : ancienne unité de longueur ; trois lieues sont l'équivalent de quatorze
kilomètres environ.
3. Gaucherie : maladresse.

5 fenêtre, et l'autre après qui avoue… ou qui prétend que c'est lui…
Le fil m'échappe. Il y a là-dedans une obscurité… Des libertés chez
mes vassaux, qu'importe à gens de cette étoffe[1] ? Mais la comtesse !
si quelque insolent attendait… où m'égaré-je ? En vérité quand la
tête se monte, l'imagination la mieux réglée devient folle comme un
10 rêve ! Elle s'amusait ; ces ris[2] étouffés, cette joie mal éteinte ! Elle se
respecte, et mon honneur… où diable on l'a placé ! De l'autre part
où suis-je ? cette friponne de Suzanne a-t-elle trahi mon secret ?…
Comme il n'est pas encore le sien… Qui donc m'enchaîne à cette
fantaisie ? j'ai voulu vingt fois y renoncer… Étrange effet de l'irréso-
15 lution[3] ! si je la voulais sans débat, je la désirerais mille fois moins. Ce
Figaro se fait bien attendre ! il faut le sonder[4] adroitement, *(Figaro
paraît dans le fond ; il s'arrête)* et tâcher, dans la conversation que
je vais avoir avec lui, de démêler d'une manière détournée s'il est
instruit ou non de mon amour pour Suzanne.

Scène 5

LE COMTE, FIGARO

FIGARO, *à part*. – Nous y voilà.

LE COMTE. – … S'il en sait par elle un seul mot…

FIGARO, *à part*. – Je m'en suis douté.

LE COMTE. – … Je lui fais épouser la vieille.

5 **FIGARO**, *à part*. – Les amours de M. Bazile.

LE COMTE. – … Et voyons ce que nous ferons de la jeune.

---

1. **De cette étoffe** : de cette espèce.
2. **Ris** : rires.
3. **Irrésolution** : incertitude.
4. **Le sonder** : tâcher de découvrir sa pensée.

FIGARO, *à part.* – Ah! ma femme, s'il vous plaît.

LE COMTE *se retourne.* – Hein? quoi? qu'est-ce que c'est?

FIGARO *s'avance.* – Moi, qui me rends à vos ordres.

10 LE COMTE. – Et pourquoi ces mots?

FIGARO. – Je n'ai rien dit.

LE COMTE *répète.* – «Ma femme, s'il vous plaît»?

FIGARO. – C'est… la fin d'une réponse que je faisais. – «Allez le dire à ma femme, s'il vous plaît.»

15 LE COMTE *se promène.* – «Sa femme»!… Je voudrais bien savoir quelle affaire peut arrêter Monsieur, quand je le fais appeler?

FIGARO, *feignant d'assurer son habillement.* – Je m'étais sali sur ces couches en tombant; je me changeais.

LE COMTE. – Faut-il une heure?

20 FIGARO. – Il faut le temps.

LE COMTE. – Les domestiques ici… sont plus longs à s'habiller que les maîtres!

FIGARO. – C'est qu'ils n'ont point de valets pour les y aider.

LE COMTE. – … Je n'ai pas trop compris ce qui vous avait forcé tantôt
25 de courir un danger inutile, en vous jetant…

FIGARO. – Un danger! on dirait que je me suis engouffré tout vivant…

LE COMTE. – Essayez de me donner le change en feignant de le prendre[1], insidieux[2] valet! vous entendez fort bien que ce n'est pas le danger qui m'inquiète, mais le motif.

---

1. Me donner le change en feignant de le prendre: me tromper en feignant de vous être laissé tromper.
2. Insidieux: sournois.

30 FIGARO. – Sur un faux avis, vous arrivez furieux, renversant tout, comme le torrent de la Morena[1] ; vous cherchez un homme ; il vous le faut, ou vous allez briser les portes, enfoncer les cloisons ! je me trouve là par hasard ; qui sait dans votre emportement si...

LE COMTE, *interrompant.* – Vous pouviez fuir par l'escalier.

35 FIGARO. – Et vous, me prendre au corridor.

LE COMTE, *en colère.* – Au corridor ! *(À part.)* Je m'emporte, et nuis à ce que je veux savoir.

FIGARO, *à part.* – Voyons-le venir, et jouons serré.

LE COMTE, *radouci.* – Ce n'est pas ce que je voulais dire, laissons
40 cela. J'avais... oui, j'avais quelque envie de t'emmener à Londres, courrier de dépêches... mais toutes réflexions faites...

FIGARO. – Monseigneur a changé d'avis ?

LE COMTE. – Premièrement, tu ne sais pas l'anglais.

FIGARO. – Je sais *God-dam*[2].

45 LE COMTE. – Je n'entends pas.

FIGARO. – Je dis que je sais *God-dam.*

LE COMTE. – Eh bien ?

FIGARO. – Diable ! c'est une belle langue que l'anglais ; il en faut peu pour aller loin. Avec *God-dam* en Angleterre, on ne manque de rien
50 nulle part. Voulez-vous tâter d'un bon poulet gras ? entrez dans une taverne, et faites seulement ce geste au garçon. *(Il tourne la broche.)* *God-dam !* on vous apporte un pied de bœuf salé sans pain. C'est admirable ! Aimez-vous à boire un coup d'excellent bourgogne ou

---

1. **La Morena** : chaîne de montagnes du sud de l'Espagne.
2. ***God-dam*** : juron anglais (contraction de « God-damned »).

de clairet[1] ? rien que celui-ci. *(Il débouche une bouteille.) God-dam !* on
55 vous sert un pot de bière, en bel étain, la mousse aux bords. Quelle
satisfaction ! Rencontrez-vous une de ces jolies personnes qui vont
trottant menu[2], les yeux baissés, coudes en arrière, et tortillant un
peu des hanches ? mettez mignardement[3] tous les doigts unis sur la
bouche. Ah ! *God-dam !* elle vous sangle un soufflet de crocheteur[4].
60 Preuve qu'elle entend. Les Anglais, à la vérité, ajoutent par-ci, par-là
quelques autres mots en conversant ; mais il est bien aisé de voir
que *God-dam* est le fond de la langue ; et si Monseigneur n'a pas
d'autre motif de me laisser en Espagne…

Le comte, *à part.* – Il veut venir à Londres ; elle n'a pas parlé.

65 **Figaro,** *à part.* – Il croit que je ne sais rien ; travaillons-le un peu
dans son genre.

Le comte. – Quel motif avait la comtesse pour me jouer un pareil
tour ?

Figaro. – Ma foi, monseigneur, vous le savez mieux que moi.

70 **Le comte.** – Je la préviens sur tout[5] et la comble de présents.

Figaro. – Vous lui donnez, mais vous êtes infidèle. Sait-on gré du
superflu à qui nous prive du nécessaire ?

Le comte. – … Autrefois tu me disais tout.

Figaro. – Et maintenant je ne vous cache rien.

75 **Le comte.** – Combien la comtesse t'a-t-elle donné pour cette belle
association ?

---

1. **Clairet** : vin clair de la région de Bordeaux.
2. **Trottant menu** : avançant à petits pas.
3. **Mignardement** : délicatement.
4. **Elle vous sangle un soufflet de crocheteur** : elle vous donne un coup-de-poing avec force (figuré et familier). Le crocheteur, qui portait de lourdes charges, était réputé pour sa force et sa robustesse.
5. **Je la préviens sur tout** : j'anticipe ses désirs.

FIGARO. – Combien me donnâtes-vous pour la tirer des mains du docteur[1] ? Tenez, monseigneur, n'humilions pas l'homme qui nous sert bien, crainte d'en faire un mauvais valet.

80 LE COMTE. – Pourquoi faut-il qu'il y ait toujours du louche en ce que tu fais ?

FIGARO. – C'est qu'on en voit partout quand on cherche des torts.

LE COMTE. – Une réputation détestable !

FIGARO. – Et si je vaux mieux qu'elle ? y a-t-il beaucoup de seigneurs
85 qui puissent en dire autant ?

LE COMTE. – Cent fois je t'ai vu marcher à la fortune, et jamais aller droit.

FIGARO. – Comment voulez-vous ? la foule est là. – chacun veut courir, on se presse, on pousse, on coudoie[2], on renverse, arrive qui peut ;
90 le reste est écrasé. Aussi c'est fait ; pour moi, j'y renonce.

LE COMTE. – À la fortune ? *(À part.)* Voici du neuf.

FIGARO. – *(À part.)* À mon tour maintenant. *(Haut.)* Votre Excellence m'a gratifié de la conciergerie du château ; c'est un fort joli sort ; à la vérité je ne serai pas le courrier étrenné[3] des nouvelles
95 intéressantes ; mais en revanche, heureux avec ma femme au fond de l'Andalousie…

LE COMTE. – Qui t'empêcherait de l'emmener à Londres ?

FIGARO. – Il faudrait la quitter si souvent que j'aurais bientôt du mariage par-dessus la tête.

100 LE COMTE. – Avec du caractère et de l'esprit, tu pourrais un jour t'avancer dans les bureaux.

---

1. Allusion au *Barbier de Séville* (1775). Figaro a aidé le comte à épouser Rosine qui était enfermée par Bartholo, le docteur.
2. Coudoie : heurte du coude.
3. Courrier étrenné : le premier à courir la poste, à porter les nouvelles.

FIGARO. – De l'esprit pour s'avancer ? Monseigneur se rit du mien. Médiocre et rampant ; et l'on arrive à tout.

LE COMTE. – … Il ne faudrait qu'étudier un peu sous moi la politique.

105 **FIGARO.** – Je la sais.

LE COMTE. – Comme l'anglais, le fond de la langue !

FIGARO. – Oui, s'il y avait de quoi se vanter. Mais feindre d'ignorer ce qu'on sait, de savoir tout ce qu'on ignore, d'entendre ce qu'on ne comprend pas, de ne point ouïr ce qu'on entend, surtout de
110 pouvoir au-delà de ses forces ; avoir souvent pour grand secret de cacher qu'il n'y en a point ; s'enfermer pour tailler des plumes et paraître profond, quand on n'est, comme on dit, que vide et creux ; jouer bien ou mal un personnage ; répandre des espions et pensionner des traîtres ; amollir des cachets ; intercepter des lettres ;
115 et tâcher d'ennoblir la pauvreté des moyens par l'importance des objets. – voilà toute la politique, ou je meure[1] !

LE COMTE. – Eh ! c'est l'intrigue que tu définis !

FIGARO. – La politique, l'intrigue, volontiers ; mais comme je les crois un peu germaines, en fasse qui voudra. « J'aime mieux ma
120 mie, ô gué[2] ! » comme dit la chanson du bon roi.

LE COMTE, *à part.* – Il veut rester. J'entends… Suzanne m'a trahi.

FIGARO, *à part.* – Je l'enfile[3] et le paye en sa monnaie.

LE COMTE. – Ainsi tu espères gagner ton procès contre Marceline ?

FIGARO. – Me feriez-vous un crime de refuser une vieille fille, quand
125 Votre Excellence se permet de nous souffler toutes les jeunes ?

---

1. Ou je meure : que je meure si ce n'est pas la vérité.
2. Citation de la chanson « Si le Roi m'avait donné » (1550), composée par Antoine de Bourbon (1518-1562) et reprise par Molière dans *Le Misanthrope* (acte I, scène 2) en 1666.
3. Je l'enfile : je le berne, je me joue de lui (familier).

LE COMTE, *raillant.* – Au tribunal, le magistrat s'oublie et ne voit plus que l'ordonnance[1].

FIGARO. – Indulgente aux grands, dure aux petits…

LE COMTE. – Crois-tu donc que je plaisante ?

130 **FIGARO.** – Eh ! qui le sait, monseigneur ? *Tempo è galant' uomo*[2], dit l'italien ; il dit toujours la vérité : c'est lui qui m'apprendra qui me veut du mal ou du bien.

LE COMTE, *à part.* – Je vois qu'on lui a tout dit ; il épousera la duègne.

FIGARO, *à part.* – Il a joué au fin avec moi ; qu'a-t-il appris ?

Scène 6

LE COMTE, UN LAQUAIS, FIGARO

LE LAQUAIS, *annonçant.* – Don Gusman Brid'oison.

LE COMTE. – Brid'oison ?

FIGARO. – Eh ! sans doute. C'est le juge ordinaire ; le lieutenant du siège ; votre prud'homme[3].

5 **LE COMTE.** – Qu'il attende.

Le laquais sort.

---

1. L'ordonnance : la décision prise par le tribunal.
2. *Tempo è galant' uomo* : « le temps est galant homme », en italien, c'est-à-dire « avec le temps, tout s'oublie ».
3. Prud'homme : assesseur du juge, c'est-à-dire personne qui l'assiste.

Scène 7

LE COMTE, FIGARO

FIGARO *reste un moment à regarder le comte qui rêve.* – … Est-ce là ce que Monseigneur voulait?

LE COMTE, *revenant à lui.* – Moi?… Je disais d'arranger ce salon pour l'audience publique.

5 **FIGARO.** – Hé, qu'est-ce qu'il manque? le grand fauteuil pour vous, de bonnes chaises aux prud'hommes, le tabouret du greffier, deux banquettes aux avocats, le plancher pour le beau monde, et la canaille derrière. Je vais renvoyer les frotteurs[1].

Il sort.

Scène 8

LE COMTE, *seul.*

Le maraud m'embarrassait! en disputant[2], il prend son avantage, il vous serre, vous enveloppe… Ah! friponne et fripon! vous vous entendez pour me jouer! Soyez amis, soyez amants, soyez ce qu'il vous plaira, j'y consens; mais, parbleu, pour époux…

---

1. Frotteurs: domestiques qui frottent le parquet.
2. En disputant: en débattant.

Scène 9

SUZANNE, LE COMTE

SUZANNE, *essoufflée.* – Monseigneur… pardon, monseigneur.

LE COMTE, *avec humeur.* – Qu'est-ce qu'il y a, mademoiselle?

SUZANNE. – Vous êtes en colère!

LE COMTE. – Vous voulez quelque chose apparemment?

5 SUZANNE, *timidement.* – C'est que ma maîtresse a ses vapeurs[1]. J'accourais vous prier de nous prêter votre flacon d'éther[2]. Je l'aurais rapporté dans l'instant.

LE COMTE *le lui donne.* – Non, non, gardez-le pour vous-même. Il ne tardera pas à vous être utile.

10 SUZANNE. – Est-ce que les femmes de mon état ont des vapeurs, donc? c'est un mal de condition[3] qu'on ne prend que dans les boudoirs[4].

LE COMTE. – Une fiancée bien éprise, et qui perd son futur…

SUZANNE. – En payant Marceline avec la dot que vous m'avez promise…

LE COMTE. – Que je vous ai promise, moi?

15 SUZANNE *baissant les yeux.* – Monseigneur, j'avais cru l'entendre.

LE COMTE. – Oui, si vous consentiez à m'entendre vous-même.

SUZANNE, *les yeux baissés.* – Et n'est-ce pas mon devoir d'écouter Son Excellence?

---

1. Vapeurs: étourdissements féminins, autrefois attribués aux vapeurs de l'estomac supposées remonter jusqu'au cerveau.
2. Éther: fluide composé d'alcool, à l'odeur très forte, autrefois utilisé pour soulager les migraines.
3. Un mal de condition: un mal lié à un rang social, qui ne touche que les aristocrates.
4. Boudoirs: petites pièces où les femmes nobles se retiraient pour être seules ou pour recevoir des visites.

LE COMTE. – Pourquoi donc, cruelle fille ! ne me l'avoir pas dit plus tôt ?

20 **SUZANNE.** – Est-il jamais trop tard pour dire la vérité ?

LE COMTE. – Tu te rendrais sur la brune au jardin ?

SUZANNE. – Est-ce que je ne m'y promène pas tous les soirs ?

LE COMTE. – Tu m'as traité ce matin si durement !

SUZANNE. – Ce matin ? et le page derrière le fauteuil ?

25 **LE COMTE.** – Elle a raison, je l'oubliais. Mais pourquoi ce refus obstiné, quand Bazile, de ma part ?…

SUZANNE. – Quelle nécessité qu'un Bazile ?…

LE COMTE. – Elle a toujours raison. Cependant il y a un certain Figaro à qui je crains bien que vous n'ayez tout dit !

30 **SUZANNE.** – Dame ! oui, je lui dis tout – hors ce qu'il faut lui taire.

LE COMTE, *en riant.* – Ah ! charmante ! Et, tu me le promets ? Si tu manquais à ta parole, entendons-nous, mon cœur. – point de rendez-vous, point de dot, point de mariage.

SUZANNE, *faisant la révérence.* – Mais aussi, point de mariage, point 35 de droit du seigneur, monseigneur.

LE COMTE. – Où prend-elle ce qu'elle dit ? d'honneur j'en raffolerai ! Mais ta maîtresse attend le flacon…

SUZANNE, *riant et rendant le flacon.* – Aurais-je pu vous parler sans un prétexte ?

40 **LE COMTE** *veut l'embrasser.* – Délicieuse créature !

SUZANNE *s'échappe.* – Voilà du monde.

LE COMTE, *à part.* – Elle est à moi.

Il s'enfuit.

SUZANNE. – Allons vite rendre compte à Madame.

Scène 10

SUZANNE, FIGARO

FIGARO. – Suzanne, Suzanne ! où cours-tu donc si vite en quittant Monseigneur ?

SUZANNE. – Plaide à présent, si tu le veux ; tu viens de gagner ton procès.

Elle s'enfuit.

5 **FIGARO** *la suit.* – Ah ! mais, dis donc…

Scène 11

LE COMTE *rentre seul.*

« Tu viens de gagner ton procès ! » Je donnais là dans un bon piège ! Ô mes chers insolents ! je vous punirai de façon… Un bon arrêt, bien juste… mais s'il allait payer la duègne… avec quoi ?… s'il payait… Eeeeh ! n'ai-je pas le fier Antonio, dont le noble orgueil dédaigne
5 en Figaro un inconnu pour sa nièce ? En caressant cette manie… pourquoi non ? dans le vaste champ de l'intrigue, il faut savoir tout cultiver, jusqu'à la vanité d'un sot. *(Il appelle.)* Anto…

Il voit entrer Marceline, etc. Il sort.

Scène 12

Bartholo, Marceline, Brid'oison

Marceline, *à Brid'oison.* – Monsieur, écoutez mon affaire.

Brid'oison, *en robe, et bégayant un peu.* – Eh bien ! pa-arlons-en verbalement.

Bartholo. – C'est une promesse de mariage.

5 **Marceline.** – Accompagnée d'un prêt d'argent.

Brid'oison. – J'en-entends, *et cætera*, le reste.

Marceline. – Non, monsieur, point d'*et cætera.*

Brid'oison. – J'en-entends : vous avez la somme ?

Marceline. – Non, monsieur, c'est moi qui l'ai prêtée.

10 **Brid'oison.** – J'en-entends bien : vou-ous redemandez l'argent ?

Marceline. – Non, monsieur ; je demande qu'il m'épouse.

Brid'oison. – Eh, mais, j'en-entends fort bien ; et lui, veu-eut-il vous épouser ?

Marceline. – Non, monsieur ; voilà tout le procès !

15 **Brid'oison.** – Croyez-vous que je ne l'en-entende pas, le procès ?

Marceline. – Non, monsieur. *(À Bartholo :)* Où sommes-nous ? *(À Brid'oison :)* Quoi ! c'est vous qui nous jugerez ?

Brid'oison. – Est-ce que j'ai a-acheté ma charge pour autre chose ?

Marceline, *en soupirant.* – C'est un grand abus que de les vendre !

20 **Brid'oison.** – Oui, l'on-on ferait mieux de nous les donner pour rien. Contre qui plai-aidez-vous ?

Scène 13

BARTHOLO, MARCELINE, BRID'OISON ;
FIGARO *rentre en se frottant les mains.*

MARCELINE, *montrant Figaro.* – Monsieur, contre ce malhonnête homme.

FIGARO, *très gaiement, à Marceline.* – Je vous gêne, peut-être. Monseigneur revient dans l'instant, monsieur le conseiller.

5 **BRID'OISON.** – J'ai vu ce ga-arçon-là quelque part ?

FIGARO. – Chez madame votre femme, à Séville, pour la servir, monsieur le conseiller.

BRID'OISON. – Dan-ans quel temps ?

FIGARO. – Un peu moins d'un an avant la naissance de monsieur
10 votre fils, le cadet, qui est un bien joli enfant, je m'en vante.

BRID'OISON. – Oui, c'est le plus jo-oli de tous. On dit que tu-u fais ici des tiennes ?

FIGARO. – Monsieur est bien bon. Ce n'est là qu'une misère.

BRID'OISON. – Une promesse de mariage ! A-ah ! le pauvre benêt !

15 **FIGARO.** – Monsieur…

BRID'OISON. – A-t-il vu mon-on secrétaire, ce bon garçon ?

FIGARO. – N'est-ce pas Double-Main, le greffier ?

BRID'OISON. – Oui, c'est qu'il mange à deux râteliers.

FIGARO. – Manger ! je suis garant qu'il dévore. Oh ! que oui, je l'ai
20 vu, pour l'extrait et pour le supplément d'extrait[1] ; comme cela se pratique, au reste.

---

1. Pour l'extrait et le supplément d'extrait : pour la rédaction d'un document officiel, et pour les suppléments. Comme son nom le laisse présager, Double-Main perçoit deux fois de l'argent pour une même tâche.

BRID'OISON. – On-on doit remplir les formes.

FIGARO. – Assurément, monsieur : si le fond des procès appartient aux plaideurs, on sait bien que la forme est le patrimoine des tribunaux.

25 **BRID'OISON**. – Ce garçon-là n'è-est pas si niais que je l'avais cru d'abord. Eh bien, l'ami, puisque tu en sais tant, nou-ous aurons soin de ton affaire.

FIGARO. – Monsieur, je m'en rapporte à votre équité, quoique vous soyez de notre justice.

30 **BRID'OISON**. – Hein ?… Oui, je suis de la-a justice. Mais si tu dois et que tu-u ne payes pas ?…

FIGARO. – Alors Monsieur voit bien que c'est comme si je ne devais pas.

BRID'OISON. – San-ans doute. Hé mais ! qu'est-ce donc qu'il dit ?

Scène 14

BARTHOLO, MARCELINE, LE COMTE,
BRID'OISON, FIGARO, UN HUISSIER

L'HUISSIER, *précédant le comte, crie.* – Monseigneur, messieurs.

LE COMTE. – En robe ici, seigneur Brid'oison ! ce n'est qu'une affaire domestique. L'habit de ville était trop bon.

BRID'OISON. – C'è-est vous qui l'êtes, monsieur le comte. Mais je ne
5 vais jamais san-ans elle ; parce que la forme, voyez-vous, la forme ! Tel rit d'un juge en habit court, qui-i tremble au seul aspect d'un procureur en robe. La forme, la-a forme !

LE COMTE, *à l'huissier.* – Faites entrer l'audience[1].

L'HUISSIER *va ouvrir en glapissant.* – L'audience !

---

1. L'audience : l'assemblée de ceux qui assistent au jugement.

Scène 15

LES ACTEURS PRÉCÉDENTS, ANTONIO, LES VALETS
DU CHÂTEAU, LES PAYSANS ET PAYSANNES *en habits de fête*;
LE COMTE *s'assied sur le grand fauteuil*, BRID'OISON
sur une chaise à côté; LE GREFFIER *sur le tabouret
derrière sa table*; LES JUGES, LES AVOCATS
sur les banquettes; MARCELINE *à côté de* BARTHOLO;
FIGARO *sur l'autre banquette*;
LES PAYSANS ET VALETS *debout derrière*.

BRID'OISON, *à Double-Main.* – Double-Main, a-appelez les causes.

DOUBLE-MAIN *lit un papier.* – Noble, très noble, infiniment noble,
*Dom Pedro George, Hidalgo, baron de Los Altos, y Montes Fieros, y otros
montes*; contre *Alonzo Calderon*, jeune auteur dramatique. Il est
5 question d'une comédie mort-née, que chacun désavoue et rejette
sur l'autre.

LE COMTE. – Ils ont raison tous deux. Hors de Cour[1]. S'ils font ensemble
un autre ouvrage, pour qu'il marque un peu dans le grand monde,
ordonné que le noble y mettra son nom, le poète son talent.

10 DOUBLE-MAIN *lit un autre papier.* – *André Petrutchio*, laboureur;
contre le receveur de la province. Il s'agit d'un forcement arbitraire[2].

LE COMTE. – L'affaire n'est pas de mon ressort. Je servirai mieux
mes vassaux en les protégeant près du Roi. Passez.

DOUBLE-MAIN *en prend un troisième. (Bartholo et Figaro se lèvent.)*:
15 *Barbe-Agar-Raab-Madeleine-Nicole Marceline de Verte-Allure*, fille majeure
(Marceline se lève et salue); contre *Figaro...* nom de baptême en blanc?

---

1. Hors de Cour: non-lieu, c'est-à-dire abandon d'une procédure judiciaire en cours
faute d'éléments suffisants pour la traiter.
2. Forcement arbitraire: augmentation injustifiée d'une somme due à quelqu'un
(termes de fiscalité).

FIGARO. – Anonyme.

BRID'OISON. – A-anonyme ! Què-el patron est-ce là ?

FIGARO. – C'est le mien.

20 **DOUBLE-MAIN** *écrit.* – Contre anonyme *Figaro.* Qualités ?

FIGARO. – Gentilhomme.

LE COMTE. – Vous êtes gentilhomme ? *(Le greffier écrit.)*

FIGARO. – Si le Ciel l'eût voulu, je serais fils d'un prince.

LE COMTE, *au greffier.* – Allez.

25 **L'HUISSIER,** *glapissant.* – Silence, messieurs.

DOUBLE-MAIN *lit.* – … Pour cause d'opposition faite au mariage dudit *Figaro* par ladite de *Verte-Allure.* Le docteur *Bartholo* plaidant pour la demanderesse, et ledit *Figaro* pour lui-même ; si la Cour le permet, contre le vœu de l'usage et la jurisprudence du Siège.

30 **FIGARO.** – L'usage, maître Double-Main, est souvent un abus ; le client un peu instruit sait toujours mieux sa cause que certains avocats qui, suant à froid, criant à tue-tête, et connaissant tout, hors le fait, s'embarrassent aussi peu de ruiner le plaideur que d'ennuyer l'auditoire, et d'endormir Messieurs ; plus boursouflés après que
35 s'ils eussent composé l'*Oratio pro Murena*[1] ; moi je dirai le fait en peu de mots. Messieurs…

DOUBLE-MAIN. – En voilà beaucoup d'inutiles, car vous n'êtes pas demandeur et n'avez pas la défense. Avancez, docteur, et lisez la promesse.

40 **FIGARO.** – Oui, promesse !

BARTHOLO, *mettant ses lunettes.* – Elle est précise.

---

1. *Oratio pro Murena* : plaidoirie composée par Cicéron (106-43 av. J.-C.), orateur et homme politique romain.

BRID'OISON. – I-il faut la voir.

DOUBLE-MAIN. – Silence donc, messieurs.

L'HUISSIER, *glapissant.* – Silence.

45 **BARTHOLO** *lit.* – «Je soussigné reconnais avoir reçu de damoiselle, etc., Marceline de Verte-Allure, dans le château d'Aguas-Frescas, la somme de deux mille piastres fortes cordonnées[1]; laquelle somme je lui rendrai à sa réquisition, dans ce château, et je l'épouserai, par forme de reconnaissance, etc.» Signé *Figaro,* tout court. Mes conclu-
50 sions sont au payement du billet, et à l'exécution de la promesse, avec dépens[2]. *(Il plaide.)* Messieurs… jamais cause plus intéressante ne fut soumise au jugement de la Cour! et depuis Alexandre le Grand, qui promit mariage à la belle Thalestris[3]…

LE COMTE, *interrompant.* – Avant d'aller plus loin, avocat… convient-
55 on de la validité du titre?

BRID'OISON, *à Figaro.* – Qu'oppo… qu'oppo-osez-vous à cette lecture?

FIGARO. – Qu'il y a, messieurs, malice, erreur, ou distraction dans la manière dont on a lu la pièce; car il n'est pas dit dans l'écrit: «laquelle somme je lui rendrai *et* je l'épouserai»; mais: «laquelle
60 somme je lui rendrai *ou* je l'épouserai»; ce qui est bien différent.

LE COMTE. – Y a-t-il *et* dans l'acte, ou bien *ou*?

BARTHOLO. – Il y a *et*.

FIGARO. – Il y a *ou*.

BRID'OISON. – Dou-ouble-Main, lisez vous-même.

65 **DOUBLE-MAIN,** *prenant le papier.* – Et c'est le plus sûr; car souvent les parties déguisent en lisant. *(Il lit:)* «E. e. e. damoiselle e. e. e.

---

1. Piastres fortes cordonnées: monnaie espagnole.
2. Avec dépens: avec les frais.
3. Thalestris: reine des Amazones, qui aurait, selon une légende grecque, offert trois cents jeunes filles à Alexandre le Grand (356-323 av. J.-C.), roi de Macédoine ayant conquis la Grèce antique, afin d'engendrer une race exceptionnelle.

de Verte-Allure e. e. e. Ah ! laquelle somme je lui rendrai à sa réqui-sition, dans ce château... *et... ou... et... ou...* » Le mot est si mal écrit... il y a un pâté.

70 **BRID'OISON**. – Un pâ-âté ? je sais ce que c'est.

BARTHOLO, *plaidant*. – Je soutiens, moi, que c'est la conjonction copulative *et* qui lie les membres corrélatifs de la phrase ; je payerai la demoiselle *et* je l'épouserai.

FIGARO, *plaidant*. – Je soutiens, moi, que c'est la conjonction alter-
75 native *ou*, qui sépare lesdits membres ; je payerai la donzelle *ou* je l'épouserai : à pédant, pédant et demi[1] ; qu'il s'avise de parler latin, j'y suis grec ; je l'extermine.

LE COMTE. – Comment juger pareille question ?

BARTHOLO. – Pour la trancher, messieurs, et ne plus chicaner sur
80 un mot, nous passons qu'il y ait *ou*.

FIGARO. – J'en demande acte.

BARTHOLO. – Et nous y adhérons. Un si mauvais refuge ne sauvera pas le coupable : examinons le titre en ce sens. *(Il lit :)* « Laquelle somme je lui rendrai dans ce château *où* je l'épouserai. » C'est ainsi
85 qu'on dirait, messieurs : « vous vous ferez saigner dans ce lit *où* vous resterez chaudement » ; c'est « dans lequel ». « Il prendra deux gros[2] de rhubarbe *où* vous mêlerez un peu de tamarin » ; dans lesquels on mêlera... Ainsi « château *où* je l'épouserai », messieurs, c'est « château dans lequel »...

90 **FIGARO**. – Point du tout : la phrase est dans le sens de celle-ci : « *ou* la maladie vous tuera, *ou* ce sera le médecin ; *ou bien* le médecin » ; c'est incontestable. Autre exemple : « *ou* vous n'écrirez rien qui plaise, *ou* les sots vous dénigreront ; *ou bien* les sots » ; le sens est clair ; car, audit cas, « *sots* ou *méchants* » sont le substantif qui gouverne.

---

1. **Pédant** : qui fait étalage de son savoir ; jeu sur l'expression « à malin, malin et demi ».
2. **Gros** : ancienne mesure de poids.

95 Maître Bartholo croit-il donc que j'aie oublié ma syntaxe? Ainsi, je la payerai dans ce château, *virgule*; ou je l'épouserai…

BARTHOLO, *vite*. – Sans virgule.

FIGARO, *vite*. – Elle y est. C'est *virgule*, messieurs, ou bien je l'épouserai.

BARTHOLO, *regardant le papier; vite*. – Sans virgule, messieurs.

100 **FIGARO**, *vite*. – Elle y était, messieurs. D'ailleurs, l'homme qui épouse est-il tenu de rembourser?

BARTHOLO, *vite*. – Oui; nous nous marions séparés de biens.

FIGARO, *vite*. – Et nous de corps, dès que mariage n'est pas quittance[1].

Les juges se lèvent et opinent tout bas.

BARTHOLO. – Plaisant acquittement!

105 **DOUBLE-MAIN**. – Silence, messieurs.

L'HUISSIER, *glapissant*. – Silence.

BARTHOLO. – Un pareil fripon appelle cela payer ses dettes!

FIGARO. – Est-ce votre cause, avocat, que vous plaidez?

BARTHOLO. – Je défends cette demoiselle.

110 **FIGARO**. – Continuez à déraisonner; mais cessez d'injurier. Lorsque, craignant l'emportement des plaideurs, les tribunaux ont toléré qu'on appelât des tiers[2], ils n'ont pas entendu que ces défenseurs modérés deviendraient impunément des insolents privilégiés. C'est dégrader le plus noble institut.

Les juges continuent d'opiner bas.

115 **ANTONIO**, *à Marceline, montrant les juges*. – Qu'ont-ils tant à balbucifier[3]?

---

1. Dès que mariage n'est pas quittance: puisque le mariage ne nous acquitte pas de la dette.
2. Des tiers: des personnes étrangères (ici, allusion aux avocats).
3. Balbucifier: balbutier, s'exprimer de façon confuse (néologisme).

MARCELINE. – On a corrompu le grand juge, il corrompt l'autre[1], et je perds mon procès.

BARTHOLO, *bas, d'un ton sombre.* – J'en ai peur.

FIGARO, *gaiement.* – Courage, Marceline !

120 **DOUBLE-MAIN** *se lève ; à Marceline.* – Ah, c'est trop fort ! Je vous dénonce[2] ; et pour l'honneur du tribunal, je demande qu'avant faire droit sur l'autre affaire, il soit prononcé sur celle-ci.

LE COMTE *s'assied.* – Non, greffier, je ne prononcerai point sur mon injure personnelle : un juge espagnol n'aura point à rougir d'un
125 excès digne au plus des tribunaux asiatiques : c'est assez des autres abus ! J'en vais corriger un second en vous motivant mon arrêt : tout juge qui s'y refuse est un grand ennemi des lois ! Que peut requérir la demanderesse ? mariage à défaut de paiement ; les deux ensemble impliqueraient[3].

130 **DOUBLE-MAIN**. – Silence, messieurs !

L'HUISSIER, *glapissant.* – Silence !

LE COMTE. – Que nous répond le défendeur ? qu'il veut garder sa personne ; à lui permis.

FIGARO, *avec joie.* – J'ai gagné.

135 **LE COMTE**. – Mais comme le texte dit : « laquelle somme je payerai à la première réquisition, ou bien j'épouserai, etc. », la Cour condamne le défendeur à payer deux mille piastres fortes à la demanderesse, ou bien à l'épouser dans le jour.

Il se lève.

FIGARO, *stupéfait.* – J'ai perdu.

---

1. **L'autre** : celui qui délibère, c'est-à-dire Brid'oison. La phrase fait allusion à l'affaire Goëzmann.
2. **Je vous dénonce** : ici, je vous accuse (d'avoir insulté le comte).
3. **Impliqueraient** : seraient contradictoires (terme juridique).

140 **ANTONIO,** *avec joie.* – Superbe arrêt.

FIGARO. – En quoi superbe ?

ANTONIO. – En ce que tu n'es plus mon neveu. Grand merci, monseigneur.

L'HUISSIER, *glapissant.* – Passez, messieurs.

Le peuple sort.

145 **ANTONIO.** – Je m'en vas tout conter à ma nièce.

Il sort.

Scène 16

LE COMTE, *allant de côté et d'autre;*
MARCELINE, BARTHOLO, FIGARO, BRID'OISON

MARCELINE *s'assied.* – Ah ! je respire.

FIGARO. – Et moi, j'étouffe.

LE COMTE, *à part.* – Au moins je suis vengé, cela soulage.

FIGARO, *à part.* – Et ce Bazile qui devait s'opposer au mariage de
5 Marceline ; voyez comme il revient ! *(Au comte qui sort :)* Monseigneur, vous nous quittez ?

LE COMTE. – Tout est jugé.

FIGARO, *à Brid'oison.* – C'est ce gros enflé de conseiller.

BRID'OISON. – Moi, gro-os enflé !

10 **FIGARO.** – Sans doute. Et je ne l'épouserai pas : je suis gentilhomme
une fois[1].

---

1. **Une fois** : de manière définitive, une fois pour toutes.

Le comte s'arrête.

BARTHOLO. – Vous l'épouserez.

FIGARO. – Sans l'aveu[1] de mes nobles parents?

BARTHOLO. – Nommez-les, montrez-les.

15 **FIGARO.** – Qu'on me donne un peu de temps : je suis bien près de les revoir ; il y a quinze ans que je les cherche.

BARTHOLO. – Le fat[2] ! c'est quelque enfant trouvé !

FIGARO. – Enfant perdu, docteur ; ou plutôt enfant volé.

LE COMTE *revient.* – « Volé, perdu », la preuve ? il crierait qu'on lui
20 fait injure !

FIGARO. – Monseigneur, quand les langes à dentelles, tapis brodés et joyaux d'or trouvés sur moi par les brigands n'indiqueraient pas ma haute naissance, la précaution qu'on avait prise de me faire des marques distinctives témoignerait assez combien j'étais un fils
25 précieux ; et cet hiéroglyphe à mon bras…

Il veut se dépouiller le bras droit.

MARCELINE, *se levant vivement.* – Une spatule à ton bras droit?

FIGARO. – D'où savez-vous que je dois l'avoir?

MARCELINE. – Dieux ! c'est lui !

FIGARO. – Oui, c'est moi.

30 **BARTHOLO,** *à Marceline.* – Et qui? lui !

MARCELINE, *vivement.* – C'est Emmanuel.

BARTHOLO, *à Figaro.* – Tu fus enlevé par des bohémiens?

---

1. **Aveu** : accord, consentement.
2. **Fat** : prétentieux, imbu de sa personne.

FIGARO, *exalté.* – Tout près d'un château. Bon docteur, si vous me rendez à ma noble famille, mettez un prix à ce service ; des mon-
35 ceaux d'or n'arrêteront pas mes illustres parents.

BARTHOLO, *montrant Marceline.* – Voilà ta mère.

FIGARO. – … Nourrice ?

BARTHOLO. – Ta propre mère.

LE COMTE. – Sa mère !

40 **FIGARO**. – Expliquez-vous.

MARCELINE, *montrant Bartholo.* – Voilà ton père.

FIGARO, *désolé.* – O o oh ! aïe de moi !

MARCELINE. – Est-ce que la nature ne te l'a pas dit mille fois ?

FIGARO. – Jamais.

45 **LE COMTE**, *à part.* – Sa mère !

BRID'OISON. – C'est clair, i-il ne l'épousera pas.

BARTHOLO*. – Ni moi non plus.

MARCELINE. – Ni vous ! et votre fils ? vous m'aviez juré…

BARTHOLO. – J'étais fou. Si pareils souvenirs engageaient, on serait
50 tenu d'épouser tout le monde.

BRID'OISON. – E-et si l'on y regardait de si près, per-ersonne n'épouserait personne.

BARTHOLO. – Des fautes si connues ! une jeunesse déplorable !

MARCELINE, *s'échauffant par degrés.* – Oui, déplorable, et plus qu'on
55 ne croit ! Je n'entends pas nier mes fautes, ce jour les a trop bien prouvées ! mais qu'il est dur de les expier après trente ans d'une

---

* Ce qui suit, enfermé entre ces deux index [l. 47-96], a été retranché par les Comédiens-Français aux représentations de Paris. [*Note de Beaumarchais.*]

vie modeste ! J'étais née, moi, pour être sage, et je la suis devenue sitôt qu'on m'a permis d'user de ma raison. Mais dans l'âge des illusions, de l'inexpérience et des besoins, où les séducteurs nous
60 assiègent, pendant que la misère nous poignarde, que peut opposer une enfant à tant d'ennemis rassemblés ? Tel nous juge ici sévèrement, qui, peut-être, en sa vie a perdu dix infortunées !

FIGARO. – Les plus coupables sont les moins généreux ; c'est la règle.

MARCELINE, *vivement.* – Hommes plus qu'ingrats, qui flétrissez par
65 le mépris les jouets de vos passions, vos victimes ! c'est vous qu'il faut punir des erreurs de notre jeunesse ; vous et vos magistrats, si vains du droit de nous juger, et qui nous laissent enlever, par leur coupable négligence, tout honnête moyen de subsister. Est-il un seul état pour les malheureuses filles ? Elles avaient un droit naturel
70 à toute la parure des femmes. – on y laisse former mille ouvriers de l'autre sexe[1].

FIGARO, *en colère.* – Ils font broder jusqu'aux soldats !

MARCELINE, *exaltée.* – Dans les rangs même plus élevés, les femmes n'obtiennent de vous qu'une considération dérisoire ; leurrées de
75 respects apparents, dans une servitude réelle ; traitées en mineures pour nos biens, punies en majeures pour nos fautes ! ah, sous tous les aspects, votre conduite avec nous fait horreur ou pitié !

FIGARO. – Elle a raison !

LE COMTE, *à part.* – Que trop raison !

80 BRID'OISON. – Elle a, mon-on Dieu ! raison.

MARCELINE. – Mais que nous font, mon fils, les refus d'un homme injuste ? ne regarde pas d'où tu viens, vois où tu vas ; cela seul importe à chacun. Dans quelques mois, ta fiancée ne dépendra plus que d'elle-même ; elle t'acceptera, j'en réponds : vis entre une épouse,

---

1. Même les travaux de couture, autrefois réservés aux femmes, et qui constituaient une source de revenus, leur avaient été ôtés au profit des hommes.

85   une mère tendres qui te chériront à qui mieux mieux. Sois indulgent
pour elles, heureux pour toi, mon fils ; gai, libre et bon pour tout
le monde : il ne manquera rien à ta mère.

Figaro. – Tu parles d'or, maman, et je me tiens à ton avis. Qu'on
est sot, en effet ! il y a des mille, mille ans que le monde roule, et
90   dans cet océan de durée où j'ai par hasard attrapé quelques chétifs trente ans qui ne reviendront plus, j'irais me tourmenter pour
savoir à qui je les dois ! tant pis pour qui s'en inquiète ! Passer ainsi
la vie à chamailler, c'est peser sur le collier sans relâche, comme les
malheureux chevaux de la remonte des fleuves qui ne reposent pas,
95   même quand ils s'arrêtent, et qui tirent toujours quoiqu'ils cessent
de marcher. Nous attendrons.

Le comte. – Sot événement qui me dérange !

Brid'oison, *à Figaro*. – Et la noblesse et le château ? vous impo-osez
à la justice[1].

100 **Figaro**. – Elle allait me faire faire une belle sottise, la justice ! après
que j'ai manqué, pour ces maudits cent écus, d'assommer vingt fois
Monsieur, qui se trouve aujourd'hui mon père ! Mais, puisque le Ciel
a sauvé ma vertu de ces dangers, mon père, agréez mes excuses…
Et vous, ma mère, embrassez-moi… le plus maternellement que
105 vous pourrez.

Marceline lui saute au cou.

---

1. Vous imposez à la justice : vous abusez la justice, vous la trompez.

Scène 17

BARTHOLO, FIGARO, MARCELINE,
BRID'OISON, SUZANNE, ANTONIO, LE COMTE

SUZANNE, *accourant, une bourse à la main.* – Monseigneur, arrêtez ; qu'on ne les marie pas : je viens payer Madame avec la dot que ma maîtresse me donne.

LE COMTE, *à part.* – Au diable la maîtresse ! Il semble que tout conspire…

Il sort.

Scène 18

BARTHOLO, ANTONIO, SUZANNE,
FIGARO, MARCELINE, BRID'OISON

ANTONIO, *voyant Figaro embrasser sa mère, dit à Suzanne.* – Ah ! oui, payer ! Tiens, tiens.

SUZANNE *se retourne.* – J'en vois assez : sortons, mon oncle.

FIGARO, *l'arrêtant.* – Non, s'il vous plaît. Que vois-tu donc ?

5 SUZANNE. – Ma bêtise et ta lâcheté.

FIGARO. – Pas plus de l'une que de l'autre.

SUZANNE, *en colère.* – Et que tu l'épouses à gré, puisque tu la caresses.

FIGARO, *gaiement.* – Je la caresse, mais je ne l'épouse pas.

Suzanne veut sortir, Figaro la retient.

Simulation et dissimulation

Chérubin, Suzanne et le comte dans *The Marriage of Figaro* (répétition), mise en scène de Giorgio Ferrara, Kursaal Auditorium, San Sebastian (Espagne), 2017.
➡ Voir p. 304.

L'acte V du *Mariage de Figaro*, mise en scène de Giorgio Strehler réalisée par Humbert Camerlo, Opéra Bastille, Paris, 2010.
➡ Voir p. 304.

Chérubin, le comte, Bazile et Suzanne dans *Le Mariage de Figaro*, mise en scène de Christophe Rauck, Comédie-Française, Paris, 2007.
➡ Voir p. 304.

La comédie du valet

Les valets de comédie

Jean-Baptiste Pater, *Arlequin et Colombine*, v. 1721-1736, huile sur toile, musée d'Art d'El Paso (Texas), États-Unis.
➡ Voir p. 256.

Masque d'esclave dans la comédie antique, Ier s. av. J.-C., Grèce.
➡ Voir p. 256.

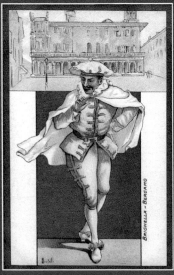

Les *zannis* Arlequin (à gauche) et Brighella (à droite), Bertelli, vignettes représentant des personnages de la *commedia dell'arte*, illustrations pour des cartes postales en chromolithographie, v. 1910.
➡ Voir p. 256.

Les valets du *Mariage de Figaro*

Suzanne et Figaro dans *Le Mariage de Figaro*, mise en scène de Jean-Pierre Vincent, théâtre national de Chaillot, Paris, 1987.

➡ Voir p. 257.

Figaro dans *Le Mariage de Figaro*, mise en scène de Christophe Rauck, Comédie-Française, Paris, 2007.

➡ Voir p. 257.

Le libertinage

Antoine Watteau,
Leçon d'amour,
1716-1717,
huile sur toile,
Nationalmuseum,
Stockholm (Suède).

➡ Voir p. 244-245.

Le comte Almaviva et Suzanne
dans *Les Noces de Figaro*, mise en scène
de Richard Brunel, théâtre de l'Archevêché,
Aix-en-Provence, 2012.

➡ Voir p. 244-245.

Chérubin et la comtesse
dans *Le Mariage de Figaro*, mise en
scène de Sophie Lecarpentier, théâtre
de l'Ouest parisien, Boulogne, 2011.

➡ Voir p. 244-245.

SUZANNE *lui donne un soufflet.* – Vous êtes bien insolent d'oser me
10 retenir !

FIGARO, *à la compagnie.* – C'est-il çà de l'amour ? Avant de nous
quitter, je t'en supplie, envisage bien cette chère femme-là.

SUZANNE. – Je la regarde.

FIGARO. – Et tu la trouves ?

15 SUZANNE. – Affreuse.

FIGARO. – Et vive la jalousie ! elle ne vous marchande pas[1].

MARCELINE, *les bras ouverts.* – Embrasse ta mère, ma jolie Suzannette.
Le méchant qui te tourmente est mon fils.

SUZANNE *court à elle.* – Vous, sa mère !

Elles restent dans les bras l'une de l'autre.

20 ANTONIO. – C'est donc de tout à l'heure ?

FIGARO. – … Que je le sais.

MARCELINE, *exaltée.* – Non, mon cœur entraîné vers lui ne se trom-
pait que de motif ; c'était le sang qui me parlait.

FIGARO. – Et moi le bon sens[2], ma mère, qui me servait d'instinct
25 quand je vous refusais, car j'étais loin de vous haïr ; témoin l'argent…

MARCELINE *lui remet un papier.* – Il est à toi : reprends ton billet,
c'est ta dot.

SUZANNE *lui jette la bourse.* – Prends encore celle-ci.

FIGARO. – Grand merci.

30 MARCELINE, *exaltée.* – Fille assez malheureuse, j'allais devenir la
plus misérable des femmes et je suis la plus fortunée des mères !

---

1. **Elle ne vous marchande pas** : elle ne vous épargne pas.
2. **Le bon sens** : jeu de mots avec « sang » (on ne prononçait pas la consonne
finale).

Embrassez-moi, mes deux enfants; j'unis dans vous toutes mes tendresses. Heureuse autant que je puis l'être, ah! mes enfants, combien je vais aimer!

35 **FIGARO**, *attendri, avec vivacité.* – Arrête donc, chère mère! arrête donc! voudrais-tu voir se fondre en eau mes yeux noyés des premières larmes que je connaisse? elles sont de joie, au moins. Mais quelle stupidité! j'ai manqué d'en être honteux: je les sentais couler entre mes doigts, regarde; *(il montre ses doigts écartés)* et je les retenais
40 bêtement! va te promener, la honte! je veux rire et pleurer en même temps; on ne sent pas deux fois ce que j'éprouve.

> *Il embrasse sa mère d'un côté, Suzanne de l'autre.*

MARCELINE. – Ô mon ami!

SUZANNE*. – Mon cher ami!

BRID'OISON, *s'essuyant les yeux d'un mouchoir.* – Eh bien! moi! je
45 suis donc bê-ête aussi!

FIGARO, *exalté.* – Chagrin, c'est maintenant que je puis te défier: atteins-moi, si tu l'oses, entre ces deux femmes chéries.

ANTONIO, *à Figaro.* – Pas tant de cajoleries, s'il vous plaît. En fait de mariage dans les familles, celui des parents va devant, savez. Les
50 vôtres se baillent-ils[1] la main?

BARTHOLO. – Ma main! puisse-t-elle se dessécher et tomber, si jamais je la donne à la mère d'un tel drôle!

ANTONIO, *à Bartholo.* – Vous n'êtes donc qu'un père marâtre? *(À Figaro:)* En ce cas, not' galant, plus de parole.

55 **SUZANNE**. – Ah! mon oncle...

ANTONIO. – Irai-je donner l'enfant de not' sœur à sti, qui n'est l'enfant de personne?

---

1. Se baillent-ils: se donnent-ils.
* Bartholo. Antonio. Suzanne. Figaro. Marceline. Brid'oison. [*Note de Beaumarchais.*]

Brid'oison. – Est-ce que cela-a se peut, imbécile ? on est toujours l'enfant de quelqu'un.

60 **Antonio**. – Tarare[1] !… Il ne l'aura jamais.

Il sort.

Scène 19

Bartholo, Suzanne, Figaro, Marceline, Brid'oison

Bartholo, *à Figaro.* – Et cherche à présent qui t'adopte.

Il veut sortir.

Marceline, *courant prendre Bartholo à bras-le-corps, le ramène.* – Arrêtez, docteur, ne sortez pas !

Figaro, *à part.* – Non, tous les sots d'Andalousie sont, je crois,
5 déchaînés contre mon pauvre mariage !

Suzanne, *à Bartholo.* – Bon petit papa, c'est votre fils*.

Marceline, *à Bartholo.* – De l'esprit, des talents, de la figure.

Figaro, *à Bartholo.* – Et qui ne vous a pas coûté une obole.

Bartholo. – Et les cent écus qu'il m'a pris ?

10 **Marceline**, *le caressant.* – Nous aurons tant de soin de vous, papa !

Suzanne, *le caressant.* – Nous vous aimerons tant, petit papa !

Bartholo, *attendri.* – Papa ! bon papa ! petit papa ! voilà que je suis plus bête encore que Monsieur, moi. *(Montrant Brid'oison.)* Je me

---

1. **Tarare** : interjection familière exprimant la moquerie.
* Suzanne. Bartholo. Marceline. Figaro. Brid'oison. [*Note de Beaumarchais.*]

laisse aller comme un enfant. *(Marceline et Suzanne l'embrassent.)*
15 Oh! non, je n'ai pas dit oui. *(Il se retourne.)* Qu'est donc devenu
Monseigneur?

FIGARO. – Courons le joindre; arrachons-lui son dernier mot. S'il
machinait quelque autre intrigue, il faudrait tout recommencer.

TOUS ENSEMBLE. – Courons, courons!

Ils entraînent Bartholo dehors.

Scène 20
BRID'OISON *seul.*

Plus bê-ête encore que Monsieur! On peut se dire à soi-même ces-
es sortes de choses-là, mais… I-ils ne sont pas polis du tout dan-ans
cet endroit-ci.

Il sort.

FIN DU TROISIÈME ACTE

Arrêt
sur lecture 3

Pour comprendre l'essentiel

Les valets, maîtres de la satire

1 Figaro et Suzanne mentionnent les privilèges de leurs maîtres à plusieurs reprises. Repérez les passages des scènes 5 et 9 où ils font preuve d'impertinence et d'insolence à l'égard du comte et de la comtesse.

2 Figaro définit la politique dans sa seconde tirade de la scène 5. Montrez comment le rythme et les procédés stylistiques de cette longue phrase soulignent le cynisme du valet.

3 L'acte III attire particulièrement l'attention sur la condition des femmes dans la société. Reformulez les arguments de Marceline dans la scène 16, puis commentez la dimension critique de la scène 9.

Une parodie de procès

4 Malgré l'importance de son enjeu, le procès apparaît comique, notamment grâce au personnage de Brid'Oison. Étudiez la façon dont le dramaturge ridiculise le juge dans les scènes 12 à 15.

5 Bartholo, qui aurait dû épouser Marceline, lui sert de piètre avocat. Repérez les arguments qu'il utilise pour la défendre (scène 15) de manière à mettre au jour l'intention parodique de l'auteur.

6 Beaumarchais met en scène un procès absurde dont le spectateur connaît d'avance l'issue, puisque c'est le comte, en sa qualité de *corregidor*, qui doit prononcer le jugement. Montrez comment, des scènes 11 à 15, les procédés comiques et polémiques servent la dénonciation de Beaumarchais.

La reconnaissance : scène de comédie ou de drame ?

7 Un coup de théâtre réconcilie les parties adverses en révélant l'identité des parents de Figaro (scène 16). Retrouvez les informations qui, depuis le début de la pièce, ont permis au dramaturge de préparer cette révélation.

8 Lors de la reconnaissance, Marceline s'épanche et manifeste une grande émotion. Montrez comment le comportement des autres personnages empêche cependant la scène de basculer tout à fait dans le mélodrame.

9 Si la scène de reconnaissance est traitée avec un certain sérieux, elle a tout de même des répercussions comiques. Développez cette idée en vous appuyant sur la fin de la scène 16 ainsi que sur le quiproquo de la scène 17.

✔ *Rappelez-vous !*

• La **tirade** est une longue réplique qui permet en général de dévoiler les sentiments d'un personnage. Elle ralentit le rythme du dialogue, mais peut tout de même faire avancer l'action (en racontant ce qui s'est passé hors-scène, par exemple). Dans *Le Mariage de Figaro*, les tirades sont le lieu privilégié de la satire.

• La **satire de la société** tient une large part dans la pièce : elle vise tout à la fois la noblesse, la politique, la justice, l'inégalité des sexes. Oisifs, les aristocrates (le comte, la comtesse et Chérubin) ne se préoccupent que de leur plaisir et semblent dotés d'aptitudes remarquables au mensonge, à la dissimulation, à l'intrigue et à la manipulation alors même que certains doivent rendre justice. Beaumarchais laisse à penser, non sans ironie, que les mérites nobiliaires sont foncièrement immoraux.

Zoom sur...

La scène 16 de l'acte III, l. 53-80, p. 157-158

→ *Étudier la stratégie adoptée par Marceline pour défendre la cause des femmes*

📖 Analyse du texte

■ Conseils pour la lecture à voix haute

– Marceline s'exprime avec animation puis virulence. Il faut faire entendre son souffle et respecter le rythme travaillé des phrases les plus longues.
– Attention aux liaisons erronées: n'ajoutez pas de s en lisant «mille ouvriers».

■ Introduction rédigée

À la fin de l'acte II, l'irruption de Marceline, qui vient réclamer justice, annonce le changement d'atmosphère et de décor. La chambre de la comtesse cède en effet la place à une salle d'audience dans l'acte III. Après quelques rebondissements où le comte évite à la fois les pièges de Figaro et de Suzanne, le procès de Figaro commence (scène 12). Tandis que le comte vient d'annoncer à son valet qu'il doit soit rembourser Marceline, soit l'épouser, un coup de théâtre vient renverser la situation: le jugement se transforme en scène de reconnaissance. Figaro découvre l'identité de ses parents, Bartholo et Marceline. Cette dernière justifie son passé et endosse le rôle de porte-parole de la condition féminine. Comment Marceline réussit-elle à défendre la cause des femmes? Quoique simple femme de charge, Marceline déploie une solide argumentation tout en se montrant éloquente et persuasive, ce qui lui permet d'emporter l'adhésion générale.

■ *Analyse guidée*

I. Une solide argumentation

a. Le discours de Marceline est très structuré : elle passe subtilement de la défense à l'accusation dans sa première tirade. En vous appuyant sur l'observation des pronoms personnels et des expressions nominales, expliquez la progression de son raisonnement.

b. Marceline présente une analyse complète de la situation des femmes. Montrez qu'elle se fait l'avocate de l'ensemble des femmes, quelle que soit leur appartenance sociale.

c. Pour défendre la cause féminine, Marceline met en avant les inégalités dont elles sont victimes. Repérez-les et présentez-les en essayant de les classer.

II. L'art de l'éloquence et de la persuasion

a. Marceline ne se contente pas d'arguments rationnels, elle se montre particulièrement persuasive. Montrez qu'elle maîtrise parfaitement l'art de la rhétorique. Appuyez-vous sur l'analyse des didascalies, des types de phrases et des rythmes.

b. En oratrice talentueuse, Marceline sait qu'elle doit conquérir le cœur de son public. Analysez les moments où son discours prend des accents pathétiques.

c. Le discours de Marceline tourne à la diatribe quand elle attaque les hommes. Relevez et commentez les procédés polémiques de son réquisitoire.

III. Un discours qui convainc les hommes

a. Figaro intervient deux fois pour appuyer le jugement de sa mère. Analysez ces répliques et précisez leurs fonctions.

b. Marceline monopolise la parole dans ce passage. Proposez une façon de mettre en scène cette répartition inhabituelle de la parole et montrez comment les trois dernières répliques accréditent son propos.

■ *Conclusion rédigée*

Cette scène procède à la métamorphose du personnage de Marceline, jusque-là assez comique. La mère de Figaro devient le porte-parole des femmes, quelle que soit leur condition sociale. Son discours, structuré comme un réquisitoire, atteste de ses talents d'oratrice et emporte l'adhésion générale. Enfin, le recours à la tonalité pathétique illustre l'influence de la comédie larmoyante sur la pièce de Beaumarchais.

📝 *Activités d'appropriation*

1. 🖱 Sur Internet, effectuez une recherche sur la comédie larmoyante et le drame bourgeois au XVIIIe siècle. Vous retiendrez les œuvres et les auteurs représentatifs de ces genres, préciserez les caractéristiques de ces derniers et ce qui les distingue de la comédie classique (celle de Molière, par exemple). Vous présenterez le résultat de votre recherche sous forme de carte mentale, en utilisant un logiciel gratuit accessible en ligne (MindView, FreeMind, Framindmap…).

2. Vous direz si, selon vous, le spectateur peut être sincèrement ému lorsque les pièces de théâtre ou les films recourent à des péripéties invraisemblables, comme c'est le cas lors de la scène de reconnaissance (III, 16). Vous justifierez votre propos en vous appuyant sur les textes étudiés en classe ainsi que sur vos lectures personnelles (➡ voir Groupement de textes 2, « Scènes de reconnaissance », p. 283-299) et sur votre expérience de spectateur.

Suzanne remet discrètement au comte Almaviva le billet
dans lequel elle lui donne rendez-vous (IV, 10).
J. Saint-Quentin (dessin) et J.-B. Liénard (graveur), « Il vous rend chaste
et pure aux mains de votre époux », illustration de *La Folle Journée
ou le Mariage de Figaro*, Paris, Ruault, 1785.

ACTE IV

Le théâtre représente une galerie ornée de candélabres, de lustres allumés,
de fleurs, de guirlandes, en un mot préparée pour donner une fête. Sur
le devant à droite est une table avec une écritoire, un fauteuil derrière.

Scène 1

FIGARO, SUZANNE

FIGARO, *la tenant à bras-le-corps.* – Eh bien ! amour, es-tu contente ?
elle a converti[1] son docteur, cette fine langue dorée de ma mère !
malgré sa répugnance il l'épouse, et ton bourru d'oncle est bridé ; il
n'y a que Monseigneur qui rage, car enfin notre hymen va devenir
5 le prix du leur. Ris donc un peu de ce bon résultat.

SUZANNE. – As-tu rien vu de plus étrange ?

FIGARO. – Ou plutôt d'aussi gai. Nous ne voulions qu'une dot arra-
chée à l'Excellence ; en voilà deux dans nos mains, qui ne sortent
pas des siennes. Une rivale acharnée te poursuivait ; j'étais tour-
10 menté par une furie ; tout cela s'est changé, pour nous, dans « la
plus bonne » des mères. Hier j'étais comme seul au monde ; et voilà
que j'ai tous mes parents ; pas si magnifiques, il est vrai, que je me
les étais galonnés[2] ; mais assez bien pour nous, qui n'avons pas la
vanité des riches.

---

1. Converti : fait changer d'avis.
2. Que je me les étais galonnés : que je me les étais imaginés en les couvrant de
galons, de gloire.

15 **SUZANNE.** – Aucune des choses que tu avais disposées, que nous attendions, mon ami, n'est pourtant arrivée !

FIGARO. – Le hasard a mieux fait que nous tous, ma petite : ainsi va le monde ; on travaille, on projette, on arrange d'un côté ; la fortune accomplit de l'autre : et depuis l'affamé conquérant qui voudrait

20 avaler la terre, jusqu'au paisible aveugle qui se laisse mener par son chien, tous sont le jouet de ses caprices ; encore l'aveugle au chien est-il souvent mieux conduit, moins trompé dans ses vues, que l'autre aveugle avec son entourage. – Pour cet aimable aveugle qu'on nomme Amour…

Il la reprend tendrement à bras-le-corps.

25 **SUZANNE.** – Ah ! c'est le seul qui m'intéresse !

FIGARO. – Permets donc que, prenant l'emploi de la folie[1], je sois le bon chien qui le mène à ta jolie mignonne porte ; et nous voilà logés pour la vie.

SUZANNE, *riant.* – L'Amour et toi ?

30 **FIGARO.** – Moi et l'Amour.

SUZANNE. – Et vous ne chercherez pas d'autre gîte ?

FIGARO. – Si tu m'y prends, je veux bien que mille millions de galants…

SUZANNE. – Tu vas exagérer : dis ta bonne vérité.

FIGARO. – Ma vérité la plus vraie !

35 **SUZANNE.** – Fi donc, vilain ! en a-t-on plusieurs ?

FIGARO. – Oh ! que oui. Depuis qu'on a remarqué qu'avec le temps vieilles folies deviennent sagesse, et qu'anciens petits mensonges, assez mal plantés, ont produit de grosses, grosses vérités, on en a de mille espèces ! Et celles qu'on sait, sans oser les divulguer : car

---

1. Allusion à la fable de Jean de La Fontaine « L'Amour et la Folie » (XII, 14), dans laquelle Folie se voit contrainte par les dieux de guider Amour qu'elle a aveuglé.

40 toute vérité n'est pas bonne à dire ; et celles qu'on vante, sans y
ajouter foi : car toute vérité n'est pas bonne à croire ; et les serments
passionnés, les menaces des mères, les protestations des buveurs,
les promesses des gens en place, le dernier mot de nos marchands ;
cela ne finit pas. Il n'y a que mon amour pour Suzon qui soit une
45 vérité de bon aloi.

SUZANNE. – J'aime ta joie, parce qu'elle est folle ; elle annonce que
tu es heureux. Parlons du rendez-vous du comte.

FIGARO. – Ou plutôt n'en parlons jamais ; il a failli me coûter Suzanne.

SUZANNE. – Tu ne veux donc plus qu'il ait lieu ?

50 FIGARO. – Si vous m'aimez, Suzon, votre parole d'honneur sur ce
point. – qu'il s'y morfonde ; et c'est sa punition.

SUZANNE. – Il m'en a plus coûté de l'accorder que je n'ai de peine
à le rompre ; il n'en sera plus question.

FIGARO. – Ta bonne vérité ?

55 SUZANNE. – Je ne suis pas comme vous autres savants ; moi, je n'en
ai qu'une.

FIGARO. – Et tu m'aimeras un peu ?

SUZANNE. – Beaucoup.

FIGARO. – Ce n'est guère.

60 SUZANNE. – Et comment ?

FIGARO. – En fait d'amour, vois-tu, trop n'est pas même assez.

SUZANNE. – Je n'entends pas toutes ces finesses ; mais je n'aimerai
que mon mari.

FIGARO. – Tiens parole, et tu feras une belle exception à l'usage.

Il veut l'embrasser.

Scène 2
FIGARO, SUZANNE, LA COMTESSE

LA COMTESSE. – Ah ! j'avais raison de le dire : en quelque endroit qu'ils soient, croyez qu'ils sont ensemble. Allons donc, Figaro, c'est voler l'avenir, le mariage et vous-même, que d'usurper un tête-à-tête. On vous attend, on s'impatiente.

5 **FIGARO.** – Il est vrai, madame, je m'oublie. Je vais leur montrer mon excuse.

Il veut emmener Suzanne.

LA COMTESSE *la retient.* – Elle vous suit.

Scène 3
SUZANNE, LA COMTESSE

LA COMTESSE. – As-tu ce qu'il nous faut pour troquer[1] de vêtement ?

SUZANNE. – Il ne faut rien, madame ; le rendez-vous ne tiendra pas.

LA COMTESSE. – Ah ! vous changez d'avis ?

SUZANNE. – C'est Figaro.

5 **LA COMTESSE.** – Vous me trompez.

SUZANNE. – Bonté divine !

LA COMTESSE. – Figaro n'est pas homme à laisser échapper une dot.

SUZANNE. – Madame ! eh ! que croyez-vous donc ?

---

1. **Troquer** : échanger.

LA COMTESSE. – Qu'enfin, d'accord avec le comte, il vous fâche à
10 présent de m'avoir confié ses projets. Je vous sais par cœur. Laissez-moi.

Elle veut sortir.

SUZANNE *se jette à genoux.* – Au nom du Ciel, espoir de tous ! vous
ne savez pas, madame, le mal que vous faites à Suzanne ! après vos
bontés continuelles et la dot que vous me donnez !…

LA COMTESSE *la relève.* – Hé mais… je ne sais ce que je dis ! En me
15 cédant ta place au jardin, tu n'y vas pas, mon cœur ; tu tiens parole
à ton mari ; tu m'aides à ramener le mien.

SUZANNE. – Comme vous m'avez affligée !

LA COMTESSE. – C'est que je ne suis qu'une étourdie. *(Elle la baise
au front.)* Où est ton rendez-vous ?

20 SUZANNE *lui baise la main.* – Le mot de jardin m'a seul frappée.

LA COMTESSE, *montrant la table.* – Prends cette plume, et fixons
un endroit.

SUZANNE. – Lui écrire !

LA COMTESSE. – Il le faut.

25 SUZANNE. – Madame ! au moins, c'est vous…

LA COMTESSE. – Je mets tout sur mon compte. *(Suzanne s'assied,
la comtesse dicte :)* « Chanson nouvelle, sur l'air : … Qu'il fera beau ce
soir sous les grands marronniers… Qu'il fera beau, ce soir… »

SUZANNE *écrit.* – « *Sous les grands marronniers…* » Après ?

30 LA COMTESSE. – Crains-tu qu'il ne t'entende pas ?

SUZANNE *relit.* – C'est juste. *(Elle plie le billet.)* Avec quoi cacheter ?

LA COMTESSE. – Une épingle, dépêche : elle servira de réponse. Écris
sur le revers : « Renvoyez-moi le cachet. »

35 SUZANNE *écrit en riant.* – Ah! «le cachet»!… Celui-ci, madame, est plus gai que celui du brevet.

LA COMTESSE, *avec un souvenir douloureux.* – Ah!

SUZANNE *cherche sur elle.* – Je n'ai pas d'épingle à présent!

LA COMTESSE *détache sa lévite.* – Prends celle-ci. *(Le ruban du page tombe de son sein à terre.)* Ah! mon ruban!

40 SUZANNE *le ramasse.* – C'est celui du petit voleur! vous avez eu la cruauté?…

LA COMTESSE. – Fallait-il le laisser à son bras? c'eût été joli! Donnez donc!

SUZANNE. – Madame ne le portera plus, taché du sang de ce jeune

45 homme.

LA COMTESSE *le reprend.* – Excellent pour Fanchette… Le premier bouquet qu'elle m'apportera…

Scène 4

UNE JEUNE BERGÈRE, CHÉRUBIN *en fille,*
FANCHETTE, *et beaucoup de jeunes filles habillées
comme elle et tenant des bouquets.*
LA COMTESSE, SUZANNE

FANCHETTE. – Madame, ce sont les filles du bourg qui viennent vous présenter des fleurs.

LA COMTESSE, *serrant vite son ruban.* – Elles sont charmantes : je me reproche, mes belles petites, de ne pas vous connaître toutes. *(Mon-*
5 *trant Chérubin.)* Quelle est cette aimable enfant qui a l'air si modeste?

UNE BERGÈRE. – C'est une cousine à moi, madame, qui n'est ici que pour la noce.

LA COMTESSE. – Elle est jolie. Ne pouvant porter vingt bouquets, faisons honneur à l'étrangère. *(Elle prend le bouquet de Chérubin et* 10 *le baise au front.)* Elle en rougit! *(À Suzanne:)* Ne trouves-tu pas, Suzon… qu'elle ressemble à quelqu'un?

SUZANNE. – À s'y méprendre, en vérité.

CHÉRUBIN, *à part, les mains sur son cœur.* – Ah! Ce baiser-là m'a été bien loin!

Scène 5

LES JEUNES FILLES, CHÉRUBIN *au milieu d'elles*;
FANCHETTE, ANTONIO, LE COMTE,
LA COMTESSE, SUZANNE

ANTONIO. – Moi je vous dis, monseigneur, qu'il y est; elles l'ont habillé chez ma fille; toutes ses hardes y sont encore, et voilà son chapeau d'ordonnance[1] que j'ai retiré du paquet. *(Il s'avance, et regardant toutes les filles, il reconnaît Chérubin, lui enlève son bonnet de femme,* 5 *ce qui fait retomber ses longs cheveux en cadenette[2]. Il lui met sur la tête le chapeau d'ordonnance et dit:)* Eh! parguenne[3], v'là notre officier.

LA COMTESSE *recule.* – Ah! Ciel!

SUZANNE. – Ce friponneau!

ANTONIO. – Quand je disais là-haut[4] que c'était lui!…

---

1. Chapeau d'ordonnance: coiffe militaire.
2. Cadenette: longue tresse, qui tombe plus bas que le reste des cheveux.
3. Parguenne: juron.
4. Là-haut: tout à l'heure, auparavant.

10   LE COMTE, *en colère*. – Eh bien, madame ?

LA COMTESSE. – Eh bien, monsieur ! vous me voyez plus surprise que vous, et, pour le moins, aussi fâchée.

LE COMTE. – Oui ; mais tantôt, ce matin ?

LA COMTESSE. – Je serais coupable en effet, si je dissimulais encore.
15   Il était descendu chez moi. Nous entamions le badinage que ces enfants viennent d'achever ; vous nous avez surprises l'habillant ; votre premier mouvement est si vif ! il s'est sauvé, je me suis troublée, l'effroi général a fait le reste.

LE COMTE, *avec dépit, à Chérubin*. – Pourquoi n'êtes-vous pas parti ?

20   CHÉRUBIN, *ôtant son chapeau brusquement*. – Monseigneur…

LE COMTE. – Je punirai ta désobéissance.

FANCHETTE, *étourdiment*. – Ah ! monseigneur, entendez-moi ! Toutes les fois que vous venez m'embrasser, vous savez bien que vous dites toujours. – « Si tu veux m'aimer, petite Fanchette, je te donnerai
25   ce que tu voudras. »

LE COMTE, *rougissant*. – Moi ! j'ai dit cela ?

FANCHETTE. – Oui, monseigneur. Au lieu de punir Chérubin, donnez-le-moi en mariage, et je vous aimerai à la folie.

LE COMTE, *à part*. – Être ensorcelé par un page !

30   LA COMTESSE. – Eh bien, monsieur, à votre tour ; l'aveu de cette enfant, aussi naïf que le mien, atteste enfin deux vérités : que c'est toujours sans le vouloir si je vous cause des inquiétudes, pendant que vous épuisez tout[1] pour augmenter et justifier les miennes.

ANTONIO. – Vous aussi, monseigneur ? Dame ! je vous la redresserai
35   comme feu sa mère, qui est morte… Ce n'est pas pour la conséquence ;

---

1. **Épuisez tout** : cherchez tous les moyens.

mais c'est que Madame sait bien que les petites filles, quand elles sont grandes…

Le comte, *déconcerté, à part.* – Il y a un mauvais génie qui tourne tout ici contre moi !

Scène 6

Les jeunes filles, Chérubin, Antonio, Figaro, le comte, la comtesse, Suzanne

Figaro. – Monseigneur, si vous retenez nos filles, on ne pourra commencer ni la fête ni la danse.

Le comte. – Vous, danser ! vous n'y pensez pas. Après votre chute de ce matin, qui vous a foulé le pied droit !

5 **Figaro,** *remuant la jambe.* – Je souffre encore un peu ; ce n'est rien. *(Aux jeunes filles :)* Allons, mes belles, allons !

Le comte *le retourne.* – Vous avez été fort heureux que ces couches ne fussent que du terreau bien doux !

Figaro. – Très heureux, sans doute ; autrement…

10 **Antonio** *le retourne.* – Puis il s'est pelotonné en tombant jusqu'en bas.

Figaro. – Un plus adroit, n'est-ce pas, serait resté en l'air ! *(Aux jeunes filles :)* Venez-vous, mesdemoiselles ?

Antonio *le retourne.* – Et pendant ce temps, le petit page galopait sur son cheval à Séville ?

15 **Figaro.** – Galopait ou marchait au pas !…

Le comte *le retourne.* – Et vous aviez son brevet dans la poche ?

FIGARO, *un peu étonné.* – Assurément, mais quelle enquête ? *(Aux jeunes filles :)* Allons donc, jeunes filles !

ANTONIO, *attirant Chérubin par le bras.* – En voici une qui prétend que mon neveu futur n'est qu'un menteur.

FIGARO, *surpris.* – Chérubin !… *(À part.)* Peste du petit fat !

ANTONIO. – Y es-tu maintenant ?

FIGARO, *cherchant.* – J'y suis… j'y suis… Hé ! qu'est-ce qu'il chante ?

LE COMTE, *sèchement.* – Il ne chante pas ; il dit que c'est lui qui a sauté sur les giroflées.

FIGARO, *rêvant.* – Ah ! s'il le dit… cela se peut ; je ne dispute pas de ce que j'ignore.

LE COMTE. – Ainsi vous et lui ?…

FIGARO. – Pourquoi non ? la rage de sauter peut gagner : voyez les moutons de Panurge[1] ; et quand vous êtes en colère, il n'y a personne qui n'aime mieux risquer…

LE COMTE. – Comment, deux à la fois !…

FIGARO. – On aurait sauté deux douzaines ; et qu'est-ce que cela fait, monseigneur, dès qu'il[2] n'y a personne de blessé ? *(Aux jeunes filles :)* Ah çà, voulez-vous venir, ou non ?

LE COMTE, *outré.* – Jouons-nous une comédie ?

On entend un prélude de fanfare.

FIGARO. – Voilà le signal de la marche. À vos postes, les belles, à vos postes ! Allons, Suzanne, donne-moi le bras.

Tous s'enfuient, Chérubin reste seul, la tête baissée.

---

1. Les moutons de Panurge : dans *Le Quart Livre* de Rabelais (1483-1553), publié en 1552, Panurge jette un mouton à l'eau et voit toutes les autres bêtes du troupeau le suivre et se noyer.
2. Dès que : à partir du moment où.

Scène 7

CHÉRUBIN, LE COMTE, LA COMTESSE

LE COMTE, *regardant aller Figaro.* – En voit-on de plus audacieux? *(Au page:)* Pour vous, monsieur le sournois, qui faites le honteux, allez vous rhabiller bien vite; et que je ne vous rencontre nulle part de la soirée.

5 LA COMTESSE. – Il va bien s'ennuyer.

CHÉRUBIN, *étourdiment.* – M'ennuyer! j'emporte à mon front du bonheur pour plus de cent années de prison.

Il met son chapeau et s'enfuit.

Scène 8

LE COMTE, LA COMTESSE
(La comtesse s'évente fortement sans parler.)

LE COMTE. – Qu'a-t-il au front de si heureux?

LA COMTESSE, *avec embarras.* – Son… premier chapeau d'officier, sans doute; aux enfants tout sert de hochet.

Elle veut sortir.

LE COMTE. – Vous ne nous restez pas, comtesse?

5 LA COMTESSE. – Vous savez que je ne me porte pas bien.

LE COMTE. – Un instant pour votre protégée, ou je vous croirais en colère.

LA COMTESSE. – Voici les deux noces, asseyons-nous donc pour les recevoir.

10 LE COMTE, *à part.* – La noce! il faut souffrir ce qu'on ne peut empêcher.

Le comte et la comtesse s'assoient vers un des côtés de la galerie.

Scène 9

LE COMTE, LA COMTESSE, *assis;*
l'on joue les «Folies d'Espagne» d'un mouvement de marche.
(Symphonie notée.)

MARCHE

LES GARDES-CHASSES, *fusil sur l'épaule.*
L'ALGUAZIL[1], LES PRUD'HOMMES, BRID'OISON.
LES PAYSANS ET PAYSANNES, *en habits de fête.*
DEUX JEUNES FILLES *portant la toque virginale à plumes blanches;*
DEUX AUTRES, *le voile blanc;*
DEUX AUTRES, *les gants et le bouquet de côté.*
ANTONIO *donne la main à* SUZANNE, *comme étant celui qui la marie à* FIGARO.
D'AUTRES JEUNES FILLES *portent une autre toque, un autre voile, un autre bouquet blanc, semblables aux premiers, pour* MARCELINE.

Figaro donne la main à Marceline, comme celui qui doit la remettre au docteur, lequel ferme la marche, un gros bouquet au côté. Les jeunes filles, en passant devant le comte, remettent à ses valets tous les ajustements destinés à Suzanne et à Marceline.

---

1. **Alguazil**: officier de police espagnol.

Les Paysans et Paysannes s'étant rangés sur deux colonnes à chaque côté
du salon, on danse une reprise du fandango[1] (air noté) avec des casta-
gnettes; puis on joue la ritournelle[2] du duo, pendant laquelle Antonio
conduit Suzanne au comte; elle se met à genoux devant lui.
Pendant que le comte lui pose la toque, le voile, et lui donne le bouquet,
deux jeunes filles chantent le duo suivant (air noté):

Jeune épouse, chantez les bienfaits et la gloire
D'un maître qui renonce aux droits qu'il eut sur vous:
Préférant au plaisir la plus noble victoire,
Il vous rend chaste et pure aux mains de votre époux.

Suzanne est à genoux, et, pendant les derniers vers du duo, elle tire
le comte par son manteau et lui montre le billet qu'elle tient; puis elle
porte la main qu'elle a du côté des spectateurs à sa tête, où le comte a
l'air d'ajuster sa toque; elle lui donne le billet.
Le comte le met furtivement dans son sein; on achève de chanter le duo;
la fiancée se relève et lui fait une grande révérence.
Figaro vient la recevoir des mains du comte et se retire avec elle, à l'autre
côté du salon, près de Marceline.
(On danse une autre reprise du fandango, pendant ce temps.)
Le comte, pressé de lire ce qu'il a reçu, s'avance au bord du théâtre et tire
le papier de son sein; mais en le sortant il fait le geste d'un homme qui
s'est cruellement piqué le doigt; il le secoue, le presse, le suce, et regardant
le papier cacheté d'une épingle, il dit:

LE COMTE *(Pendant qu'il parle, ainsi que Figaro, l'orchestre joue pianis-*
simo.): Diantre soit des femmes, qui fourrent des épingles partout!
(Il la jette à terre, puis il lit le billet et le baise.)

FIGARO, *qui a tout vu, dit à sa mère et à Suzanne.* – C'est un billet
doux, qu'une fillette aura glissé dans sa main en passant. Il était
cacheté d'une épingle, qui l'a outrageusement piqué. *(La danse*
reprend: le comte qui a lu le billet le retourne; il y voit l'invitation de

---

1. **Fandango**: danse espagnole.
2. **Ritournelle**: petit air constituant le refrain d'une chanson.

renvoyer le cachet pour réponse. Il cherche à terre et retrouve enfin l'épingle qu'il attache à sa manche.)

10 **FIGARO,** *à Suzanne et à Marceline.* – D'un objet aimé tout est cher. Le voilà qui ramasse l'épingle. Ah, c'est une drôle de tête ! *(Pendant ce temps, Suzanne a des signes d'intelligence avec la comtesse. La danse finit, la ritournelle du duo recommence.)*

Figaro conduit Marceline au comte, ainsi qu'on a conduit Suzanne ; à l'instant où le comte prend la toque et où l'on va chanter le duo, on est interrompu par les cris suivants :

L'HUISSIER, *criant à la porte.* – Arrêtez donc, messieurs ! vous ne
15 pouvez entrer tous… Ici les gardes, les gardes !

Les gardes vont vite à cette porte.

LE COMTE, *se levant.* – Qu'est-ce qu'il y a ?

L'HUISSIER. – Monseigneur, c'est monsieur Bazile, entouré d'un village entier, parce qu'il chante en marchant.

LE COMTE. – Qu'il entre seul.

20 **LA COMTESSE.** – Ordonnez-moi de me retirer.

LE COMTE. – Je n'oublie pas votre complaisance.

LA COMTESSE. – Suzanne !… elle reviendra. *(À part, à Suzanne :)* Allons changer d'habits.

Elle sort avec Suzanne.

MARCELINE. – Il n'arrive jamais que pour nuire.

25 **FIGARO.** – Ah ! je m'en vais vous le faire déchanter !

Scène 10

TOUS LES ACTEURS PRÉCÉDENTS,
excepté LA COMTESSE *et* SUZANNE ;
BAZILE *tenant sa guitare* ; GRIPPE-SOLEIL

BAZILE *entre en chantant sur l'air du vaudeville*[1] *de la fin (air noté)* :

> Cœurs sensibles, cœurs fidèles,
> Qui blâmez l'amour léger,
> Cessez vos plaintes cruelles :
> Est-ce un crime de changer ?
> Si l'Amour porte des ailes,
> N'est-ce pas pour voltiger ?
> N'est-ce pas pour voltiger ?
> N'est-ce pas pour voltiger ?

FIGARO *s'avance à lui*. – Oui, c'est pour cela justement qu'il a des ailes au dos ; notre ami, qu'entendez-vous par cette musique ?

BAZILE, *montrant Grippe-Soleil*. – Qu'après avoir prouvé mon obéissance à Monseigneur en amusant Monsieur, qui est de sa compagnie, je pourrai, à mon tour, réclamer sa justice.

GRIPPE-SOLEIL. – Bah ! monsigneu, il ne m'a pas amusé du tout : avec leux guenilles d'ariettes…

LE COMTE. – Enfin que demandez-vous, Bazile ?

BAZILE. – Ce qui m'appartient, monseigneur, la main de Marceline ; et je viens m'opposer…

FIGARO *s'approche*. – Y a-t-il longtemps que Monsieur n'a vu la figure d'un fou ?

BAZILE. – Monsieur, en ce moment même.

---

1. Vaudeville : chanson comprenant des couplets et des refrains rimés, qui clôt certaines comédies. Le vaudeville désigne aussi un genre théâtral.

FIGARO. – Puisque mes yeux vous servent si bien de miroir, étudiez-y l'effet de ma prédiction. Si vous faites mine seulement d'approximer[1] Madame…

BARTHOLO, *en riant.* – Eh pourquoi ? laisse-le parler.

BRID'OISON *s'avance entre deux.* – Fau-aut-il que deux amis ?…

FIGARO. – Nous, amis !

BAZILE. – Quelle erreur !

FIGARO, *vite.* – Parce qu'il fait de plats airs de chapelle ?

BAZILE, *vite.* – Et lui, des vers comme un journal ?

FIGARO, *vite.* – Un musicien de guinguette !

BAZILE, *vite.* – Un postillon[2] de gazette !

FIGARO, *vite.* – Cuistre d'oratorio !

BAZILE, *vite.* – Jockey diplomatique !

LE COMTE, *assis.* – Insolents tous les deux !

BAZILE. – Il me manque[3] en toute occasion.

FIGARO. – C'est bien dit, si cela se pouvait !

BAZILE. – Disant partout que je ne suis qu'un sot.

FIGARO. – Vous me prenez donc pour un écho ?

BAZILE. – Tandis qu'il n'est pas un chanteur que mon talent n'ait fait briller.

FIGARO. – Brailler.

BAZILE. – Il le répète !

---

1. **Approximer** : approcher.
2. **Postillon** : cocher. Bazile fait allusion à la fonction de Figaro, courrier de dépêches.
3. **Il me manque** : il ne se conduit pas comme il le faudrait à mon égard.

45 **FIGARO.** – Et pourquoi non, si cela est vrai ? es-tu un prince, pour qu'on te flagorne[1] ? souffre la vérité, coquin ! puisque tu n'as pas de quoi gratifier un menteur ; ou si tu la crains de notre part, pourquoi viens-tu troubler nos noces ?

BAZILE, *à Marceline.* – M'avez-vous promis, oui ou non, si dans quatre 50 ans vous n'étiez pas pourvue, de me donner la préférence ?

MARCELINE. – À quelle condition l'ai-je promis ?

BAZILE. – Que si vous retrouviez un certain fils perdu, je l'adopterais par complaisance.

TOUS ENSEMBLE. – Il est trouvé.

55 **BAZILE.** – Qu'à cela ne tienne !

TOUS ENSEMBLE, *montrant Figaro.* – Et le voici.

BAZILE, *reculant de frayeur.* – J'ai vu le diable !

BRID'OISON, *à Bazile.* – Et vou-ous renoncez à sa chère mère !

BAZILE. – Qu'y aurait-il de plus fâcheux que d'être cru le père d'un 60 garnement ?

FIGARO. – D'en être cru le fils ; tu te moques de moi !

BAZILE, *montrant Figaro.* – Dès que Monsieur est de quelque chose ici, je déclare, moi, que je n'y suis plus de rien.

Il sort.

---

1. **Flagorne** : flatte.

Scène 11

LES ACTEURS PRÉCÉDENTS, *excepté* BAZILE

BARTHOLO, *riant.* – Ah! ah! ah! ah!

FIGARO, *sautant de joie.* – Donc à la fin j'aurai ma femme!

LE COMTE, *à part.* – Moi, ma maîtresse.

Il se lève.

BRID'OISON, *à Marceline.* – Et tou-out le monde est satisfait.

5   LE COMTE. – Qu'on dresse les deux contrats; j'y signerai.

TOUS ENSEMBLE. – Vivat!

Ils sortent.

LE COMTE. – J'ai besoin d'une heure de retraite.

Il veut sortir avec les autres.

Scène 12

GRIPPE-SOLEIL, FIGARO, MARCELINE, LE COMTE

GRIPPE-SOLEIL, *à Figaro.* – Et moi, je vas aider à ranger le feu d'artifice sous les grands marronniers, comme on l'a dit.

LE COMTE *revient en courant.* – Quel sot a donné un tel ordre?

FIGARO. – Où est le mal?

5   LE COMTE, *vivement.* – Et la comtesse qui est incommodée, d'où le verra-t-elle, l'artifice? C'est sur la terrasse qu'il le faut, vis-à-vis son appartement.

FIGARO. – Tu l'entends, Grippe-Soleil ? la terrasse.

LE COMTE. – Sous les grands marronniers ! belle idée ! *(En s'en allant,*
10   *à part.)* Ils allaient incendier mon rendez-vous !

Scène 13

FIGARO, MARCELINE

FIGARO. – Quel excès d'attention pour sa femme !

Il veut sortir.

MARCELINE *l'arrête.* – Deux mots, mon fils. Je veux m'acquitter avec
toi[1]. – un sentiment mal dirigé m'avait rendue injuste envers ta
charmante femme : je la supposais d'accord avec le comte, quoique
5   j'eusse appris de Bazile qu'elle l'avait toujours rebuté[2].

FIGARO. – Vous connaissiez mal votre fils, de le croire ébranlé par
ces impulsions féminines. Je puis défier la plus rusée de m'en faire
accroire.

MARCELINE. – Il est toujours heureux de le penser, mon fils ; la jalousie…

10   **FIGARO.** – … N'est qu'un sot enfant de l'orgueil, ou c'est la maladie
d'un fou. Oh ! j'ai là-dessus, ma mère, une philosophie… imperturbable ; et si Suzanne doit me tromper un jour, je lui pardonne
d'avance ; elle aura longtemps travaillé…

Il se retourne et aperçoit Fanchette qui
cherche de côté et d'autre.

---

1. M'acquitter avec toi : me libérer de la dette (ici, morale) que j'ai envers toi.
2. Rebuté : éconduit.

Scène 14

FIGARO, FANCHETTE, MARCELINE

FIGARO. – Eeeh…. ma petite cousine qui nous écoute !

FANCHETTE. – Oh ! pour ça, non : on dit que c'est malhonnête.

FIGARO. – Il est vrai ; mais comme cela est utile, on fait aller souvent l'un pour l'autre.

5   **FANCHETTE.** – Je regardais si quelqu'un était là.

FIGARO. – Déjà dissimulée, friponne ! Vous savez bien qu'il n'y peut être.

FANCHETTE. – Et qui donc ?

FIGARO. – Chérubin.

10   **FANCHETTE.** – Ce n'est pas lui que je cherche, car je sais fort bien où il est ; c'est ma cousine Suzanne.

FIGARO. – Et que lui veut ma petite cousine ?

FANCHETTE. – À vous, petit cousin, je le dirai. C'est… ce n'est qu'une épingle que je veux lui remettre.

15   **FIGARO,** *vivement.* – Une épingle ! une épingle !… et de quelle part, coquine ? à votre âge, vous faites déjà un mét… *(Il se reprend, et dit d'un ton doux :)* Vous faites déjà très bien tout ce que vous entreprenez, Fanchette ; et ma jolie cousine est si obligeante…

FANCHETTE. – À qui donc en a-t-il de se fâcher ? Je m'en vais.

20   **FIGARO,** *l'arrêtant.* – Non, non, je badine ; tiens, ta petite épingle est celle que Monseigneur t'a dit de remettre à Suzanne, et qui servait à cacheter un petit papier qu'il tenait ; tu vois que je suis au fait.

FANCHETTE. – Pourquoi donc le demander, quand vous le savez si bien ?

FIGARO, *cherchant.* – C'est qu'il est assez gai de savoir comment
25 Monseigneur s'y est pris pour te donner la commission.

FANCHETTE, *naïvement.* – Pas autrement que vous ne dites : « Tiens,
petite Fanchette, rends cette épingle à ta belle cousine, et dis-lui
seulement que c'est le cachet des grands marronniers. »

FIGARO. – « Des grands… » ?

30 **FANCHETTE.** – « Marronniers. » Il est vrai qu'il a ajouté : « Prends
garde que personne ne te voie. »

FIGARO. – Il faut obéir, ma cousine : heureusement personne ne
vous a vue. Faites donc joliment votre commission ; et n'en dites
pas plus à Suzanne que Monseigneur n'a ordonné.

35 **FANCHETTE.** – Et pourquoi lui en dirais-je ? il me prend pour un
enfant, mon cousin.

Elle sort en sautant.

Scène 15
FIGARO, MARCELINE

FIGARO. – Eh bien, ma mère ?

MARCELINE. – Eh bien, mon fils ?

FIGARO, *comme étouffé.* – Pour celui-ci[1] !… il y a réellement des choses… !

MARCELINE. – Il y a des choses ! hé, qu'est-ce qu'il y a ?

5 **FIGARO,** *les mains sur la poitrine.* – Ce que je viens d'entendre, ma
mère, je l'ai là comme un plomb.

---

1. Pour celui-ci : pour ceci, pour cette fois-ci.

MARCELINE, *riant.* – Ce cœur plein d'assurance n'était donc qu'un ballon gonflé ? une épingle a tout fait partir !

FIGARO, *furieux.* – Mais cette épingle, ma mère, est celle qu'il a
10 ramassée !…

MARCELINE, *rappelant ce qu'il a dit.* – « La jalousie ! oh ! j'ai là-dessus, ma mère, une philosophie… imperturbable ; et si Suzanne m'attrape un jour, je le lui pardonne… »

FIGARO, *vivement.* – Oh ! ma mère ! on parle comme on sent : mettez
15 le plus glacé des juges à plaider dans sa propre cause, et voyez-le expliquer la loi ! Je ne m'étonne plus s'il avait tant d'humeur sur ce feu ! Pour la mignonne aux fines épingles, elle n'en est pas où elle le croit, ma mère, avec ses marronniers ! Si mon mariage est assez fait pour légitimer ma colère, en revanche, il ne l'est pas assez pour
20 que je n'en puisse épouser une autre, et l'abandonner…

MARCELINE. – Bien conclu ! abîmons tout sur un soupçon. Qui t'a prouvé, dis-moi, que c'est toi qu'elle joue, et non le comte ? L'as-tu étudiée de nouveau, pour la condamner sans appel ? Sais-tu si elle se rendra sous les arbres ? à quelle intention elle y va ? ce qu'elle y
25 dira, ce qu'elle y fera ? Je te croyais plus fort en jugement !

FIGARO, *lui baisant la main avec respect.* – Elle a raison, ma mère, elle a raison, raison, toujours raison ! Mais accordons, maman, quelque chose à la nature ; on en vaut mieux après. Examinons en effet avant d'accuser et d'agir. Je sais où est le rendez-vous. Adieu, ma mère.

Il sort.

Scène 16

MARCELINE, *seule.*

Adieu ; et moi aussi, je le sais. Après l'avoir arrêté, veillons sur les voies de Suzanne ; ou plutôt avertissons-la ; elle est si jolie créature ! Ah ! quand l'intérêt personnel ne nous arme pas les unes contre les autres, nous sommes toutes portées à soutenir notre pauvre sexe opprimé, contre ce fier, ce terrible… *(en riant)* et pourtant un peu nigaud de sexe masculin.

Elle sort.

FIN DU QUATRIÈME ACTE

Arrêt sur lecture 4

Pour comprendre l'essentiel

Le pouvoir du comte décrédibilisé

1 Dans les scènes 4 et 5, Chérubin et Fanchette remettent en cause l'autorité du comte. Justifiez cette idée en vous appuyant en particulier sur la construction dramatique (échos, contrepoints).

2 Le dévoilement de Chérubin par Antonio (scène 5) confond Figaro qui doit justifier son précédent mensonge (acte II, scène 21) devant le comte (scène 6). Montrez que le jeu de Figaro, qui choisit de persévérer dans le mensonge, fait peu de cas de l'intelligence du comte et réjouit le spectateur.

3 Dans la scène 9, le comte apparaît comme un pantin prévisible et manipulé. Étudiez les procédés dramaturgiques utilisés par l'auteur pour ridiculiser le personnage.

Des femmes solidaires et intrigantes

4 Figaro et Suzanne sont les personnages qui font le plus souvent preuve de vivacité. Pourtant, dans l'acte IV, la comtesse sait, elle aussi, se montrer capable de reparties judicieuses. Illustrez ce propos par des exemples précis tirés du texte.

5 On peut lire et mettre en scène le rôle de Fanchette comme celui d'un personnage rusé et déterminé ou comme celui d'une ingénue. En vous appuyant sur les scènes 5 et 14, montrez comment elle fait avancer l'action et présentez l'analyse de ce personnage ambigu.

6 À la différence des personnages masculins, les femmes semblent efficaces parce que solidaires. Montrez comment la comtesse, Suzanne et Marceline s'aident et se protègent les unes les autres.

L'art de la composition

7 L'acte IV fait alterner duos et grandes scènes de groupes. Identifiez et classez les différents types de scènes puis expliquez l'intérêt de cette variété.

8 Beaumarchais attribue un rôle dramaturgique essentiel aux objets. Repérez les moments où le dramaturge fait intervenir le billet, l'épingle et le ruban et dites quelles fonctions jouent ces objets.

9 Dans l'acte IV, la musique, la danse et le chant tiennent une place importante culminant avec la spectaculaire scène 9, qui ne se contente pas cependant de divertir le spectateur. Identifiez ses autres fonctions.

✔ *Rappelez-vous !*

• Au théâtre, on appelle «**tableau**» le moment d'une représentation qui offre une unité visuelle et présente les personnages sur la scène de manière picturale, dans une relative immobilité. Dans l'acte IV, les scènes 3 et 4 et surtout la scène 9 relèvent de cette définition. Les objets et les costumes jouent alors un rôle essentiel. Ce traitement de l'espace scénique, théorisé par Diderot, apparaît dans le théâtre de la seconde moitié du XVIIIe siècle.

• La préface du *Mariage de Figaro* s'attache à défendre la profonde **moralité de la pièce**. Loin de reconnaître le goût de la provocation et de l'indécence que ses détracteurs lui attribuaient, Beaumarchais soutient au contraire vouloir démasquer les hypocrites pour fustiger leurs vices.

Zoom sur...

La scène 1 de l'acte IV, l. 1-64, p. 171-173

> → *Expliquer comment Beaumarchais présente
> le couple de valets dans cette pause dramatique*

📖 *Analyse du texte*

■ *Conseils pour la lecture à voix haute*

– Veillez à bien prononcer l'expression «bon aloi»: le «o» est ouvert.

– Respectez la locution négative: «je n'en ai guère».

– Faites ressentir la complicité de Suzanne et de Figaro.

■ *Introduction rédigée*

Figaro a échappé à ses dettes, transformées en dot, en retrouvant
ses parents, Marceline et Bartholo. Plus rien ne s'oppose désormais
à son mariage avec Suzanne, avec laquelle il se retrouve enfin en tête-
à-tête. Le dramaturge ouvre ainsi l'acte IV sur une scène intimiste
de duo amoureux entre Suzanne et Figaro.

Nous verrons que cette pause dramatique permet à l'auteur de mettre
en scène une joyeuse idylle qui propose une image positive du couple.

■ *Analyse guidée*

I. Une pause dans une folle journée

a. Alors que l'acte III s'est terminé dans un rythme effréné, cette
scène constitue une sorte de parenthèse durant laquelle il ne se passe
presque rien. Dans un souci de clarté, l'auteur prête même à Figaro
des propos qui permettent de rappeler l'action au spectateur. Repérez-les
en explicitant les événements auxquels le personnage fait référence.

b. Figaro n'endosse plus le rôle de maître du jeu, il revient même sur ses plans. Montrez qu'il est impuissant et que la progression de l'action dépend désormais de Suzanne.

c. Figaro propose une réflexion sur les pouvoirs du hasard et de la fortune (l. 7-24). Résumez chacune de ses deux tirades en une phrase. Analysez ensuite leur aspect philosophique, en observant les pronoms, les temps verbaux, les pluriels mais aussi les antithèses et les exemples choisis.

II. Un amour heureux : engagement et allégresse

a. Le dramaturge a prévu un changement de décor entre l'acte III et l'acte IV. Relisez les didascalies initiales puis commentez leurs différences et l'atmosphère ainsi créée pour l'acte IV.

b. Figaro et Suzanne se retrouvent avec beaucoup d'enthousiasme. Montrez-le en vous appuyant sur les indications de mise en scène, l'enchaînement des répliques, les modalités de phrase et les formules familières et affectueuses.

c. Avec bonne humeur, Figaro et Suzanne forment des projets de vie commune dans cette scène. Identifiez ces moments, analysez les effets produits par la construction de la scène et la formulation de l'engagement des personnages.

III. Une image positive du couple, uni et complémentaire

a. Les deux amoureux apparaissent tous deux dotés d'un esprit sémillant. Repérez puis commentez les remarques spirituelles et les répliques où ils font preuve de malice.

b. Malgré leurs traits communs, Figaro et Suzanne présentent des caractères distincts : ils n'ont pas, en particulier, le même rapport au langage. Développez cette idée en vous appuyant tout d'abord sur l'observation de la répartition de la parole. Relevez et analysez ensuite les antithèses utilisées par Suzanne pour souligner cette différence.

c. Figaro, tout en s'exprimant avec humour, réfléchit à des sujets philosophiques comme la destinée (l. 17-24) et la vérité (l. 36-45). En vous appuyant sur l'analyse des parallélismes et des antithèses dans les lignes 17 à 45, expliquez en quoi la vision de Figaro est cynique.

■ *Conclusion rédigée*

Cette scène permet un ralentissement du rythme de l'action, soumise à d'innombrables péripéties dans l'acte III, tout en confirmant l'amour que se portent Figaro et Suzanne. Les deux amants se promettent fidélité avec bonne humeur, sans solennité. Le dramaturge profite aussi de cette pause dramatique pour approfondir la psychologie de ses personnages et pour faire comprendre que Suzanne, jeune femme pragmatique et moins loquace que Figaro, sera désormais plus apte à mener l'action que lui.

Étude de la langue

« Notre hymen va devenir le prix du leur » (IV, 1, l. 4-5). Expliquez le sens de cette phrase.

Quels sont les deux sens du mot « hymen » ? Précisez l'étymologie de ce nom. Qui était le dieu Hymen dans la mythologie ? Expliquez pourquoi ce nom désignait aussi un chant nuptial dans l'Antiquité.

Activité d'appropriation

Figaro s'est caché. Il assiste au dialogue entre Suzanne et la comtesse, ainsi qu'à la mise en place de leur stratagème (p. 174-176). Récrivez tout ou partie de la scène 3 de l'acte IV en conservant certaines répliques des deux femmes et en ajoutant celles de Figaro dissimulé, puis en imaginant une issue : soit Figaro se démasque en sortant de sa cachette, soit il préfère commenter la situation en restant caché.

ACTE V

Le théâtre représente une salle de marronniers[1], dans un parc ; deux pavillons[2], kiosques, ou temples de jardin, sont à droite et à gauche ; le fond est une clairière[3] ornée ; un siège de gazon sur le devant. Le théâtre est obscur.

Scène 1

FANCHETTE, *seule, tenant d'une main
deux biscuits et une orange, et de l'autre
une lanterne de papier allumée.*

Dans le pavillon à gauche, a-t-il dit. C'est celui-ci. S'il allait ne pas venir à présent ! mon petit rôle… Ces vilaines gens de l'office qui ne voulaient pas seulement me donner une orange et deux biscuits ! « Pour qui, mademoiselle ? – Eh bien, monsieur, c'est pour 5 quelqu'un. – Oh ! nous savons. » Et quand ça serait ? parce que Monseigneur ne veut pas le voir, faut-il qu'il meure de faim ? Tout ça pourtant m'a coûté un fier baiser sur la joue !… Que sait-on ? il me le rendra peut-être. *(Elle voit Figaro qui vient l'examiner ; elle fait un cri.)* Ah !…

       Elle s'enfuit, et elle entre dans le pavillon à sa gauche.

---

1. **Salle de marronniers** : espace où sont plantés des marronniers de manière à former une sorte de couvert dans un jardin.
2. **Pavillons** : petites constructions isolées dans un parc.
3. **Clarière** : clairière (forme archaïque).

Scène 2

FIGARO, *un grand manteau sur les épaules,*
un large chapeau rabattu; BAZILE, ANTONIO,
BARTHOLO, BRID'OISON, GRIPPE-SOLEIL,
TROUPE DE VALETS ET DE TRAVAILLEURS

FIGARO, *d'abord seul.* – C'est Fanchette! *(Il parcourt des yeux les autres à mesure qu'ils arrivent, et dit d'un ton farouche:)* Bonjour, messieurs; bonsoir; êtes-vous tous ici?

BAZILE. – Ceux que tu as pressés d'y venir.

5 **FIGARO.** – Quelle heure est-il bien à peu près?

ANTONIO *regarde en l'air.* – La lune devrait être levée.

BARTHOLO. – Eh! quels noirs apprêts fais-tu donc? Il a l'air d'un conspirateur!

FIGARO, *s'agitant.* – N'est-ce pas pour une noce, je vous prie, que
10 vous êtes rassemblés au château?

BRID'OISON. – Cè-ertainement.

ANTONIO. – Nous allions là-bas, dans le parc, attendre un signal pour ta fête.

FIGARO. – Vous n'irez pas plus loin, messieurs; c'est ici, sous ces
15 marronniers, que nous devons tous célébrer l'honnête fiancée que j'épouse, et le loyal seigneur qui se l'est destinée.

BAZILE, *se rappelant la journée.* – Ah! vraiment, je sais ce que c'est. Retirons-nous, si vous m'en croyez: il est question d'un rendez-vous; je vous conterai cela près d'ici.

20 **BRID'OISON,** *à Figaro.* – Nou-ous reviendrons.

FIGARO. – Quand vous m'entendrez appeler, ne manquez pas d'accourir tous, et dites du mal de Figaro s'il ne vous fait voir une belle chose.

BARTHOLO. – Souviens-toi qu'un homme sage ne se fait point d'affaires avec les grands.

25 **FIGARO.** – Je m'en souviens.

BARTHOLO. – Qu'ils ont quinze et bisque[1] sur nous, par leur état.

FIGARO. – Sans leur industrie[2], que vous oubliez. Mais souvenez-vous aussi que l'homme qu'on sait timide est dans la dépendance de tous les fripons.

30 **BARTHOLO.** – Fort bien.

FIGARO. – Et que j'ai nom de Verte-Allure, du chef honoré de ma mère.

BARTHOLO. – Il a le diable au corps.

BRID'OISON. – I-il l'a.

BAZILE, *à part.* – Le comte et sa Suzanne se sont arrangés sans moi ?
35 Je ne suis pas fâché de l'algarade[3].

FIGARO, *aux valets.* – Pour vous autres, coquins, à qui j'ai donné l'ordre, illuminez-moi ces entours ; ou, par la mort que je voudrais tenir aux dents, si j'en saisis un par le bras…

Il secoue le bras de Grippe-Soleil.

GRIPPE-SOLEIL *s'en va en criant et pleurant.* – A, a, o, oh ! Damné brutal !

40 **BAZILE,** *en s'en allant.* – Le Ciel vous tienne en joie, monsieur du marié !

Ils sortent.

---

1. Quinze et bisque : au jeu de paume, avantage de quinze points accordé dès le départ à un joueur.
2. Industrie : ingéniosité, esprit d'invention.
3. Algarade : insulte faite avec bravade, avec éclat et défi.

Scène 3

FIGARO *seul, se promenant dans l'obscurité,*
dit du ton le plus sombre:

Ô Femme! femme! femme! créature faible et décevante!... nul
animal[1] créé ne peut manquer à son instinct; le tien est-il donc
de tromper?... Après m'avoir obstinément refusé quand je l'en
pressais devant sa maîtresse; à l'instant qu'elle me donne sa parole;
5 au milieu même de la cérémonie... Il riait en lisant, le perfide! et
moi comme un benêt!... Non, monsieur le comte, vous ne l'aurez
pas... vous ne l'aurez pas. Parce que vous êtes un grand seigneur,
vous vous croyez un grand génie!... noblesse, fortune, un rang, des
places; tout cela rend si fier! Qu'avez-vous fait pour tant de biens?
10 vous vous êtes donné la peine de naître, et rien de plus. Du reste,
homme assez ordinaire! tandis que moi, morbleu! perdu dans la
foule obscure, il m'a fallu déployer plus de science et de calculs pour
subsister seulement, qu'on n'en a mis depuis cent ans à gouverner
toutes les Espagnes; et vous voulez jouter[2]... On vient... c'est elle...
15 ce n'est personne. La nuit est noire en diable, et me voilà faisant
le sot métier de mari, quoique je ne le sois qu'à moitié! *(Il s'assied*
sur un banc.) Est-il rien de plus bizarre que ma destinée! fils de je
ne sais pas qui; volé par des bandits, élevé dans leurs mœurs, je
m'en dégoûte et veux courir une carrière honnête; et partout je
20 suis repoussé! J'apprends la chimie, la pharmacie, la chirurgie, et
tout le crédit d'un grand seigneur peut à peine me mettre à la main
une lancette[3] vétérinaire! Las d'attrister des bêtes malades, et pour
faire un métier contraire, je me jette à corps perdu dans le théâtre;
me fussé-je mis une pierre au cou! Je broche une comédie dans

---

1. **Animal**: ici, être doté d'une âme.
2. **Jouter**: rivaliser, vous confronter à quelqu'un (figuré).
3. **Lancette**: instrument servant à ouvrir une veine.

25 les mœurs du sérail[1] ; auteur espagnol, je crois pouvoir y fronder[2]
Mahomet sans scrupule : à l'instant un envoyé… de je ne sais où
se plaint que j'offense dans mes vers la Sublime Porte, la Perse,
une partie de la presqu'île de l'Inde, toute l'Égypte, les royaumes
de Barca, de Tripoli[3], de Tunis, d'Alger et de Maroc : et voilà ma
30 comédie flambée, pour plaire aux princes mahométans, dont pas
un, je crois, ne sait lire, et qui nous meurtrissent l'omoplate, en
nous disant : « chiens de chrétiens » ! Ne pouvant avilir[4] l'esprit, on
se venge en le maltraitant. Mes joues creusaient ; mon terme était
échu[5] ; je voyais de loin arriver l'affreux recors[6], la plume fichée
35 dans sa perruque ; en frémissant je m'évertue. Il s'élève une question sur la nature des richesses ; et comme il n'est pas nécessaire
de tenir les choses pour en raisonner, n'ayant pas un sou, j'écris
sur la valeur de l'argent et sur son produit net[7] ; sitôt je vois, du
fond d'un fiacre[8], baisser pour moi le pont d'un château fort, à
40 l'entrée duquel je laissai l'espérance et la liberté. *(Il se lève.)* Que
je voudrais bien tenir un de ces puissants de quatre jours, si légers
sur le mal qu'ils ordonnent, quand une bonne disgrâce a cuvé son
orgueil ! je lui dirais… que les sottises imprimées n'ont d'importance qu'aux lieux où l'on en gêne le cours ; que sans la liberté de
45 blâmer, il n'est point d'éloge flatteur ; et qu'il n'y a que les petits
hommes qui redoutent les petits écrits. *(Il se rassied.)* Las de nourrir
un obscur pensionnaire, on me met un jour dans la rue ; et comme
il faut dîner, quoiqu'on ne soit plus en prison, je taille encore ma
plume et demande à chacun de quoi il est question : on me dit que
50 pendant ma retraite économique[9], il s'est établi dans Madrid un

---

1. **Je broche une comédie dans les mœurs du sérail** : j'écris très rapidement une
comédie orientale (sérail : harem).
2. **Fronder** : railler, moquer.
3. **La Sublime Porte** : l'Empire ottoman, actuelle Turquie ; **la Perse** : l'actuel Iran ; **le
royaume de Barca** : la Libye ; **Tripoli** : capitale de la Libye.
4. **Avilir** : rendre vil, abject, méprisable.
5. **Mon terme était échu** : le temps accordé pour payer était arrivé à échéance.
6. **Recors** : officier qui accompagne un huissier pour lui prêter main-forte.
7. **Produit net** : bénéfice (terme d'économie).
8. **Fiacre** : voiture à cheval.
9. **Ma retraite économique** : mon séjour en prison.

système de liberté sur la vente des productions, qui s'étend même
à celles de la presse ; et que, pourvu que je ne parle en mes écrits,
ni de l'autorité, ni du culte, ni de la politique, ni de la morale, ni
des gens en place, ni des corps en crédit, ni de l'opéra, ni des autres
55   spectacles, ni de personne qui tienne à quelque chose, je puis tout
imprimer librement, sous l'inspection de deux ou trois censeurs.
Pour profiter de cette douce liberté, j'annonce un écrit périodique,
et croyant n'aller sur les brisées d'aucun autre, je le nomme *Journal
inutile*. Pou-ou ! je vois s'élever contre moi mille pauvres diables à
60   la feuille ; on me supprime ; et me voilà derechef sans emploi ! Le
désespoir m'allait saisir ; on pense à moi pour une place, mais par
malheur j'y étais propre[1] : il fallait un calculateur, ce fut un danseur
qui l'obtint. Il ne me restait plus qu'à voler ; je me fais banquier de
pharaon[2] : alors, bonnes gens ! je soupe en ville, et les personnes
65   dites « comme il faut » m'ouvrent poliment leur maison, en retenant
pour elles les trois quarts du profit. J'aurais bien pu me remonter ;
je commençais même à comprendre que pour gagner du bien, le
savoir-faire vaut mieux que le savoir. Mais comme chacun pillait
autour de moi, en exigeant que je fusse honnête, il fallut bien
70   périr encore. Pour le coup je quittais le monde, et, vingt brasses[3]
d'eau m'en allaient séparer, lorsqu'un dieu bienfaisant m'appelle
à mon premier état. Je reprends ma trousse et mon cuir anglais[4] ;
puis, laissant la fumée aux sots qui s'en nourrissent, et la honte au
milieu du chemin comme trop lourde à un piéton, je vais rasant
75   de ville en ville, et je vis enfin sans souci. Un grand seigneur passe
à Séville ; il me reconnaît, je le marie ; et pour prix d'avoir eu par
mes soins son épouse, il veut intercepter la mienne ! intrigue, orage
à ce sujet. Prêt à tomber dans un abîme, au moment d'épouser ma
mère, mes parents m'arrivent à la file. *(Il se lève en s'échauffant.)* On
80   se débat ; c'est vous, c'est lui, c'est moi, c'est toi ; non, ce n'est pas

---

1. J'y étais propre : j'y étais apte, j'avais les qualités nécessaires pour cela.
2. Pharaon : jeu de cartes.
3. Brasses : unité de longueur.
4. Ma trousse et mon cuir anglais : expression désignant les instruments du
barbier, et donc, par métonymie, le métier en lui-même.

nous ; eh ! mais qui donc ? *(Il retombe assis.)* Ô bizarre suite d'événements ! Comment cela m'est-il arrivé ? Pourquoi ces choses et
non pas d'autres ? Qui les a fixées sur ma tête ? Forcé de parcourir
la route où je suis entré sans le savoir, comme j'en sortirai sans le
85 vouloir, je l'ai jonchée d'autant de fleurs que ma gaieté me l'a permis ; encore je dis ma gaieté, sans savoir si elle est à moi plus que le
reste, ni même quel est ce Moi dont je m'occupe : un assemblage
informe de parties inconnues ; puis un chétif être imbécile[1] ; un
petit animal folâtre ; un jeune homme ardent au plaisir, ayant tous
90 les goûts pour jouir, faisant tous les métiers pour vivre ; maître ici,
valet là, selon qu'il plaît à la fortune ! ambitieux par vanité, labo-
rieux par nécessité ; mais paresseux… avec délices ! orateur selon le
danger ; poète par délassement ; musicien par occasion ; amoureux
par folles bouffées ; j'ai tout vu, tout fait, tout usé. Puis l'illusion s'est
95 détruite, et, trop désabusé… Désabusé !… Suzon, Suzon, Suzon !
que tu me donnes de tourments !… J'entends marcher… on vient.
Voici l'instant de la crise[2].

Il se retire près de la première coulisse à sa droite.

Scène 4

Figaro, la comtesse *avec les habits de Suzon*;
Suzanne *avec ceux de la comtesse*; Marceline

Suzanne, *bas à la comtesse.* – Oui, Marceline m'a dit que Figaro y serait.

Marceline. – Il y est aussi ; baisse la voix.

Suzanne. – Ainsi l'un nous écoute et l'autre va venir me chercher ;
commençons.

---

1. **Imbécile** : faible.
2. **Crise** : dans la tragédie, cœur de la pièce où la tension est à son comble.

5 **MARCELINE**. – Pour n'en pas perdre un mot, je vais me cacher dans le pavillon.

Elle entre dans le pavillon où est entrée Fanchette.

Scène 5

FIGARO, LA COMTESSE, SUZANNE

LA COMTESSE, *haut*. – Madame tremble ! est-ce qu'elle aurait froid ?

SUZANNE, *haut*. – La soirée est humide, je vais me retirer.

LA COMTESSE, *haut*. – Si Madame n'avait pas besoin de moi, je prendrais l'air un moment, sous ces arbres.

5 **SUZANNE**, *haut*. – C'est le serein[1] que tu prendras.

LA COMTESSE, *haut*. – J'y suis toute faite.

FIGARO, *à part*. – Ah ! oui, le serein !

Suzanne se retire près de la coulisse, du côté opposé à Figaro.

---

1. Serein : humidité qui tombe après le coucher du soleil et rafraîchit l'atmosphère.

Scène 6

FIGARO, CHÉRUBIN, LE COMTE, LA COMTESSE, SUZANNE.

Figaro et Suzanne retirés de chaque côté
sur le devant.

CHÉRUBIN, *en habit d'officier, arrive en chantant gaiement la reprise de l'air de la romance.* – La, la, la, etc.

J'avais une marraine,
Que toujours adorai.

5   LA COMTESSE, *à part.* – Le petit page !

CHÉRUBIN *s'arrête.* – On se promène ici ; gagnons vite mon asile, où la petite Fanchette… C'est une femme !

LA COMTESSE *écoute.* – Ah grands dieux !

CHÉRUBIN *se baisse en regardant de loin.* – Me trompé-je ? à cette
10   coiffure en plumes qui se dessine au loin dans le crépuscule, il me semble que c'est Suzon.

LA COMTESSE, *à part.* – Si le comte arrivait !…

Le comte paraît dans le fond.

CHÉRUBIN *s'approche et prend la main de la comtesse, qui se défend.* – Oui, c'est la charmante fille qu'on nomme Suzanne : eh ! pourrais-je m'y
15   méprendre à la douceur de cette main, à ce petit tremblement qui l'a saisie, surtout au battement de son cœur !

Il veut y appuyer le dos de la main de la comtesse ; elle la retire.

LA COMTESSE, *bas.* – Allez-vous-en.

CHÉRUBIN. – Si la compassion t'avait conduite exprès dans cet endroit du parc où je suis caché depuis tantôt ?…

20   LA COMTESSE. – Figaro va venir.

LE COMTE, *s'avançant, dit à part*. – N'est-ce pas Suzanne que j'aperçois?

CHÉRUBIN, *à la comtesse*. – Je ne crains point du tout Figaro, car ce n'est pas lui que tu attends.

LA COMTESSE. – Qui donc?

25 **LE COMTE**, *à part*. – Elle est avec quelqu'un.

CHÉRUBIN. – C'est Monseigneur, friponne, qui t'a demandé ce rendez-vous ce matin, quand j'étais derrière le fauteuil.

LE COMTE, *à part, avec fureur*. – C'est encore le page infernal!

FIGARO, *à part*. – On dit qu'il ne faut pas écouter!

30 **SUZANNE**, *à part*. – Petit bavard!

LA COMTESSE, *au page*. – Obligez-moi de vous retirer.

CHÉRUBIN. – Ce ne sera pas au moins sans avoir reçu le prix de mon obéissance.

LA COMTESSE, *effrayée*. – Vous prétendez?…

35 **CHÉRUBIN**, *avec feu*. – D'abord vingt baisers, pour ton compte, et puis cent pour ta belle maîtresse.

LA COMTESSE. – Vous oseriez?

CHÉRUBIN. – Oh! que oui, j'oserai; tu prends sa place auprès de Monseigneur; moi celle du comte auprès de toi; le plus attrapé,
40 c'est Figaro.

FIGARO, *à part*. – Ce brigandeau!

SUZANNE, *à part*. – Hardi comme un page.

> *Chérubin veut embrasser la comtesse;*
> *le comte se met entre deux et reçoit le baiser.*

LA COMTESSE, *se retirant*. – Ah! Ciel!

FIGARO, *à part, entendant le baiser*. – J'épousais une jolie mignonne!

Il écoute.

45 **Chérubin,** *tâtant les habits du comte; à part.* – C'est Monseigneur!

Il s'enfuit dans le pavillon
où sont entrées Fanchette et Marceline.

Scène 7

Figaro, le comte, la comtesse, Suzanne

Figaro *s'approche.* – Je vais…

Le comte, *croyant parler au page.* – Puisque vous ne redoublez pas le baiser…

Il croit lui donner un soufflet.

Figaro, *qui est à portée, le reçoit.* – Ah!

5 **Le comte.** – … Voilà toujours le premier payé.

Figaro *s'éloigne en se frottant la joue; à part.* – Tout n'est pas gain non plus en écoutant.

Suzanne, *riant tout haut de l'autre côté.* – Ah! ah! ah! ah!

Le comte, *à la comtesse qu'il prend pour Suzanne.* – Entend-on
10 quelque chose à ce page? il reçoit le plus rude soufflet et s'enfuit en éclatant de rire.

Figaro, *à part.* – S'il s'affligeait de celui-ci!…

Le comte. – Comment! je ne pourrai faire un pas… (*À la comtesse:*) Mais laissons cette bizarrerie; elle empoisonnerait le plaisir que j'ai
15 de te trouver dans cette salle.

La comtesse, *imitant le parler de Suzanne.* – L'espériez-vous?

LE COMTE. – Après ton ingénieux billet ! *(Il lui prend la main.)* Tu trembles ?

LA COMTESSE. – J'ai eu peur.

20 **LE COMTE.** – Ce n'est pas pour te priver du baiser que je l'ai pris.

Il la baise au front.

LA COMTESSE. – Des libertés !

FIGARO, *à part.* – Coquine !

SUZANNE, *à part.* – Charmante !

LE COMTE *prend la main de sa femme.* – Mais quelle peau fine et
25 douce, et qu'il s'en faut que la comtesse ait la main aussi belle !

LA COMTESSE, *à part.* – Oh ! la prévention[1] !

LE COMTE. – A-t-elle ce bras ferme et rondelet ? ces jolis doigts pleins
de grâce et d'espièglerie ?

LA COMTESSE, *de la voix de Suzanne.* – Ainsi l'amour ?…

30 **LE COMTE.** – L'amour… n'est que le roman du cœur : c'est le plaisir
qui en est l'histoire ; il m'amène à tes genoux.

LA COMTESSE. – Vous ne l'aimez plus ?

LE COMTE. – Je l'aime beaucoup ; mais trois ans d'union rendent
l'hymen si respectable !

35 **LA COMTESSE.** – Que vouliez-vous en elle ?

LE COMTE, *la caressant.* – Ce que je trouve en toi, ma beauté…

LA COMTESSE. – Mais dites donc.

LE COMTE. – … Je ne sais : moins d'uniformité[2] peut-être, plus de
piquant dans les manières ; un je-ne-sais-quoi qui fait le charme ;

---

1. **Prévention** : opinion préconçue, préjugé.
2. **Uniformité** : monotonie.

40 quelquefois un refus, que sais-je? Nos femmes croient tout accomplir
en nous aimant: cela dit une fois, elles nous aiment, nous aiment!
(quand elles nous aiment), et sont si complaisantes et si constamment obligeantes[1], et toujours, et sans relâche, qu'on est tout surpris
un beau soir de trouver la satiété où l'on recherchait le bonheur!

45 LA COMTESSE, *à part.* – Ah! quelle leçon!

LE COMTE. – En vérité, Suzon, j'ai pensé mille fois que si nous pour-
suivons ailleurs ce plaisir qui nous fuit chez elles, c'est qu'elles
n'étudient pas assez l'art de soutenir notre goût, de se renouveler
à l'amour, de ranimer, pour ainsi dire, le charme de leur possession
50 par celui de la variété.

LA COMTESSE, *piquée.* – Donc elles doivent tout?...

LE COMTE, *riant.* – Et l'homme rien? Changerons-nous la marche
de la nature? notre tâche à nous fut de les obtenir: la leur...

LA COMTESSE. – La leur?...

55 LE COMTE. – Est de nous retenir: on l'oublie trop.

LA COMTESSE. – Ce ne sera pas moi.

LE COMTE. – Ni moi.

FIGARO, *à part.* – Ni moi.

SUZANNE, *à part.* – Ni moi.

60 LE COMTE *prend la main de sa femme.* – Il y a de l'écho ici; parlons
plus bas. Tu n'as nul besoin d'y songer, toi que l'amour a faite et
si vive et si jolie! avec un grain de caprice tu seras la plus agaçante
maîtresse! *(Il la baise au front.)* Ma Suzanne, un Castillan n'a que
sa parole. Voici tout l'or promis pour le rachat du droit que je n'ai
65 plus sur le délicieux moment que tu m'accordes. Mais comme la
grâce que tu daignes y mettre est sans prix, j'y joindrai ce brillant,
que tu porteras pour l'amour de moi.

---

1. **Obligeantes**: serviables, attentionnées.

La comtesse, *une révérence.* – Suzanne accepte tout.

Figaro, *à part.* – On n'est pas plus coquine que cela.

70 **Suzanne**, *à part.* – Voilà du bon bien qui nous arrive.

Le comte, *à part.* – Elle est intéressée ; tant mieux.

La comtesse *regarde au fond.* – Je vois des flambeaux.

Le comte. – Ce sont les apprêts de ta noce : entrons-nous un moment dans l'un de ces pavillons pour les laisser passer ?

75 **La comtesse.** – Sans lumière ?

Le comte *l'entraîne doucement.* – À quoi bon ? nous n'avons rien à lire.

Figaro, *à part.* – Elle y va, ma foi ! Je m'en doutais.

Il s'avance.

Le comte *grossit sa voix en se retournant.* – Qui passe ici ?

Figaro, *en colère.* – Passer ! on vient exprès.

80 **Le comte**, *bas, à la comtesse.* – C'est Figaro !…

Il s'enfuit.

La comtesse. – Je vous suis.

Elle entre dans le pavillon à sa droite,
pendant que le comte se perd dans le bois, au fond.

Scène 8

Figaro, **Suzanne**, *dans l'obscurité.*

Figaro *cherche à voir où vont le comte et la comtesse, qu'il prend pour Suzanne.* – Je n'entends plus rien ; ils sont entrés ; m'y voilà. *(D'un*

ton altéré :) Vous autres époux maladroits, qui tenez des espions à gages, et tournez des mois entiers autour d'un soupçon sans l'asseoir,
5   que ne m'imitez-vous ? Dès le premier jour je suis ma femme, et je l'écoute ; en un tour de main on est au fait : c'est charmant, plus de doutes ; on sait à quoi s'en tenir. *(Marchant vivement.)* Heureusement que je ne m'en soucie guère, et que sa trahison ne me fait plus rien du tout. Je les tiens donc enfin !

10   SUZANNE, *qui s'est avancée doucement dans l'obscurité. À part.* – Tu vas payer tes beaux soupçons. *(Du ton de voix de la comtesse.)* Qui va là ?

FIGARO, *extravagant*[1]. – Qui va là ? Celui qui voudrait de bon cœur que la peste eût étouffé en naissant...

SUZANNE, *du ton de la comtesse.* – Eh ! mais, c'est Figaro !

15   FIGARO *regarde, et dit vivement.* – Madame la comtesse !

SUZANNE. – Parlez bas.

FIGARO, *vite.* – Ah ! madame, que le Ciel vous amène à propos ! Où croyez-vous qu'est Monseigneur ?

SUZANNE. – Que m'importe un ingrat ? Dis-moi...

20   FIGARO, *plus vite.* – Et Suzanne mon épousée, où croyez-vous qu'elle soit ?

SUZANNE. – Mais parlez bas !

FIGARO, *très vite.* – Cette Suzon qu'on croyait si vertueuse, qui faisait la réservée ! Ils sont enfermés là-dedans. Je vais appeler.

25   SUZANNE, *lui fermant la bouche avec sa main, oublie de déguiser sa voix.* – N'appelez pas.

FIGARO, *à part.* – Eh c'est Suzon ! *God-dam !*

SUZANNE, *du ton de la comtesse.* – Vous paraissez inquiet.

---

1. Extravagant : bizarre, fantasque, qui s'oppose au bon sens.

FIGARO, *à part.* – Traîtresse ! qui veut me surprendre !

30 SUZANNE. – Il faut nous venger, Figaro.

FIGARO. – En sentez-vous le vif désir ?

SUZANNE. – Je ne serais donc pas de mon sexe ! Mais les hommes en ont cent moyens.

FIGARO, *confidemment.* – Madame, il n'y a personne ici de trop. Celui 35 des femmes… les vaut tous.

SUZANNE, *à part.* – Comme je le souffletterais !

FIGARO, *à part.* – Il serait bien gai qu'avant la noce !…

SUZANNE. – Mais qu'est-ce qu'une telle vengeance, qu'un peu d'amour n'assaisonne pas ?

40 FIGARO. – Partout où vous n'en voyez point, croyez que le respect dissimule.

SUZANNE, *piquée.* – Je ne sais si vous le pensez de bonne foi, mais vous ne le dites pas de bonne grâce.

FIGARO, *avec une chaleur comique, à genoux.* – Ah ! madame, je vous 45 adore. Examinez le temps, le lieu, les circonstances, et que le dépit supplée en vous aux grâces qui manquent à ma prière.

SUZANNE, *à part.* – La main me brûle !

FIGARO, *à part.* – Le cœur me bat.

SUZANNE. – Mais, monsieur, avez-vous songé ?…

50 FIGARO. – Oui, madame, oui, j'ai songé.

SUZANNE. – … Que pour la colère et l'amour…

FIGARO. – … Tout ce qui se diffère est perdu. Votre main, madame ?

SUZANNE, *de sa voix naturelle et lui donnant un soufflet.* – La voilà.

FIGARO. – Ah ! *Demonio !* quel soufflet !

55 Suzanne *lui en donne un second.* – Quel soufflet ! Et celui-ci ?

Figaro. – Eh *qu'es aquo*[1] ! de par le diable ! est-ce ici la journée des tapes ?

Suzanne *le bat à chaque phrase.* – Ah ! *qu'es aquo* ? Voilà pour tes soupçons ; voilà pour tes vengeances et pour tes trahisons, tes expé-
60 dients, tes injures et tes projets. C'est-il çà de l'amour ? dis donc comme ce matin ?

Figaro *rit en se relevant.* – *Santa Barbara*[2] ! oui c'est de l'amour. Ô bonheur ! ô délices ! ô cent fois heureux Figaro ! Frappe, ma bien-aimée, sans te lasser. Mais quand tu m'auras diapré tout le corps de
65 meurtrissures, regarde avec bonté, Suzon, l'homme le plus fortuné qui fut jamais battu par une femme.

Suzanne. – « Le plus fortuné ! » Bon fripon, vous n'en séduisiez pas moins la comtesse, avec un si trompeur babil[3] que m'oubliant moi-même, en vérité, c'était pour elle que je cédais.

70 Figaro. – Ai-je pu me méprendre, au son de ta jolie voix ?

Suzanne, *en riant.* – Tu m'as reconnue ? Ah ! comme je m'en vengerai !

Figaro. – Bien rosser et garder rancune est aussi par trop fémi-nin ! Mais dis-moi donc par quel bonheur je te vois là, quand je te croyais avec lui ; et comment cet habit, qui m'abusait, te montre
75 enfin innocente…

Suzanne. – Eh ! c'est toi qui es un innocent[4], de venir te prendre au piège apprêté pour un autre ! Est-ce notre faute à nous, si voulant museler un renard, nous en attrapons deux ?

Figaro. – Qui donc prend l'autre ?

80 Suzanne. – Sa femme.

---

1. **Qu'es aquo** : « qu'est-ce que c'est », en occitan.
2. **Santa Barbara** : sainte Barbe, sainte et martyre dans la religion chrétienne.
3. **Babil** : bavardage charmant (ici employé de façon péjorative par Suzanne).
4. **Innocent** : ici, simple, crédule (Suzanne joue sur le deuxième sens du mot).

FIGARO. – Sa femme?

SUZANNE. – Sa femme.

FIGARO, *follement.* – Ah! Figaro! pends-toi; tu n'as pas deviné celui-là! Sa femme! Ô douze ou quinze mille fois spirituelles femelles!
85 Ainsi les baisers de cette salle…?

SUZANNE. – Ont été donnés à Madame.

FIGARO. – Et celui du page?

SUZANNE, *riant.* – À Monsieur.

FIGARO. – Et tantôt, derrière le fauteuil?

90 **SUZANNE.** – À personne.

FIGARO. – En êtes-vous sûre?

SUZANNE, *riant.* – Il pleut des soufflets, Figaro.

FIGARO *lui baise la main.* – Ce sont des bijoux que les tiens. Mais celui du comte était de bonne guerre.

95 **SUZANNE.** – Allons, superbe[1]! humilie-toi[2].

FIGARO *fait tout ce qu'il annonce.* – Cela est juste; à genoux, bien courbé, prosterné, ventre à terre.

SUZANNE, *en riant.* – Ah! ce pauvre comte! quelle peine il s'est donnée…

FIGARO *se relève sur ses genoux.* – … Pour faire la conquête de sa
100 femme!

---

1. **Superbe**: fier, orgueilleux.
2. **Humilie-toi**: fais preuve d'humilité.

Scène 9

LE COMTE *entre par le fond du théâtre*
et va droit au pavillon à sa droite.
FIGARO, SUZANNE

LE COMTE, *à lui-même.* – Je la cherche en vain dans le bois, elle est peut-être entrée ici.

SUZANNE, *à Figaro, parlant bas.* – C'est lui.

LE COMTE, *ouvrant le pavillon.* – Suzon, es-tu là-dedans?

5 FIGARO, *bas.* – Il la cherche, et moi je croyais…

SUZANNE, *bas.* – Il ne l'a pas reconnue.

FIGARO. – Achevons-le, veux-tu?

Il lui baise la main.

LE COMTE *se retourne.* – Un homme aux pieds de la comtesse!… Ah! je suis sans armes.

Il s'avance.

10 FIGARO *se relève tout à fait en déguisant sa voix.* – Pardon, madame, si je n'ai pas réfléchi que ce rendez-vous ordinaire était destiné pour la noce.

LE COMTE, *à part.* – C'est l'homme du cabinet de ce matin.

Il se frappe le front.

FIGARO *continue.* – Mais il ne sera pas dit qu'un obstacle aussi sot
15 aura retardé nos plaisirs.

LE COMTE, *à part.* – Massacre, mort, enfer!

Figaro, *la conduisant au cabinet.* – *(Bas.)* Il jure. *(Haut.)* Pressons-nous donc, madame, et réparons le tort qu'on nous a fait tantôt, quand j'ai sauté par la fenêtre.

20 **Le comte**, *à part.* – Ah ! tout se découvre enfin.

Suzanne, *près du pavillon à sa gauche.* – Avant d'entrer, voyez si personne n'a suivi.

Il la baise au front.

Le comte *s'écrie.* – Vengeance !

Suzanne s'enfuit dans le pavillon
où sont entrés Fanchette, Marceline et Chérubin.

Scène 10
Le comte, Figaro.
(Le comte saisit le bras de Figaro.)

Figaro, *jouant la frayeur excessive.* – C'est mon maître !

Le comte *le reconnaît.* – Ah ! scélérat, c'est toi ! Holà ! quelqu'un, quelqu'un !

Scène 11
Pédrille, le comte, Figaro

Pédrille, *botté.* – Monseigneur, je vous trouve enfin.

Le comte. – Bon, c'est Pédrille. Es-tu tout seul ?

PÉDRILLE. – Arrivant de Séville à étripe-cheval[1].

LE COMTE. – Approche-toi de moi, et crie bien fort.

5 **PÉDRILLE,** *criant à tue-tête.* – Pas plus de page que sur ma main. Voilà le paquet.

LE COMTE *le repousse.* – Eh ! l'animal.

PÉDRILLE. – Monseigneur me dit de crier.

LE COMTE, *tenant toujours Figaro.* – Pour appeler. Holà ! quelqu'un !
10 si l'on m'entend, accourez tous !

PÉDRILLE. – Figaro et moi, nous voilà deux ; que peut-il donc vous arriver ?

Scène 12
LES ACTEURS PRÉCÉDENTS, BRID'OISON,
BARTHOLO, BAZILE, ANTONIO, GRIPPE-SOLEIL,
toute la noce accourt avec des flambeaux.

BARTHOLO, *à Figaro.* – Tu vois qu'à ton premier signal…

LE COMTE, *montrant le pavillon à sa gauche.* – Pédrille, empare-toi de cette porte.

Pédrille y va.

BAZILE, *bas à Figaro.* – Tu l'as surpris avec Suzanne ?

5 **LE COMTE,** *montrant Figaro.* – Et vous, tous mes vassaux, entourez-moi cet homme et m'en répondez sur la vie.

---

1. **À étripe-cheval** : à toute allure.

BAZILE. – Ha! ha!

LE COMTE, *furieux.* – Taisez-vous donc. *(À Figaro, d'un ton glacé:)* Mon cavalier, répondez-vous à mes questions?

10 **FIGARO,** *froidement.* – Eh! qui pourrait m'en exempter, monseigneur? Vous commandez à tout ici, hors à vous-même.

LE COMTE, *se contenant.* – Hors à moi-même!

ANTONIO. – C'est ça parler.

LE COMTE *reprend sa colère.* – Non, si quelque chose pouvait aug-
15 menter ma fureur! ce serait l'air calme qu'il affecte!

FIGARO. – Sommes-nous des soldats qui tuent et se font tuer pour des intérêts qu'ils ignorent? Je veux savoir, moi, pourquoi je me fâche.

LE COMTE, *hors de lui.* – Ô rage! *(Se contenant.)* Homme de bien qui feignez d'ignorer! nous ferez-vous au moins la faveur de nous dire
20 quelle est la dame actuellement par vous amenée dans ce pavillon?

FIGARO, *montrant l'autre avec malice.* – Dans celui-là?

LE COMTE, *vite.* – Dans celui-ci.

FIGARO, *froidement.* – C'est différent. Une jeune personne qui m'honore de ses bontés particulières.

25 **BAZILE,** *étonné.* – Ha! ha!

LE COMTE, *vite.* – Vous l'entendez, messieurs?

BARTHOLO, *étonné.* – Nous l'entendons?

LE COMTE, *à Figaro.* – Et cette jeune personne a-t-elle un autre engagement que vous sachiez?

30 **FIGARO,** *froidement.* – Je sais qu'un grand seigneur s'en est occupé quelque temps: mais, soit qu'il l'ait négligée ou que je lui plaise mieux qu'un plus aimable, elle me donne aujourd'hui la préférence.

LE COMTE, *vivement.* – La préf… *(Se contenant.)* Au moins il est naïf ! car ce qu'il avoue, messieurs, je l'ai ouï, je vous jure, de la bouche même de sa complice.

BRID'OISON, *stupéfait.* – Sa-a complice !

LE COMTE, *avec fureur.* – Or, quand le déshonneur est public, il faut que la vengeance le soit aussi.

Il entre dans le pavillon.

Scène 13

TOUS LES ACTEURS PRÉCÉDENTS,
hors LE COMTE

ANTONIO. – C'est juste.

BRID'OISON, *à Figaro.* – Qui-i donc a pris la femme de l'autre ?

FIGARO, *en riant.* – Aucun n'a eu cette joie-là.

Scène 14

LES ACTEURS PRÉCÉDENTS, LE COMTE,
CHÉRUBIN

LE COMTE, *parlant dans le pavillon, et attirant quelqu'un qu'on ne voit pas encore.* – Tous vos efforts sont inutiles ; vous êtes perdue, madame, et votre heure est bien arrivée ! *(Il sort sans regarder.)* Quel bonheur qu'aucun gage d'une union aussi détestée…

5   FIGARO *s'écrie.* – Chérubin !

LE COMTE. – Mon page ?

BAZILE. – Ha ! ha !

LE COMTE, *hors de lui, à part.* – Et toujours le page endiablé ! *(À Chérubin :)* Que faisiez-vous dans ce salon ?

10   CHÉRUBIN, *timidement.* – Je me cachais, comme vous l'avez ordonné.

PÉDRILLE. – Bien la peine de crever un cheval !

LE COMTE. – Entres-y, toi, Antonio ; conduis devant son juge l'infâme qui m'a déshonoré.

BRID'OISON. – C'est Madame que vous y-y cherchez ?

15   ANTONIO. – L'y a, parguenne, une bonne Providence ! Vous en avez tant fait dans le pays…

LE COMTE, *furieux.* – Entre donc !

Antonio entre.

Scène 15

LES ACTEURS PRÉCÉDENTS, *excepté* ANTONIO

LE COMTE. – Vous allez voir, messieurs, que le page n'y était pas seul.

CHÉRUBIN, *timidement.* – Mon sort eût été trop cruel, si quelque âme sensible n'en eût adouci l'amertume.

Scène 16

LES ACTEURS PRÉCÉDENTS, ANTONIO, FANCHETTE

ANTONIO, *attirant par le bras quelqu'un qu'on ne voit pas encore.* – Allons, madame, il ne faut pas vous faire prier pour en sortir, puisqu'on sait que vous y êtes entrée.

FIGARO *s'écrie.* – La petite cousine !

5 **BAZILE.** – Ha ! ha !

LE COMTE. – Fanchette !

ANTONIO *se retourne et s'écrie.* – Ah ! palsambleu, monseigneur, il est gaillard de me choisir pour montrer à la compagnie que c'est ma fille qui cause tout ce train-là !

10 **LE COMTE**, *outré.* – Qui la savait là-dedans ?

Il veut rentrer.

BARTHOLO, *au-devant.* – Permettez, monsieur le comte, ceci n'est pas plus clair. Je suis de sang-froid, moi.

Il entre.

BRID'OISON. – Voilà une affaire au-aussi trop embrouillée.

Scène 17

LES ACTEURS PRÉCÉDENTS, MARCELINE

BARTHOLO, *parlant en dedans, et sortant.* – Ne craignez rien, madame, il ne vous sera fait aucun mal. J'en réponds. *(Il se retourne et s'écrie :)* Marceline !

BAZILE. – Ha, ha !

5 **FIGARO**, *riant*. – Eh ! quelle folie ! ma mère en est ?

ANTONIO. – À qui pis fera.

LE COMTE, *outré*. – Que m'importe à moi ? La comtesse…

Scène 18
LES ACTEURS PRÉCÉDENTS, SUZANNE
(Suzanne, son éventail sur le visage.)

LE COMTE. – … Ah ! la voici qui sort. *(Il la prend violemment par le bras.)* Que croyez-vous, messieurs, que mérite une odieuse… ?

> *Suzanne se jette à genoux, la tête baissée.*

LE COMTE, *fort*. – Non, non. *(Figaro se jette à genoux de l'autre côté.)*

LE COMTE, *plus fort*. – Non, non ! *(Marceline se jette à genoux devant lui.)*

5 **LE COMTE**, *plus fort*. – Non, non ! *(Tous se mettent à genoux, excepté Brid'oison.)*

LE COMTE, *hors de lui*. – Y fussiez-vous un cent !

Scène 19 et dernière
TOUS LES ACTEURS PRÉCÉDENTS ;
LA COMTESSE *sort de l'autre pavillon.*

LA COMTESSE *se jette à genoux*. – Au moins je ferai nombre.

LE COMTE, *regardant la comtesse et Suzanne*. – Ah ! qu'est-ce que je vois !

BRID'OISON, *riant.* – Et pardi, c'è-est Madame.

LE COMTE *veut relever la comtesse.* – Quoi, c'était vous, comtesse ? *(D'un ton suppliant.)* Il n'y a qu'un pardon bien généreux…

LA COMTESSE, *en riant.* – Vous diriez «Non, non », à ma place ; et moi, pour la troisième fois d'aujourd'hui, je l'accorde sans condition.

Elle se relève.

SUZANNE *se relève.* – Moi aussi.

MARCELINE *se relève.* – Moi aussi.

FIGARO *se relève.* – Moi aussi ; il y a de l'écho ici !

Tous se relèvent.

LE COMTE. – De l'écho ! J'ai voulu ruser avec eux ; ils m'ont traité comme un enfant !

LA COMTESSE, *en riant.* – Ne le regrettez pas, monsieur le comte.

FIGARO, *s'essuyant les genoux avec son chapeau.* – Une petite journée comme celle-ci forme bien un ambassadeur !

LE COMTE, *à Suzanne.* – Ce billet fermé d'une épingle ?…

SUZANNE. – C'est Madame qui l'avait dicté.

LE COMTE. – La réponse lui en est bien due.

Il baise la main de la comtesse.

LA COMTESSE. – Chacun aura ce qui lui appartient.

Elle donne la bourse à Figaro et le diamant à Suzanne.

SUZANNE, *à Figaro.* – Encore une dot.

FIGARO, *frappant la bourse dans sa main.* – Et de trois. Celle-ci fut rude à arracher !

SUZANNE. – Comme notre mariage.

GRIPPE-SOLEIL. – Et la jarretière de la mariée, l'aurons-je ?

25   LA COMTESSE *arrache le ruban qu'elle a tant gardé dans son sein, et le jette à terre.* – La jarretière ? Elle était avec ses habits ; la voilà.

Les garçons de la noce veulent la ramasser.

CHÉRUBIN, *plus alerte, court la prendre, et dit.* – Que celui qui la veut vienne me la disputer.

LE COMTE, *en riant, au page.* – Pour un monsieur si chatouilleux,
30   qu'avez-vous trouvé de gai à certain soufflet de tantôt ?

CHÉRUBIN *recule en tirant à moitié son épée.* – À moi, mon colonel ?

FIGARO, *avec une colère comique.* – C'est sur ma joue qu'il l'a reçu : voilà comme les grands font justice.

LE COMTE, *riant.* – C'est sur sa joue ? Ah, ah, ah, qu'en dites-vous
35   donc, ma chère comtesse ?

LA COMTESSE, *absorbée, revient à elle, et dit avec sensibilité.* – Ah ! oui, cher comte, et pour la vie, sans distraction, je vous le jure.

LE COMTE, *frappant sur l'épaule du juge.* – Et vous, don Brid'oison, votre avis maintenant ?

40   BRID'OISON. – Su-ur tout ce que je vois, monsieur le comte ?… Ma-a foi, pour moi, je-e ne sais que vous dire : voilà ma façon de penser.

TOUS, *ensemble.* – Bien jugé !

FIGARO. – J'étais pauvre, on me méprisait. J'ai montré quelque esprit, la haine est accourue. Une jolie femme et de la fortune.

45   BARTHOLO, *en riant.* – Les cœurs vont te revenir en foule.

FIGARO. – Est-il possible ?

BARTHOLO. – Je les connais.

FIGARO, *saluant les spectateurs.* – Ma femme et mon bien mis à part, tous me feront honneur et plaisir.

On joue la ritournelle du vaudeville. Air noté.

VAUDEVILLE

BAZILE

Premier couplet

50 Triple dot, femme superbe ;
Que de biens pour un époux !
D'un seigneur, d'un page imberbe,
Quelque sot serait jaloux.
Du latin d'un vieux proverbe
55 L'homme adroit fait son parti.

FIGARO. – Je le sais… *(Il chante :) Gaudeant bene nati.*

BAZILE. – Non… *(Il chante :) Gaudeant bene nanti*[1].

SUZANNE

Deuxième couplet

Qu'un mari sa foi trahisse,
Il s'en vante, et chacun rit ;
60 Que sa femme ait un caprice,
S'il l'accuse on la punit.
De cette absurde injustice
Faut-il dire le pourquoi ?
Les plus forts ont fait la loi…   *Bis.*

FIGARO

Troisième couplet

65 Jean Jeannot, jaloux risible,
Veut unir femme et repos ;
Il achète un chien terrible,
Et le lâche en son enclos.

---

1. *Gaudeant bene nati* : en latin, «heureux les gens bien nés» (parodie des Béatitudes du Nouveau Testament) ; ***gaudeant bene nanti*** : heureux les nantis (jeu de mots sur le latin «nati» et le français «nanti»).

70

La nuit, quel vacarme horrible !
Le chien court, tout est mordu,
Hors l'amant qui l'a vendu...   *Bis.*

LA COMTESSE

Quatrième couplet

Telle est fière et répond d'elle,
Qui n'aime plus son mari ;
Telle autre, presque infidèle,
Jure de n'aimer que lui.
La moins folle, hélas ! est celle
Qui se veille en son lien[1],
Sans oser jurer de rien...   *Bis.*

75

LE COMTE

Cinquième couplet

D'une femme de province
À qui ses devoirs sont chers,
Le succès est assez mince ;
Vive la femme aux bons airs !
Semblable à l'écu du Prince,
Sous le coin d'un seul époux,
Elle sert au bien de tous...   *Bis.*

80

85

MARCELINE

Sixième couplet

Chacun sait la tendre mère,
Dont il a reçu le jour ;
Tout le reste est un mystère,
C'est le secret de l'amour.

---

1. Qui se veille en son lien : qui surveille son mariage.

FIGARO *continue l'air.*

90 Ce secret met en lumière
Comment le fils d'un butor
Vaut souvent son pesant d'or…   *Bis.*

Septième couplet

Par le sort de la naissance,
L'un est roi, l'autre est berger ;
95 Le hasard fit leur distance ;
L'esprit seul peut tout changer.
De vingt rois que l'on encense,
Le trépas brise l'autel ;
Et Voltaire est immortel…   *Bis.*

CHÉRUBIN

Huitième couplet

100 Sexe aimé, sexe volage,
Qui tourmentez nos beaux jours,
Si de vous chacun dit rage[1],
Chacun vous revient toujours.
Le parterre[2] est votre image ;
105 Tel paraît le dédaigner,
Qui fait tout pour le gagner…   *Bis.*

SUZANNE

Neuvième couplet

Si ce gai, ce fol ouvrage,
Renfermait quelque leçon,
En faveur du badinage,

---

1. Dit rage : dit tout le mal imaginable.
2. Parterre : ensemble des spectateurs installés au parterre, la partie du théâtre située au niveau de la scène et où on se tenait debout ; les places y étant les moins chères, c'est l'endroit où se rassemblait le public populaire.

110   Faites grâce à la raison.
         Ainsi la nature sage
         Nous conduit, dans nos désirs,
         À son but, par les plaisirs…   *Bis.*

BRID'OISON

Dixième couplet

         Or, messieurs, la co-omédie
115   Que l'on juge en cè-et instant,
         Sauf erreur, nous pein-eint la vie
         Du bon peuple qui l'entend.
         Qu'on l'opprime, il peste, il crie ;
         Il s'agite en cent fa-açons ;
120   Tout fini-it par des chansons…   *Bis.*

BALLET GÉNÉRAL

FIN DU CINQUIÈME ET DERNIER ACTE

Pour comprendre l'essentiel

1 Le spectateur attend que la comtesse et Suzanne passent à l'action pour piéger le comte. Montrez comment le dramaturge retarde et prépare l'exécution de ce plan, qui n'a lieu qu'à la scène 7.

2 La scène où la comtesse se fait passer pour Suzanne auprès du comte n'est pas franchement comique. Observez la façon dont les compliments du comte sont formulés ainsi que les réactions de son épouse, afin de définir de manière nuancée la tonalité du passage.

3 Outre le déguisement de la comtesse, le travestissement de Suzanne occasionne lui aussi des quiproquos et des péripéties dans les scènes 8 et 9. Dites lesquels puis analysez la façon dont ils s'enchaînent et l'effet produit sur le spectateur.

4 L'espace scénique est très éclaté dans l'acte V. Listez les différents lieux qui le composent. Dessinez ensuite plusieurs croquis, correspondant aux scènes 6 et 14, où vous placerez les personnages.

5 Le fait que Suzanne et Figaro sont cachés, chacun de son côté, engendre des situations comiques et des quiproquos (scènes 6 et 7). Recensez-les.

6 Des scènes 14 à 19, Beaumarchais n'a pas choisi n'importe quel personnage pour aller chercher ceux qui sont cachés dans les pavillons. Rappelez brièvement quels sont les duos formés puis dites ce que suggèrent ces choix.

Un dénouement heureux ?

7 Dans la dernière scène, tous les stratagèmes sont dévoilés. Montrez en quoi cette fin correspond à la définition d'un dénouement de comédie. Repérez aussi les indices qui nuancent l'idée d'un avenir totalement heureux.

8 Une fois désabusé, le comte reconnaît ses torts et sa faiblesse : on peut donc penser que la comtesse est vengée. La conception libertine de l'amour qu'il a exposée dans la scène 7 laisse pourtant planer le doute. En vous appuyant précisément sur le texte, exprimez votre point de vue sur la situation de la comtesse à la fin de la pièce.

9 « Tout finit par des chansons » : ce sont là les derniers mots de la pièce, qui semble se clore dans la bonne humeur. En relisant les scènes 12 et 19, montrez que la fin de la pièce reprend les principaux aspects de la critique sociale développée au cours des actes précédents.

✔ *Rappelez-vous !*

• Dans *Le Mariage de Figaro*, Beaumarchais recourt régulièrement à des scènes de **théâtre dans le théâtre**. En effet, certains acteurs jouent leur personnage habituel interprétant un autre rôle. C'est le cas de la comtesse jouant au comte le rôle de sa camériste consentante (scène 7), devant Suzanne et Figaro, doubles des spectateurs, placés en retrait sur le devant de la scène. Le dispositif est repris dans la scène 9. En exhibant les ficelles de l'imitation dramatique, Beaumarchais instaure une relation de complicité avec le spectateur.

• Le **dénouement** lève les obstacles et résout les péripéties ; il correspond à la fin de l'action et de la pièce. Dans les comédies classiques, il réunit tous les personnages réconciliés sur scène et procède en général au mariage heureux des jeunes premiers. *Le Mariage de Figaro* se clôt dans la bonne humeur, mais la fin demeure ouverte dans la mesure où le sort du couple Almaviva reste incertain.

Zoom sur...

La scène 3 de l'acte V, l. 6-46, p. 202-203

> → *Expliquer comment Beaumarchais enrichit et renouvelle le personnage du valet dans ce monologue*

📖 *Analyse du texte*

▮ *Conseils pour la lecture à voix haute*

– Avant de lire le texte, repérez les respirations qu'il propose afin de respecter le rythme du monologue.

– Ne prononcez pas le s de l'adjectif « las ».

– Ne prononcez pas le s du nom « mœurs ».

▮ *Introduction rédigée*

Tandis que Figaro se dit assuré de la fidélité de Suzanne, il découvre par l'intermédiaire de Fanchette qu'elle a délivré le cachet au comte et qu'elle a rendez-vous avec lui sous les grands marronniers. Comme Figaro ignore tout du stratagème que sa fiancée a mis au point avec sa maîtresse, il se croit trahi. Il se livre alors à une longue réflexion – le plus long monologue du répertoire français – sur les femmes, ses sentiments, son parcours et le sens de son existence. Comment ce monologue permet-il à Beaumarchais d'enrichir le personnage de Figaro et de renouveler le type du valet de comédie tout en jouant avec les convenances théâtrales ? Nous montrerons que Figaro dresse un autoportrait qui fait tendre le personnage du côté du roman et du drame. Enfin, nous verrons que si Beaumarchais interroge les convenances théâtrales, c'est pour faire souffler l'esprit des Lumières dans son monologue.

■ *Analyse guidée*

I. L'autoportrait d'un valet picaresque

a. Figaro se présente comme un *picaro* (voir glossaire), aventurier espagnol souvent orphelin, intelligent mais misérable. Montrez qu'il correspond à ce type de personnage de roman, talentueux mais pauvre.

b. Figaro se livre à un récit de vie romanesque et haletant. Rappelez tous les milieux qu'il a fréquentés, puis commentez les procédés qui mettent en avant la réactivité et la vivacité du personnage.

c. La multiplicité des événements relatés par Figaro peut donner l'impression que son existence manque d'unité. Repérez les expressions et les procédés stylistiques qui suggèrent que le personnage, comme balloté par le hasard, ne maîtrise pas le cours de sa vie.

II. Un valet dramatique ?

a. Pour la première fois dans la pièce, Figaro se livre à un moment d'introspection qui révèle son désarroi. À partir du texte, représentez-vous les jeux de lumière et les déplacements, imaginez les effets sonores, puis dites comment le dramaturge a construit une atmosphère sombre et tendue.

b. La voix de Figaro, sous le coup de l'agitation et de la colère, semble se démultiplier. Il s'adresse à différents interlocuteurs fictifs. Étudiez la progression de la situation d'énonciation et ses effets.

c. Ce monologue est d'une longueur inaccoutumée qui illustre l'irrépressible besoin de parler du personnage. Repérez les procédés qui reflètent le caractère agité de Figaro.

III. Figaro, porte-parole d'un auteur critique et engagé ?

a. Au début du passage, Figaro se livre à une attaque mordante qui rabaisse le comte. Étudiez de quelle façon il critique les privilèges nobiliaires et les puissants.

b. Figaro a écrit une pièce de théâtre et un traité financier qui lui ont valu la pauvreté et la prison. Analysez comment le récit de cet épisode permet à Beaumarchais de critiquer la censure religieuse et politique.

c. Figaro dresse son autoportrait dans ce monologue, mais on peut se demander si Beaumarchais ne se peint pas lui aussi sous les traits de son personnage. En vous aidant de la fiche sur la biographie de l'auteur

(p. 238), dites quels points communs on peut établir entre Beaumarchais et Figaro.

■ *Conclusion rédigée*

Le désarroi de Figaro s'explique par sa pauvreté et par les échecs qu'il a rencontrés malgré son talent et ses efforts acharnés. Tel un *picaro*, Figaro ne maîtrise ni le cours de sa vie, ni celui de l'intrigue. Il ne se résigne cependant pas et semble même se révolter contre l'injustice subie, en exprimant sa colère à l'égard du comte, des puissants, des privilèges liés à la naissance et même des censeurs qui se sont attaqués à ses œuvres. Toutes ces critiques rappellent les revendications des Lumières et l'expérience de l'auteur. Ce dernier se joue des convenances théâtrales et assume le caractère artificiel du théâtre afin de surprendre le spectateur et de donner du poids à la dimension critique du monologue de son personnage.

📄✍ *Activités d'appropriation*

1. Relisez les deux didascalies qui ouvrent les actes IV et V. Expliquez comment, selon vous, on peut figurer le changement de décor voulu par Beaumarchais si on ne dispose pas d'un plateau tournant à deux décors.

2. « Quoi, c'était vous, comtesse ? » s'exclame le comte dans la dernière scène (V, 19, l. 4). Son épouse lui accorde alors le pardon. Imaginez une autre fin à la pièce. Vous pourrez vous écarter de la tradition du dénouement heureux de la comédie, mais vous devrez tenir compte du contexte historique.

3. Dans la scène 3 de l'acte V, Figaro croit entendre Suzanne arriver : « On vient… c'est elle… » (l. 14, p. 202). Imaginez que Suzanne entre vraiment en scène à ce moment-là puis rédigez le dialogue des deux personnages qui ont une explication. Vous respecterez la situation dramatique et veillerez à ne pas oublier ce que croit Figaro à ce stade de la pièce.

Le tour de l'œuvre en 9 fiches

Sommaire

Beaumarchais en 18 dates

1732	Naissance de Pierre-Augustin de Caron à Paris, d'un père horloger renommé.
1754	Beaumarchais devient horloger du roi.
1756	Il ajoute Beaumarchais à son nom.
1757	Beaumarchais donne des leçons de musique aux filles de Louis XV.
1759	Rencontre d'un financier important, Paris-Duverney, grâce auquel Beaumarchais assoit sa fortune et est anobli.
1764	Beaumarchais passe l'année en Espagne.
1767	*Eugénie* (drame) au Théâtre-Français : mal accueilli.
1768	Deuxième mariage.
1770	*Les Deux Amis* (drame) à la Comédie-Française : échec. Long procès contre l'héritier de Paris-Duverney. Publication des *Mémoires*, pamphlets qui accusent le juge Goëzman de corruption.
1774	Beaumarchais devient agent secret au service de Louis XV, puis de Louis XVI.
1775	*Le Barbier de Séville* (comédie) créé à la Comédie-Française.
1776	Beaumarchais soutient l'indépendance des États-Unis d'Amérique en faisant expédier des armes aux insurgés.
1777	Beaumarchais fonde la Société des Auteurs pour défendre les droits des auteurs.
1784	**Succès du *Mariage de Figaro* à la Comédie-Française.**
1786	Troisième mariage. Beaumarchais est envoyé à Londres comme négociateur pour le compte du roi.
1792	*La Mère coupable* (drame) au Théâtre du Marais.
1792-1796	Engagé dans une affaire de fusils hollandais qu'il a voulu faire entrer en France, Beaumarchais est emprisonné puis exilé.
1799	Beaumarchais est retrouvé mort après une attaque d'apoplexie.

L'œuvre dans son contexte

Une France appauvrie

Au cours de trente-trois ans de guerre, notamment celles de la Ligue d'Ausbourg (1686-1697) et de la succession d'Espagne (1701-1714), Louis XIV a vidé les caisses du royaume. Son successeur, le régent Philippe d'Orléans, n'améliore pas la situation en acceptant le système d'emprunts et d'émission de papier-monnaie proposé par le financier Law. Il provoque en effet la ruine de nombreux actionnaires.

Sous le règne de Louis XV, les guerres (guerre de Pologne en 1738 et guerre de la succession d'Autriche en 1740) continuent de fragiliser la France. Elle perd une grande part de ses colonies (Indes et Canada) lors de la guerre de Sept ans (1756-1763) et, à l'occasion du traité d'Aix-la-Chapelle (1768), renonce même à toute annexion. Enfin, le soutien qu'apporte la France aux Insurgés d'Amérique (1778) aggrave la situation financière du pays, au bord de la banqueroute.

La crise de la société d'Ancien Régime

La société d'Ancien Régime repose sur la répartition des droits et des devoirs entre trois ordres, la noblesse, le clergé et tiers-état. À partir de la seconde moitié du xviiie siècle, la bourgeoisie, classe sociale du tiers-état qui exerce une activité professionnelle, remet en cause cette hiérarchie en briguant des responsabilités politiques et religieuses jusqu'alors réservées à l'aristocratie. Les progrès techniques, l'apparition des machines et des manufactures par exemple, ont en effet permis à la classe bourgeoise de s'enrichir considérablement. Elle se sent donc désormais légitime pour contester les droits nobiliaires qu'elle juge parfois abusifs, comme l'édit qui leur réserve les grades militaires.

La situation déficitaire de la France pousse les rois à trouver une solution fiscale. De 1774 à 1783, les contrôleurs généraux des finances Turgot et Caldonne tentent d'imposer un impôt qui soit payé par tous les ordres de la société mais ils échouent tous deux face à la pression des nobles. Se sentant menacés de toutes parts, ces derniers s'agrippent en effet à leurs privilèges.

Toutes ces tensions contribuent à créer une atmosphère conflictuelle qui devient véritablement pré-révolutionnaire lorsque les paysans, victimes d'hivers rigoureux en 1784, puis de mauvaises récoltes, se soulèvent. Mais face aux revendications du peuple, l'administration française centralisée et complexe demeure impuissante.

Le siècle des Lumières

Forts des nombreuses découvertes scientifiques (théorie de la gravitation de Newton, notamment) et techniques (ascension en ballon des frères Montgolfier en 1783), **les penseurs et philosophes du XVIIIᵉ siècle considèrent qu'il est possible d'expliquer le monde «à la lumière» de la raison**. *L'Encyclopédie* de Diderot et de ses collaborateurs, parmi lesquels D'Alembert, Voltaire, Montesquieu et Marmontel, un dictionnaire raisonné des arts, des sciences et des métiers rédigé de 1751 à 1772, reflète cette soif de connaissance et la volonté de diffuser le savoir.

Les écrivains et philosophes des Lumières entreprennent de lutter contre l'ignorance et l'obscurantisme, qu'ils prennent la forme du fanatisme, des croyances superstitieuses ou des préjugés. Voltaire rédige de nombreux contes philosophiques en ce sens et intervient même sur la scène publique pour prendre la défense de Calas et du Chevalier de la Barre, deux victimes d'erreurs judiciaires (*Traité sur la tolérance*, 1763).

Sur le plan politique, les philosophes critiquent l'absolutisme politique et religieux (➡ voir aussi Fiche 7, p. 253-255). Qu'ils prônent une monarchie parlementaire, un régime démocratique ou un despotisme éclairé, Rousseau, Condorcet ou Montesquieu se soucient de **la liberté et de la dignité de l'individu**, en soutenant l'abolition de la torture (1780) et celle de l'esclavage dans les colonies françaises en 1794.

Enfin, les auteurs du siècle des Lumières dénoncent le sort injuste réservé aux femmes. Voltaire défend avec brio l'égalité entre les hommes et les femmes dans son pamphlet *Femmes, soyez soumises à vos maris* (1759-1768). Pour sa part, Marivaux imagine, dans *La Colonie* (1750), une île où les femmes prendraient le pouvoir. Enfin, **nombre de femmes, figures d'intellectuelles, œuvrent elles-mêmes à cette époque pour défendre leur condition**: la salonnière Marie-Thérèse Geoffrin (1699-1777), la physicienne Émilie du Châtelet (1706-1749), les femmes politiques Manon Roland (1754-1793) et Olympe de Gouges (1748-1793), qui rédige en 1793 la *Déclaration des droits de la femme et de la citoyenne*.

La structure de l'œuvre

Acte I. L'exposition : des chassés-croisés amoureux
– La future chambre de Suzanne et de Figaro – Lever du jour.

Alors que Figaro et Suzanne doivent se marier, la camériste explique à son futur mari que le comte ne lui a offert une dot qu'en échange de ses faveurs (scène 1). Figaro comprend alors qu'il n'a été promu courrier de dépêches à Londres que pour être éloigné du château (scène 2). Dans le même temps, Marceline jette son dévolu sur lui. Délaissée par Bartholo qui a manqué à ses engagements en ne l'épousant pas mais en lui laissant un fils, elle veut se marier avec Figaro. Elle espère donc que le comte sera éconduit par Suzanne et qu'il voudra se venger en s'opposant à son mariage (scène 3).

Le jeune page Chérubin vient demander à Suzanne d'intercéder en sa faveur auprès de la comtesse qu'il avoue aimer secrètement. En effet, le comte l'a trouvé chez Fanchette, fille du jardinier Antonio, et a décidé de le chasser. Surpris par le comte qui entre dans la chambre, il se cache derrière un fauteuil (scène 7). Almaviva courtise Suzanne mais à l'arrivée de Bazile, le maître à chanter, il se cache lui aussi derrière le fauteuil : Chérubin parvient de nouveau à se dissimuler (scène 8). Quand Bazile évoque l'attrait qu'exerce la comtesse sur Chérubin, le comte éclate, se dévoile et découvre le page (scène 9).

Figaro vient alors lui rappeler, devant sa femme, qu'il a aboli le droit de cuissage. Le comte, contraint d'accepter le mariage de Suzanne, punit cependant Chérubin en l'envoyant dans son régiment en Catalogne (scène 11), mais Figaro s'arrange pour le cacher.

Acte II. Des intrigues féminines
– La chambre de la comtesse – Matinée.

Suzanne avoue à sa maîtresse les sentiments de Chérubin et les intentions du comte (scène 1). Les deux femmes acceptent les plans de Figaro : faire croire au comte que Rosine doit rencontrer un autre homme, et envoyer Chérubin déguisé en femme à la place de Suzanne au rendez-vous galant prévu par le comte (scène 2).

Le comte surgit justement pendant que Suzanne et la comtesse apprêtent Chérubin à moitié dénudé, (scène 10)! Le page se cache dans le cabinet de toilette, lorsqu'un bruit éveille les doutes du comte qui exige l'ouverture de la porte. La comtesse refuse en prétendant que Suzanne s'y change (scène 13). Pendant que le comte part chercher un outil pour ouvrir, Suzanne prend la place de Chérubin qui s'échappe en sautant par la fenêtre (scène 14).

Au retour du comte, comme il s'apprête à forcer la porte, la comtesse confondue avoue tout : mais lorsqu'il ouvre, le comte se retrouve face à Suzanne (scène 16) et présente ses excuses à son épouse (scène 19). Arrive le jardinier Antonio qui laisse comprendre que Chérubin a sauté sur ses fleurs et contraint Figaro de s'accuser (scène 21). Marceline vient réclamer son procès pour obtenir son mariage avec Figaro (scène 22). Finalement, la comtesse décide de piéger elle-même son mari en prenant les habits de Suzanne (scène 24).

Acte III. Procès et coups de théâtre
– La salle du trône du château – Après-midi.

Le comte prend ses dispositions pour s'assurer du départ de Chérubin (scènes 1 et 2). Alerté par les derniers événements, il fait parler Figaro et comprend que Suzanne a révélé ses intentions (scène 5). Il décide donc de favoriser le mariage que projette Marceline. Mais la camériste parvient à fléchir Almaviva en acceptant son rendez-vous au jardin (scène 9). Se réjouissant trop vite, elle lui laisse entendre que Figaro a gagné son procès (scène 11).

Dessillé, le comte veut se venger et lors du procès (scènes 12 à 15), il conclut que son valet doit rembourser Marceline ou l'épouser le jour même. Figaro laisse alors paraître sur son bras un signe distinctif que Marceline reconnaît : il n'est autre que son fils et celui de Bartholo (scène 16). Marceline se défend de ses erreurs passées et embrasse la cause des femmes dans une tirade. Elle fait donc cadeau de sa dette à Figaro tandis que la comtesse offre elle aussi la dot de Suzanne (scène 18).

Acte IV. Le mariage
– Une galerie, atmosphère festive – Début de soirée.

Figaro convainc Suzanne d'annuler son rendez-vous avec le comte (scène 1). La comtesse met à exécution son plan de l'acte II et fait rédiger à sa camériste un billet pour fixer un rendez-vous au comte (scène 2).
Les jeunes filles du bourg arrivent pour participer aux danses nuptiales (scène 4). Parmi elles se tient Chérubin, déguisé en paysanne mais démasqué par Antonio (scène 5). Fanchette prend la défense du page, qu'elle demande pour époux au comte.

Cérémonie et intrigue

Alors que la musique commence, Suzanne glisse subrepticement son billet au comte, tout de même surpris par Figaro qui le voit se piquer un doigt (scène 9). Surgit Bazile qui vient réclamer la main de Marceline ; il promet en contrepartie d'adopter son fils Figaro (scène 10). En voulant remettre à Suzanne l'épingle qui cachetait le billet destiné au comte, Fanchette induit Figaro en erreur : il comprend que le rendez-vous secret est maintenu et se croit trompé par sa fiancée (scène 14). Avisé par sa mère qui veut protéger Suzanne, il décide de surveiller sa promise (scènes 15 et 16).

Acte V. Le dénouement : déguisements et rebondissements
– Un parc, des marronniers et des pavillons – Pénombre, obscurité, nuit.

Fanchette guette l'arrivée de Chérubin sous les marronniers (scène 1). En attendant de piéger Suzanne, Figaro déplore l'infidélité féminine et se rappelle son passé dans son **monologue** (scène 3). Entrent la comtesse et Suzanne qui ont échangé leurs habits (scène 4). Marceline, qui les observe, a prévenu sa bru de la présence de Figaro.

Chérubin arrive et réclame des baisers à la comtesse, qu'il prend pour Suzanne. Au moment où il veut lui en donner un, le comte entre, s'interpose et le reçoit (scène 6) ! Il riposte par un soufflet qu'il administre involontairement à Figaro qui s'était justement approché. Le comte courtise alors sa femme et lui vante les vertus du libertinage. Il lui offre même de l'or et un brillant pour racheter le droit du seigneur. Figaro sort de sa cachette et provoque la fuite du couple (scène 7). Il se félicite d'avoir surpris sa promise en flagrant délit. Quand Suzanne le rejoint, il feint, pour se venger, de ne pas la reconnaître et de séduire la comtesse. Suzanne le soufflette alors et ils se réconcilient (scène 8). La jalousie du comte, qui les a aperçus, est excitée (scène 9). Il exige que soit dévoilée l'identité de la femme qui vient de rentrer dans l'un des pavillons. En ressortent Chérubin (scène 11) puis Fanchette (scène 15), Marceline (scène 17) et Suzanne en comtesse (scène 18). Tous s'abaissent devant le comte, y compris sa véritable épouse qui surgit de l'autre pavillon (scène 19).

Almaviva comprend qu'il a été joué, il présente ses excuses à son épouse qui lui pardonne, et remet bourse et brillant à Suzanne et Figaro. Bazile entonne alors un air de vaudeville.

Les grands thèmes de l'œuvre

Amour et mariage

Toute l'intrigue de la pièce repose sur des mariages qui se font et se défont. Suzanne et Figaro se vouent une affection tendre et mutuelle. Dès qu'ils se retrouvent seuls (I, 1 et IV, 1), ils se prennent les mains, s'embrassent et s'appellent par toutes sortes de doux surnoms («ma charmante», «mon fils», «friponne»). À l'inverse, le couple Almaviva se délite: lorsque le comte et son épouse sont réunis, c'est l'occasion de conflits (II, 16), de cachotteries, dévoilées au spectateur par de nombreux apartés (I, 10; IV, 8). Le ton demeure extrêmement distant entre le comte et sa femme qu'il n'appelle qu'une seule fois par son prénom, Rosine (II, 19).

Par ailleurs, Marceline, vieille fille, subit «l'ennuyeuse passion» de Bazile (I, 4) qui la demande en mariage (IV, 10). La scène donne lieu à un **épisode comique** puisque le maître à chanter renonce à ses intentions lorsqu'il apprend qu'il devra adopter Figaro. En contrepoint, Fanchette incarne la **spontanéité et la naïveté** lorsqu'elle demande au comte d'épargner Chérubin et de le lui donner en mariage (IV, 5).

Chérubin peut être considéré comme une incarnation du **désir qui perturbe les relations conjugales**. Bien que, probablement pour ne pas être accusé d'immoralité, Beaumarchais souligne son jeune âge dans la préface en le présentant comme «un enfant de treize ans» qui doit être interprété par une jeune femme (p. 5), Chérubin demeure un **personnage ambigu, désirant mais aussi désiré**. Aussi la comtesse se conduit-elle comme **une véritable coquette**, replaçant ses boucles avant qu'il n'entre (II, 3). Elle s'adresse certes à lui d'un ton maternel: «taisez-vous, enfant», mais c'est en le touchant, en lui essuyant les yeux (II, 9). Dans l'acte IV, Chérubin obtient même un baiser de la comtesse. L'ambiguïté de l'identité sexuelle de Chérubin rend donc la tendresse de la comtesse assez équivoque (tendance incestueuse voire homosexuelle).

Le libertinage

Dès le XVIIe siècle, on appelle **«libertins» de jeunes érudits qui refusent le conformisme moral et religieux et qui nourrissent des soupçons à l'égard des traditions et de l'autorité**. Si, à tort ou à raison, ils sont considérés comme athées et débauchés, le mot de «libertin» s'entend d'abord de manière **philosophique**. Au XVIIIe siècle, en effet, ce courant de pensée se traduit aussi par une liberté de mœurs et de corps. La revendication du plaisir des sens, mis à l'honneur dans Les Liaisons dangereuses de Choderlos de Laclos (1782), va de pair avec celle de la liberté de penser.

Dans *Le Mariage de Figaro*, **deux personnages sont explicitement présentés comme libertins**: le comte et Chérubin. Marceline et Bartholo qualifient ainsi le comte dès la scène 5 de l'acte I. Almaviva lui-même parle de Chérubin comme d'«un petit libertin […] surpris hier encore avec la fille du jardinier» (I, 9). La tendresse que lui vouent Fanchette et la comtesse, les remarques de Suzanne (I, 7) ou l'allusion de Bartholo à une possible grossesse de Fanchette (I, 11, l. 17-29) illustrent le caractère libertin du jeune page, qui se laisse aller à ses désirs sans se soucier des convenances et des obligations sociales.

Le libertinage du comte diffère considérablement de celui de son petit rival dans la mesure où il est conscient et même théorisé. Dans la scène 7 de l'acte V, le personnage se livre à une véritable profession de foi libertine. Le plaisir des sens est ainsi défendu aux dépens des sentiments: «L'amour n'est que le roman du cœur: c'est le plaisir qui en est l'histoire» (l. 30-31). Almaviva explique son attitude par l'ennui qu'il trouve auprès de sa femme et par son besoin d'affronter quelque résistance.

Beaumarchais invite donc à une **indulgence souriante quand il s'agit de Chérubin, mais il punit le comte avec une sévérité** dont il souligne la moralité dans sa préface. La comédie psychologique rejoint cependant la satire sociale puisque **seuls les nobles – le comte et Chérubin – s'adonnent au libertinage, comme s'il s'agissait d'un code social**.

Maîtres et valets

Force est de constater que **les domestiques sont valorisés. Le choix du titre en atteste** au premier chef. La dramaturgie est centrée sur Figaro et Suzanne, dont les rôles débordent largement ceux des confidents.

Si on reconnaît, au château, des relations sociales caractéristiques de la société d'Ancien Régime, **la plupart des vassaux du comte malmènent cependant son autorité**. Certes, Almaviva ne cesse de donner des ordres et prononce les arrêts lors des procès (III, 15), mais Chérubin lui désobéit à plusieurs reprises, ne quittant jamais le Château et se dérobant à sa vue (I, 9 ; II, 19). En s'insurgeant contre la domination masculine, Marceline inclut le comte dans les cibles de son accusation (III, 15). Même Bazile (II, 22) et les vassaux les plus modestes comme Antonio et Fanchette (IV, 5) réussissent à déstabiliser le comte!

Ce sont **Suzanne et Figaro qui entament le plus habilement le pouvoir de leurs maîtres**. Suzanne se permet ainsi de remarquer à propos des migraines: «C'est un mal de condition, qu'on ne prend que dans les boudoirs» (III, 9, l. 11). Quant à Figaro, il souligne le caractère arbitraire de la naissance: «Si le ciel l'eût voulu, je serais le fils d'un prince» (III, 15, l. 23) et **remet en question dans son monologue les privilèges accordés à la noblesse et la notion de mérite**.

Il est cependant intéressant de remarquer que le **désir perturbe l'ordre social pour créer une sorte d'égalité entre maîtres et valets.** En voulant faire de Suzanne sa maîtresse, le comte lui concède certains avantages (la bourse, le diamant) et certains pouvoirs.

Enfin, une certaine **connivence unit la comtesse à Suzanne malgré leur différence de rang social.** Les deux femmes sont souvent réunies, elles s'entretiennent comme si elles étaient amies (II, 1), préparent leur piège ensemble, déguisent Chérubin, jouent la comédie au comte.

L'art de la dissimulation et du travestissement

Le **goût pour le déguisement** est une constante de la comédie (Molière, Marivaux); cependant le **rôle de Chérubin** demeure une création particulièrement originale. Dans une société très structurée (les nobles, les vassaux; les hommes, les femmes), il échappe à toutes les catégories. On ne peut qu'hésiter sur la manière de caractériser son **identité toujours changeante.** «Joli en fille» (II, 6), affublé de la coiffure de la comtesse (II, 16), crédible en bergère (IV, 9), Chérubin apparaît à l'acte V en uniforme d'officier, épée à la main. Caméléon aux yeux du spectateur, à ceux du comte il est plutôt «serpent», «couleuvre», «page infernal». C'est qu'**il surgit là où on ne l'attend pas. Trouble-fête, Chérubin contrecarre sans cesse les projets des autres hommes.**

Traditionnellement, l'art de la dissimulation est lié à la ruse féminine. Figaro et le comte ne se travestissent jamais, tandis que Suzanne simule à merveille en laissant croire au comte qu'elle est intéressée par ses propositions (III, 11) et en tirant la comtesse d'une mauvaise posture. La comtesse, quant à elle, semble tout d'abord moins à l'aise pour mentir à son mari (II, 19). Mais lorsqu'il s'agit de le démasquer, elle assume totalement son rôle de comédienne (V, 7): prendre la tenue de Suzanne lui impose de cacher ses émotions et lui permet de mettre au jour les véritables intentions de son mari. Telle est la **vertu du théâtre dans le théâtre: faire surgir la vérité.**

Cette mascarade conduit finalement à une certaine exubérance. Un vent de folie souffle sur la fin de l'acte V où **toutes les déviances et les perturbations sont permises**: Chérubin embrasse le comte (V, 6); les couples s'échangent un instant; les soufflets pleuvent. Loin de se borner à tirer des situations de travestissement et de dissimulation des effets de quiproquo comiques, **Beaumarchais fait naître de ce désordre vertigineux un sentiment de liberté.**

Représenter
Le Mariage de Figaro

De la création de la pièce à son entrée au répertoire classique

La pièce est créée le 27 avril **1784 en présence d'une partie de la cour à la Comédie-Française**. Elle a été précédée de telles polémiques que, devant le théâtre, la foule se bat presque pour obtenir des places. Beaumarchais a donné de **nombreuses indications de mise en scène et dressé une liste d'accessoires et de costumes nécessaires** à la représentation (voir p. 44-47). Le choix de **costumes espagnols** est respecté, mais le décorateur de la troupe, Coste, conserve des **décors français**. Il réutilise notamment le salon bourgeois des comédies de Molière pour la chambre de Suzanne et de Figaro.

Malgré les réserves de la critique qui reproche à Beaumarchais l'indécence et l'immoralité de sa pièce, le succès est tel qu'elle est représentée cent onze fois entre 1784 et 1790, ce qui constitue un record à l'époque. Beaumarchais tire un gain financier de ce succès puisqu'il a obtenu du roi, en **1780**, que **les auteurs touchent un pourcentage des recettes du spectacle.**

La comédie ne triomphe pas qu'en France: l'adaptation de la pièce en opéra assure le succès de Beaumarchais dans toute l'Europe. La présence de la musique tout comme les scènes de danse ou de pantomime (IV, 9) invitaient en effet à créer un spectacle total. **L'opéra *Les Noces de Figaro*** du compositeur Wolfgang Amadeus Mozart est représenté pour la première fois à Vienne, au Burgtheater en 1786. L'amour est placé au premier plan et certaines scènes sont abrégées ou supprimées (sur la politique, III, 5; le morceau de bravoure de Marceline, III, 16; les scènes de procès; le grand monologue, V, 3).

Durant la Révolution, la pièce est jouée seulement trois fois au cours de l'année 1789: la virtuosité des dialogues et l'insolence à l'œuvre dans la pièce sont jugées aristocratiques par les révolutionnaires, qui lui préfèrent les scènes de drame du *Barbier de Séville.*

Le XIXᵉ siècle manifeste de nouveau un grand intérêt pour l'œuvre de Beaumarchais. Même si c'est *Le Barbier de Séville* qui est le plus représenté, *Le Mariage de Figaro* devient lui aussi un incontournable du répertoire. Ainsi, au moment de la Révolution de 1848, la pièce est à la fois programmée à la Comédie-Française et au théâtre de l'Odéon. C'est alors surtout l'**interprétation qui suscite l'enthousiasme**. Celle de Mademoiselle Mars (dans le rôle de Suzanne) soulève par exemple l'admiration de Stendhal. Par ailleurs, même si les costumes ont été mis au goût du jour, les décors et le dispositif scénique ont assez peu évolué.

Les mises en scène modernes de la pièce

Dans sa mise en scène, qui coïncide avec le bicentenaire de la Révolution française (Comédie-Française, 1989), Antoine Vitez a choisi de porter l'attention de ses spectateurs sur le désir d'égalité des personnages. Le pantalon à rayures que porte son Figaro n'est ainsi pas sans rappeler celui des révolutionnaires. Dans les scènes de groupe des actes III et IV, il recourt en outre à de très nombreux figurants, ce qui permet d'accentuer l'idée qu'une véritable société est représentée. Sur ce point, il s'accorde avec son prédécesseur, Jean-Pierre Vincent (Théâtre National de Chaillot, 1987), dont les paysans prenaient des airs de manifestants.

Cependant, **la lecture politique de la comédie dépasse son ancrage historique pour atteindre une certaine universalité**. En 2007, Christophe Rauck explicite ses intentions : « Je ne voulais pas que la pièce soit inscrite dans une époque. J'aime, avec une pièce classique dite "historique", **tirer une ligne entre hier et aujourd'hui et travailler dans un territoire où ils vont se rencontrer** » (Programme de la Comédie-Française, 2007). Dans sa mise en scène, Figaro porte ainsi une chemise actuelle agrémentée d'une lavallière, et le pantalon souple à deux bandes blanches de Chérubin évoque autant un uniforme d'officier qu'une tenue de sport. Finalement, **ce qui se joue au château renvoie aussi aux rapports d'entreprise et à la** confrontation contemporaine entre hommes et femmes.

Un jeu naturel pour des rôles difficiles

Beaumarchais a la volonté de montrer le spectacle de la vie. Pour lui, la scène doit **représenter la réalité contemporaine et non les histoires lointaines de l'Antiquité**. Il rejoint ainsi les théories exposées par Diderot dans ses ouvrages *Entretiens sur le fils naturel* (1757) et *De la poésie dramatique* (1758). Le philosophe loue **le « naturel », maître mot du nouveau genre, le drame**. Cependant, Beaumarchais a beau indiquer aux acteurs de ne pas jouer avec excès, **presque tous les rôles de la pièce offrent plusieurs interprétations possibles**, ce qui rend leur abord difficile.

Ainsi, **Figaro semble pouvoir être joué comme un bouffon toujours en mouvement, au caractère insolent et flamboyant mais aussi comme un personnage plus sombre**, empêtré, qui ne parvient à maîtriser les différentes intrigues dont il n'est finalement que le spectateur. Un autre problème se pose avec la comtesse. Le rôle était initialement confié à une tragédienne de la Comédie-Française, Melle Saint-Val cadette. En effet, Rosine d'Almaviva est sans cesse confrontée à la difficulté de la maîtrise de soi, d'ordinaire peu présente dans les comédies : jusqu'où faire entendre sa mélancolie ? **L'actrice qui l'interprète doit-elle verser dans le pathétique ?** La nature de ses sentiments pour Chérubin reste en outre problématique. Certains metteurs en scène, comme Jean-Pierre Vincent en 1987, ont choisi de **mettre en avant la sensualité de leurs rapports** incestueux. La comtesse s'étend ainsi voluptueusement dans l'acte II sur un lit gigantesque de trois mètres sur cinq avec un immense baldaquin, placé au centre de la scène et surmonté d'un miroir. Enfin, le rôle du comte paraît tout aussi délicat : dupé de tous, il n'en demeure pas moins l'incarnation de l'autorité et de la justice dans sa province : **faut-il le montrer comme un libertin, séducteur irrésistible, ou le ridiculiser** ? Jean-Pierre Vincent a choisi cette dernière possibilité en le munissant d'une hache plutôt que de pinces pour forcer le cabinet de toilette. ➡ Voir aussi photographie de la mise en scène de F. Ha Van reproduite au verso de la couverture, en début d'ouvrage.

Des lieux dynamiques, entre ouverture et fermeture

Le dynamisme de l'action est mis en avant par les changements de décors puisqu'à chaque acte correspond un lieu différent : la future chambre de Figaro et de Suzanne (acte I), celle de la comtesse (acte II), une salle d'audience (acte III), une salle de fête (acte IV), un jardin de marronniers (acte V). On pourrait penser que l'espace s'élargit progressivement, or ce n'est pas tout à fait le cas.

D'une part, le décor final qui correspond aux seules scènes d'extérieur est très faiblement éclairé par « une lanterne de papier » ou des flambeaux

Acte II

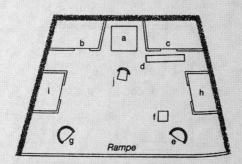

« *a.* Alcôve et lit de la comtesse. — *b.* Porte qui conduit à la chambre des femmes de la comtesse. — *c.* Fenêtre par où saute Chérubin. — *d.* Banc. — *e.* Fauteuil de la comtesse. — *f.* Tabouret sur lequel est posée une guitare. — *g.* Autre fauteuil. — *h.* Cabinet fermant à clef où Suzanne couche. — *i.* Porte de communication avec l'appartement du comte. — *j.* Chaise. »

(scènes 1 et 12). L'accent est régulièrement mis sur l'**obscurité qui permet justement toute la succession des quiproquos mais qui ôte tout effet d'ouverture à l'espace**. Les allées de marronniers ainsi que la présence de pavillons structurent l'espace scénique et le clôturent en quelque sorte.
➡ Voir schéma ci-dessous.

D'autre part, les **lieux les plus clos**, notamment les chambres, sont souvent **organisés de manière à créer un effet de profondeur**. En 1784, une balustrade ouverte créait une perspective dans la chambre de la comtesse, qui comporte en outre de nombreuses portes et fenêtres qui jouent un rôle capital. Elles permettent en effet de jouer sur les **entrées et les sorties inattendues**, ce qui annonce le drame bourgeois et même les chassés-croisés du vaudeville. La mise en scène de Sophie Lecarpentier (théâtre de l'Ouest parisien, 2011) met l'accent sur cette ambiguïté des lieux en proposant un décor fait de panneaux amovibles et à claire-voie, qui laissent voir autant qu'ils cachent.

Beaumarchais invite non seulement le spectateur à **imaginer l'espace hors-scène** (la chambre de Fanchette, les plates-bandes d'Antonio) mais surtout il crée des **« troisièmes lieux »**. Le critique Jacques Scherer nomme ainsi les **espaces changeants, sur scène, qui permettent aux personnages de surmonter des obstacles en se cachant.** Dans *Le Mariage de Figaro*, les cachettes se multiplient de manière surprenante: fauteuil (acte I), cabinet de toilette, alcôve du lit (acte II), coins droite et gauche de la salle des marronniers, pavillons gauche et droite (acte V). ➡ Voir schémas p. 249 et ci-dessous.

Acte V

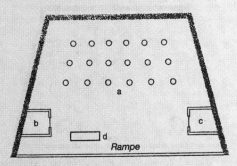

« *a.* Allée de marronniers. — *b.* Cabinet où le comte emmène la comtesse croyant parler à Suzanne. — *c.* Cabinet où se trouvent cachés Suzanne, Fanchette, Chérubin, etc. — *d.* Banc où Figaro est assis pendant le monologue du cinquième acte. »

Le renouveau de la comédie au XVIIIe siècle

L'héritage de la comédie classique

Même si les contraintes d'unités de lieu, de temps et d'action se sont assouplies depuis le XVIIe siècle, le double titre de la pièce *La Folle Journée ou Le Mariage de Figaro* ainsi que l'épigraphe «En faveur du badinage / Faites grâce à la raison» (p. 8) inscrivent d'emblée l'œuvre dans le genre de la **comédie traditionnelle**: l'action reposera sur un **mariage contrarié**, les amants devront surmonter des obstacles pour s'unir. L'auteur emploie en outre les **personnages types** du genre: le valet qui veut manigancer tous les coups (I, 2), le mari «jaloux et libertin» (I, 4) qui craint d'être cocu, la femme rusée (Suzanne, puis la comtesse) et un personnage d'âge mûr épris d'un plus jeune, Marceline, transposition féminine du barbon.

Héritier de Molière, **Beaumarchais s'amuse des vices du genre humain**, notamment de la colère du comte Almaviva souvent «furieux», «hors de lui», «frappant du pied», revenant dans la chambre de sa femme «une pince à la main», détail peu conforme à sa condition noble. Mais **le ridicule vise moins à délivrer une instruction morale au lecteur ou au spectateur qu'à critiquer la société**.

La satire est utilisée comme une arme plaisante qui remet en question l'ordre social. Au centre de sa pièce, Beaumarchais s'attaque gaiement à l'institution judiciaire. Tout l'acte III la tourne en dérision. Les noms Brid'oison et Double-Main évoquent un oison bridé et une duplicité proche de la corruption. Quand sa fonction imposerait l'éloquence, le juge bégaie! Quant au comte qui doit juger les affaires de sa province, il tranche sans vergogne au sujet d'une comédie: «le noble y mettra son nom, le poète son talent» (III, 15). La sagacité de Figaro s'en prend souvent aux grands de ce monde, «ces puissants de quatre jours» (V, 3) qui jouissent de privilèges immérités et pratiquent la politique comme des intrigants (III, 5).

Les emprunts à la farce

Beaumarchais, qui a aussi écrit des parades, **ne renonce pas à certains procédés du comique bas, directement empruntés à la farce, comme les coups**. Suzanne administre des soufflets à Figaro à deux reprises (III, 18 et V, 8). Le comte, quant à lui, frappe Figaro en croyant gifler Chérubin (V, 7). Le rire que suscitent Figaro lorsqu'il feint de s'être blessé la cheville (II, 21 et IV, 6) et Antonio qui, à moitié ivre, débite des âneries teintées de vérité, participe lui aussi de ce **genre bouffon et grotesque**. Enfin, les **allusions licencieuses** scandent l'ensemble de l'œuvre. Dès la première scène, Figaro promet à sa fiancée de cesser de lui parler de son amour «du matin au soir» quand il pourra le lui «prouver du soir jusqu'au matin» (I, 1). Plus loin, il se targue aussi d'avoir engrossé la femme de Brid'oison (III, 13).

La comédie et les intermittences du cœur

L'une des originalités de Beaumarchais consiste à ne pas réduire l'intrigue amoureuse à une mécanique qui dicterait l'enchaînement des péripéties. Comme **Marivaux (1688-1763)** ou le moins connu **Nivelle de La Chaussée (1692-1754)**, il met au jour **la sincérité des sentiments**, qu'il s'agisse de la **tendresse** que se vouent Figaro et Suzanne (I, 1 et IV, 1), de la jalousie que laisse percer la comtesse quand elle apprend que Suzanne ne soutiendra pas son projet («Vous me trompez», IV, 3) ou encore de l'exaltation de Chérubin, découvrant l'amour de l'amour: «le besoin de dire à quelqu'un *Je vous aime*, est devenu pour moi si pressant, que je le dis tout seul» (I, 7). **La comédie laisse ainsi affleurer le lyrisme**. De manière inattendue, **lyrisme et sourire ne s'excluent pas**. Figaro, attendri par le consentement de sa mère à son mariage avec Suzanne remarque même: «je veux rire et pleurer en même temps; on ne sent pas deux fois ce que j'éprouve» (III, 18).

Le long monologue de Figaro lui confère **une certaine gravité** et montre qu'il s'accorde des **moments d'introspection**: «je dis ma gaieté, sans savoir si elle est à moi plus que le reste, ni même quel est ce Moi dont je m'occupe: un assemblage informe de parties inconnues» (V, 3).

L'ouverture sur le drame

On a souvent dit qu'au XVIIIe siècle la comédie ne faisait plus rire. Si ce n'est pas le cas avec Beaumarchais, sa pièce porte tout de même le sceau des évolutions de l'écriture théâtrale et tend parfois au **drame, nouveau genre hybride assez proche de la comédie larmoyante** principalement prôné par Diderot. Ainsi, certains **passages pathétiques de l'œuvre touchent davantage le spectateur qu'ils ne l'amusent**. C'est le cas lorsque la comtesse laisse éclater son désarroi en se rappelant le temps perdu où elle était encore courtisée: «Je ne la suis plus, cette Rosine que vous avez tant poursuivie!» (II, 19). **La dramaturgie de Beaumarchais, qui informe le spectateur plus que le personnage, induit cependant une ambiguïté** à propos de ce type de passage. Lorsque la comtesse – dont on sait qu'elle ne risque rien – implore son mari, «joignant les mains», puis «à genoux, les bras levés» proposant son propre sacrifice pour que Chérubin soit épargné (II, 16), on peut se demander si l'auteur cherche à **parodier la tragédie ou à susciter une franche compassion**.

Le siècle des Lumières

Au siècle des Lumières, **le théâtre constitue un divertissement prisé de l'aristocratie**, mais qui s'étend aussi aux autres couches de la société. Même si seuls trois théâtres sont permanents à Paris (Comédie-Française, Comédie-Italienne, opéra), les lieux de représentation se multiplient (apparition des théâtres qui seront dits de boulevard, théâtre de rue, salles de spectacle chez les particuliers). Par ailleurs, **les genres dramatiques évoluent considérablement. La tragédie s'intéresse désormais moins à la fatalité qu'à la dénonciation des préjugés**, surtout religieux, comme dans *Mahomet* (1736) de Voltaire ou *La Veuve du Malabar* (1770) de Lemierre; **la comédie s'ouvre à la peinture des sentiments et à la contestation** (Marivaux, Beaumarchais).

Le Mariage de Figaro, une pièce éclairée et engagée

Sans soutenir de manière réductrice que *Le Mariage de Figaro* annonce la Révolution, on peut constater que **Beaumarchais se situe dans la tradition des Lumières**. Sa conception politique de la société s'avère proche de celle de Montesquieu, qui prône une **réforme du régime monarchique via l'abolition de l'absolutisme de droit divin et une séparation des pouvoirs** comme dans les monarchies parlementaires (en Angleterre par exemple).

Comme les philosophes du XVIIIe siècle, **Beaumarchais dénonce la tyrannie, incarnée dans sa pièce par le comte** qui s'octroie la permission de bafouer les lois en réhabilitant le droit de cuissage ou de décider du sort d'autrui de manière arbitraire. **Il menace même sa femme d'une retraite religieuse aux Ursulines** (II, 19) et expédie Chérubin dans son armée. Si Almaviva agit en véritable despote, il n'est cependant pas le seul à jouir de privilèges indus. **Bartholo, en refusant de tenir ses engagements envers Marceline, lui fait perdre toute dignité.** Figaro, quant à lui, s'est vu emprisonné de façon arbitraire, sans être averti, sans connaître ses fautes («je vois, du fond d'un fiacre, baisser pour moi le pont d'un château fort, à l'entrée duquel je laissai l'espérance et la liberté» V, 3), ce qui n'est pas sans rappeler la pratique des emprisonnements par lettres de cachet. **Beaumarchais condamne ainsi toutes les formes d'oppression et tous les excès qui entravent le respect de la liberté.**

Plus encore, **il oppose le mérite à la noblesse, le talent à la naissance.** Certes, il n'y a pas de violente rébellion au château, mais **les rapports sociaux traditionnels sont bouleversés.** Figaro contrecarre les projets de son maître en se plaçant à la tête des valets et des paysans pour faire pression sur lui et le contraindre à prononcer son mariage (I, 10). De leur côté, Suzanne et la comtesse entretiennent des échanges amicaux, presque d'égale à égale. Enfin, au delà de son effet comique, l'erreur du comte qui prend sa femme pour Suzanne dans la scène des grands marronniers semble prouver que la camériste et l'aristocrate présentent les mêmes qualités.

La défense de la liberté d'expression

Beaumarchais revendique la liberté d'expression, dans son œuvre et dans la vie. Dès le début de sa carrière d'horloger, **il utilise sa plume pour faire connaître ses convictions et pour dénoncer l'injustice** dont il est victime (on lui a volé la paternité de son invention de mécanisme pour les montres). Il procède de même en publiant des *Mémoires* (1773-1774) qui rendent compte de la corruption du juge lors de l'affaire qui l'oppose à Goëzmann. En transformant l'écriture en véritable arme, Beaumarchais apparaît pleinement comme un homme des Lumières.

Beaumarchais est loin d'être le seul à avoir dû lutter pour faire publier ses textes et à avoir combattu la censure : *De l'esprit des Lois* (1748) de Montesquieu a été censuré après avoir été condamné par le pape ; *L'Encyclopédie* (1751-1772) de Diderot a été interdite par le Roi ; Voltaire, quant à lui, a dû se réfugier chez ses amis ou chez des souverains éclairés à l'étranger (Mme du Châtelet, Frédéric II de Prusse) à la suite de publication jugées scandaleuses (ses *Lettres philosophiques* notamment, en 1733).

Rappelons aussi que Beaumarchais s'est investi dans un **travail d'édition colossal** (financement, promotion de l'ouvrage) **pour faire paraître en 1791 l'intégralité de l'œuvre de Voltaire**, auquel il rend d'ailleurs un hommage dans le vaudeville final : « L'esprit seul peut tout changer. / De vingt rois que l'on encense, / Le repas brise l'autel ; / Et Voltaire est immortel. »

L'esprit et l'art de la conversation au XVIIIe siècle

Quoique la famille royale demeure très importante, la société de cour décline au profit de **nouveaux espaces publics où se diffusent les idées des Lumières. Les salons littéraires et artistiques**, plus ouverts, accueillent toutes les formes d'élites (artistes, mécènes, magistrats...). Souvent **tenus par des femmes cultivées** (Mme Geoffrin, Mme du Duffand, Mme Lambert), **ils permettent l'épanouissement d'une nouvelle forme de sociabilité**. Il en va de même pour les cafés littéraires, comme le célèbre Procope (fondé en 1686) fréquenté par Diderot, D'Alembert et Benjamin Franklin. Il est alors de bon ton de briller en société en se distinguant par son **« esprit »**, **qualité indéfinissable, proche du sens de l'humour**.

Dans *Le Mariage de Figaro*, l'auteur prête à ses personnages des remarques qui attestent d'un esprit particulièrement aiguisé. Figaro maîtrise parfaitement **l'art de la pointe**, dont le comte est souvent la cible : « Vous commandez à tout ici, hors à vous-même», lui lance-t-il (V, 12). Même des personnages secondaires et peu valorisés peuvent révéler une certaine hardiesse. Le jardinier, Antonio, questionne ainsi: «Un plus adroit, n'est-ce pas, serait resté en l'air?» (IV, 6) tandis que Bazile s'oppose à Figaro dans **une joute oratoire** fameuse (voir la stichomythie de la scène IV, 10: «Un musicien de guinguette! / Un postillon de gazette! / Cuistre d'oratorio! / Jockey diplomatique!»).

Les arts, reflets de l'évolution des mentalités au XVIIIᵉ siècle

Les combats des Lumières pour la défense de la dignité humaine conduisent à l'avènement de la notion d'individu, lequel est désormais représenté en peinture dans ses **activités quotidiennes** (lecture, couture, repas...), véritables **scènes de genre**, notamment chez Chardin (*La Toilette du matin*, 1741). Dans la scène 4 de l'acte II du *Mariage de Figaro*, Beaumarchais fait d'ailleurs explicitement référence à une estampe de Van Loo, *La Conversation espagnole*, qui figure une élégante scène domestique. **La représentation de la famille traduit d'une autre manière l'intérêt pour la vie intime**. Aussi l'amour paternel constitue-t-il un des grands thèmes du XVIIIᵉ siècle.

Les œuvres de Jean-Baptiste Greuze, *Le Fils ingrat* (1777) et *Le Fils puni* (1778), suscitent une critique enthousiaste de Diderot, lui-même auteur du drame *Le Fils naturel*. **On porte en outre une attention toute nouvelle à l'enfant** que l'on considère pour la première fois comme un être à part entière (*Alexandre Brongniart* du sculpteur Houdon, *Fillette à l'oiseau et à la pomme* de Jean-Baptiste Pigalle, *Bacchante au tambour de basque avec deux enfants*, d'Augustin Pajou, par exemple). D'ailleurs, **on se préoccupe désormais de son éducation**, comme en atteste le traité de Rousseau, *L'Émile ou De l'éducation* (1762).

Enfin, **si l'esthétique du drame prône un théâtre pictural, la peinture, elle, se théâtralise**. Tandis que Watteau représente *Les Comédiens-français* (1720) ou *Pierrot* (1719), d'autres œuvres font référence à la scène de manière plus indirecte. Fragonard surtout aime placer ses personnages entre deux portes, comme dans *Baiser à la dérobée* (1766), à côté d'un grand rideau rouge comme dans *Le Verrou* (vers 1778), ou dans une nature pleine de ramifications qui semblent proposer de nombreux abris aux jeux libertins. Le décor du tableau *Les Hasards heureux de l'escarpolette* (1767), boudoir en plein air, semble ainsi tout à fait correspondre à celui de l'acte V du *Mariage de Figaro*.

La comédie du valet

Le valet au théâtre : un emploi comique

Le rôle du valet trouve son origine dans le personnage de l'esclave de la comédie antique, en Grèce au ive siècle av. J.-C., chez Ménandre (ive-iiie siècle av. J.-C.), puis dans la comédie latine, chez Plaute et Térence (iiie-iie siècle av. J.-C.). **Généralement, il sert les desseins d'un jeune maître amoureux, qui est confronté à un père avare et autoritaire**, opposé à ses projets de mariage. L'esclave ingénieux et intrigant (➡ voir page II du cahier photos) invente toutes sortes de stratagèmes pour aider les jeunes amoureux et pour tirer parti de la situation. **Ses ruses ménagent des surprises et font toujours rire aux dépens des pères et des maîtres** : dans *La Marmite* (une pièce de Plaute qui a inspiré *L'Avare* de Molière), il parvient à voler l'argent de son maître ; dans *La Comédie des ânes* (➡ voir Groupement de textes 1, p. 262-264), il se moque de son maître et l'humilie en s'amusant à le chevaucher.

Les valets italiens (les *zanni*) de la *commedia dell'arte*, que les Français découvrent au xvie siècle, **ont eux aussi largement influencé ce rôle dans les comédies des xviie et xviiie siècles, notamment celles de Molière** puis de **Lesage et de Marivaux**. Leurs fonctions et leurs caractères sont fixes : Arlequin incarne le glouton paillard, Brighella le débrouillard qui aime donner des coups de bâton (➡ voir page II du cahier photos), Colombine la soubrette astucieuse, parfois entremetteuse ; mais ils sont libres d'improviser à partir d'une trame qui laisse la part belle aux plaisanteries, au comique de geste et aux jeux de scène (*lazzi*). Le tour de Scapin, qui administre des coups de bâton à son maître Géronte dans la scène du sac (➡ voir Groupement de textes 1, p. 264-266), en lui faisant croire qu'il est attaqué par des spadassins, doit beaucoup à cette veine théâtrale, ainsi qu'au genre de la farce.

Aux côtés de ces valets, qui brillent par leur intelligence et leur fourberie et parviennent à duper leur maître, on trouve aussi **des valets qui font rire par leur bêtise**. Songeons aux deux serviteurs paysans d'Arnolphe, dans *L'École des femmes* (1662) de Molière : leurs bousculades amusent (I, 2) ; ils s'expriment en patois, laissent entrer le rival de leur maître chez lui et se caractérisent surtout par leur sottise (IV, 4). De leur côté, Lesage et Marivaux reprennent à plusieurs reprises le personnage grossier, glouton ou amateur de boisson d'Arlequin (➡ voir page II du cahier photos), à la bouffonnerie comique, notamment dans *Arlequin invisible* (1713) ou *Arlequin roi de Serendib* (1713) pour le premier, et dans *Arlequin poli par l'amour* (1720) ou *Les Fausses Confidences* (1737) pour le second. On trouve la trace de ce type de personnages un peu niais chez le jardinier Antonio et sa fille Fanchette, que Figaro fait parler au sujet de l'épingle sans qu'elle se doute de quoi que ce soit (IV, 14).

La comédie du valet : le théâtre dans le théâtre

Cependant, les valets perdent peu à peu ce caractère bouffon. Si les plus dociles d'entre eux se prêtent au jeu que leurs maîtres leur imposent (➡ Groupement de textes 1, *Le Jeu de l'amour et du hasard*, p. 269-271), **les plus astucieux se révèlent d'excellents comédiens ou metteurs en scène**.

Menteur et affabulateur, le valet rusé, comme Mascarille, le «fourbum imperator» dans *L'Étourdi* (1655) de Molière, est souvent animé par l'esprit du jeu. **Il joue la comédie à ceux qu'il veut tromper, dans des scènes de théâtre dans le théâtre**. Ainsi, Covielle, dans *Le Bourgeois gentilhomme* (1670), n'hésite pas à se déguiser pour faire croire à son maître Monsieur Jourdain que sa fille va épouser le fils du Grand Turc (IV, 3) et qu'il va être anobli au cours d'une cérémonie orientale qu'il orchestre avec brio. Dubois, dans *Les Fausses Confidences* de Marivaux, ou Figaro ne sont pas en reste. Dès *Le Barbier de Séville* (1775), ce dernier se transforme en metteur en scène quand il fait répéter son rôle au comte Almaviva (➡ voir Groupement de textes 1, p. 271-273) avant qu'il joue la comédie à Bartholo. **Le valet figure ainsi un double du dramaturge : comme lui, il tire les ficelles de l'intrigue.** C'est d'ailleurs ce que soutient le valet Pseudolus dans la comédie de Plaute à laquelle il donne son nom : «Je suis comme l'auteur au moment où il va écrire sa pièce. / Il cherche quelque chose d'absolument nouveau, / Quelque chose qui n'existe nulle part au monde, / Et pourtant il le trouve, il l'invente, / Ce qu'il raconte est faux mais a l'air si vrai!» (Plaute, *La Marmite* suivie de *Pseudolus*, trad. F. Dupont, Actes Sud, «Babel», 2001, p. 166).

Certaines soubrettes, espiègles et adroites, manient tout aussi bien le mensonge et la dissimulation, mais elles opèrent de manière moins tapageuse. Chez Marivaux, elles sont souvent lucides et, comme les confidentes des tragédies, elles conseillent leurs maîtresses en les aidant à lire dans leur propre cœur (*Les Serments indiscrets*, 1732). Dans *Le Mariage de Figaro*, Suzanne, elle aussi très proche de la comtesse, se révèle parfaitement habile pour la servir en jouant au comte un véritable numéro de séduction (III, 9).

Le valet de comédie, un personnage représentatif des évolutions sociales

Alors que le valet s'engage principalement dans des conflits domestiques et des querelles générationnelles jusqu'au XVIIe siècle, **il s'émancipe au siècle des Lumières**. On observe alors deux tendances. D'une part, **les domestiques des comédies larmoyantes, comme celles de Nivelle de La Chaussée,**

Destouches, Voltaire et Sedaine, incarnent les valeurs bourgeoises, la sensibilité, la morale, le souci et le respect de la famille, mais aussi l'idée que le mérite est supérieur à la naissance. D'autre part, **apparaissent des valets plus subversifs qui travaillent pour leur propre compte**, ambitieux, habités par le désir de parvenir, à l'image du Crispin de Lesage qui ose presque se substituer à son maître (➡ voir Groupement de textes 1, p. 266-269) ou de celui de Jean-François Regnard, dans *Le Légataire universel* (1708). Frontin, dans *Turcaret* (1709) de Lesage, sert lui aussi sa propre ambition sociale sans se soucier de desservir autrui.

Par ailleurs, les valets sont aussi vecteurs d'une critique sociale. Ils contestent régulièrement et directement la légitimité de leurs maîtres. Les abus de pouvoir de ces derniers sont dénoncés dans *L'Île des esclaves* (1725) de Marivaux, où le renversement entre maîtres et esclaves ne se réduit plus à une simple fonction satirique. Tous les hommes semblent se valoir, mais leurs différences de condition sociale, liées au hasard, dictent leurs comportements. Beaumarchais franchit un pas supplémentaire dans *Le Mariage de Figaro*, où le valet Figaro se montre plus fin que le comte. Sa dextérité verbale, ses pointes ironiques et ses traits d'esprit concourent à faire de lui un personnage qui, aux yeux du spectateur, apparaît supérieur à son maître (➡ voir Fiche 7, « L'esprit et l'art de la conversation au XVIIIe siècle », p. 254).

Porte-parole de l'auteur, Figaro exprime ainsi ses convictions (satire de la justice « indulgente aux grands, dure aux petits... », III, 5 ; dénonciation des injustices, notamment faites aux femmes, ➡ voir Fiche 7, p. 253).

Il faut cependant nuancer la portée révolutionnaire de ces personnages de valets, parce que la comédie procède souvent à un décentrement : Scapin opère à Naples, Figaro à Séville, les esclaves de Marivaux, Arlequin et Cléanthis, sur une île utopique et expérimentale. De plus, l'ordre est toujours rétabli à la fin de la pièce. Chacun retrouve sa place initiale dans *L'Île des esclaves* et « tout finit par des chansons » dans *Le Mariage de Figaro*. Enfin, les revendications de Figaro visent avant tout son propre bonheur, restent toujours d'ordre individuel.

Après Figaro, le drame du valet ?

Avec Figaro, le personnage du valet s'étoffe considérablement. Il dépasse le stéréotype et gagne en humanité. Comme dans les romans picaresques (voir *Le Barbier de Séville*, Belin-Gallimard, « Classico », 2017, Groupement de textes 2, « Du picaro à Figaro »), il est doté d'un passé tourmenté (*Le Barbier de Séville*, I, 2) et soumis aux hasards ainsi qu'aux surprises de la vie (III, 16). Ses longues tirades ou ses monologues lui permettent non seulement d'exprimer ses sentiments, de dresser un bilan grave de sa vie dans lequel il rappelle tous ses échecs (V, 3), mais aussi de réfléchir sur lui-même, ce qui ouvre la voie à certains personnages du théâtre romantique.

Dans le drame romantique *Ruy Blas* (1838) de Victor Hugo, le personnage éponyme incarne « un laquais qui aime une reine » (préface): supérieur à son maître don Salluste, vil courtisan intrigant et malhonnête, le valet prend une nouvelle envergure. **Si Victor Hugo fait jouer la comédie à Ruy Blas,** qui se fait passer pour un grand d'Espagne (➡ voir Groupement de textes 1, p. 274-277), **ce n'est pas dans l'intention de provoquer le rire mais de laisser éclater la nature sublime du laquais,** alors libre d'exprimer ses idéaux politiques et de s'attirer l'amour de la reine. Pour protéger l'honneur de sa bien-aimée, il se sacrifie, se donnant la mort comme à la fin d'une tragédie.

Les grands rôles de valets disparaissent progressivement du théâtre à partir du milieu du xixe siècle. Dans les vaudevilles d'Eugène Labiche (*Un chapeau de paille d'Italie*, 1851) ou de Georges Feydeau (*Tailleur pour dames*, 1886), **ils sont cantonnés aux petits rôles de personnages stéréotypés,** qui ouvrent les portes et annoncent les visites. Cependant, on trouve encore des **avatars des valets dans certaines pièces du xxe siècle** (par exemple *Les Bonnes* de Jean Genet, ➡ voir Groupement de textes 1, p. 277-279) **ou du xxie siècle, dans lesquelles les frontières génériques sont définitivement abolies.** Dans *Cercles / Fictions* (➡ voir Groupement de textes 1, p. 279-282), Joël Pommerat présente ainsi les relations entre un couple d'aristocrates et leurs domestiques, en parodiant presque le genre du vaudeville. Cependant, le désir de l'homme aristocrate qui cherche à s'octroyer les faveurs de son premier domestique, tout comme le comte face à Suzanne dans *Le Mariage de Figaro*, introduit une note plus sombre. **De nouveau, le dramaturge représente l'éternelle tentation de ceux qui pensent pouvoir tirer avantage de leur position hiérarchique.**

Citations

Le Mariage de Figaro

« Que les gens d'esprit sont bêtes ! »

Suzanne (I, 1).

« Suzanne. – On peut s'en fier à lui pour mener une intrigue.
Figaro. – Deux, trois, quatre à la fois ; bien embrouillées, qui se croisent. J'étais né pour être courtisan ».

(II, 2).

« Le comte. – Les domestiques ici… sont plus longs à s'habiller que les maîtres !
Figaro. – C'est qu'ils n'ont point de valets pour les y aider. »

(III, 5).

« De l'esprit pour s'avancer ? Monseigneur se rit du mien. Médiocre et rampant ; et l'on arrive à tout. »

Figaro (III, 5).

« Est-ce que les femmes de mon état ont des vapeurs, donc ? C'est un mal de condition, qu'on ne prend que dans les boudoirs. »

Suzanne (III, 9).

« Monsieur, je m'en rapporte à votre équité, quoique vous soyez de notre justice. »

Figaro (III, 13).

« En fait d'amour, vois-tu, trop n'est pas même assez. »

Figaro (IV, 1).

« Souviens-toi qu'un homme sage ne se fait point d'affaires avec les grands. »

Bartholo (V, 2).

« Qu'avez-vous fait pour tant de biens ? Vous vous êtes donné la peine de naître, et rien de plus. »

Figaro (V, 3).

À propos du *Mariage de Figaro*

«La gaîté de Figaro exige de s'ébattre à l'aise. Ce "fils de je ne sais qui" ne s'embarrasse pas de respect. Ses premières paroles sont pour persifler les pouvoirs. On s'est donc interrogé: un valet qui parle ainsi dans une période pré-révolutionnaire, prépare-t-il la Révolution?»

René Pomeau, *Préface de la trilogie*, Flammarion, «GF», 1965.

«Souvent, au milieu d'une scène agréable, une émotion charmante fait tomber des yeux des larmes abondantes et faciles, qui se mêlent aux traces du sourire et peignent sur le visage l'attendrissement retrouvé et la joie»

Beaumarchais, *Essai sur le genre dramatique sérieux*, 1767.

«Figaro n'est plus un frondeur, mais déjà un révolutionnaire moderne: il organise des actions de masse, en faisant faire pression sur le seigneur par des vassaux coalisés. La hardiesse de son attitude dans ces circonstances doit être aujourd'hui jugée plus lourde de conséquences que les critiques en matière politique et sociale dont la pièce est parsemée.»

Jacques Scherer, *La Dramaturgie de Beaumarchais*, Nizet, rééd. 2000.

«Mais plus encore que l'admirable équilibre entre l'influence des parades et celle du drame, c'est la friction entre elles, chacune nourrissant l'autre, lui servant de combustible et lui donnant une impulsion nouvelle, qu'il convient de souligner. C'est une mécanique unique (on songe bien sûr aux rouages des horloges!) que met au point Beaumarchais dans sa Folle Journée.»

Jean-Pierre Han, «Beaumarchais et Figaro», dans *Beaumarchais, Les Nouveaux Cahiers de la Comédie-Française*, L'Avant-scène théâtre, 2007.

«Je ne cherche pas à reconstituer un cadre figé dans une période historique, si riche soit-elle. Ce qui m'a séduit, c'est surtout la modernité de la pièce. La pièce peut être vue comme une fresque qui entremêle plusieurs histoires et qui dépeint un groupe social dans toute sa complexité. J'ai été, avant tout, séduit par l'ambiguïté, l'ambivalence des rapports humains et la part d'ombre des personnages.»

Christophe Rauck, programme du Mariage de Figaro, Comédie-Française, 2007.

Groupements de textes

Groupement 1
La comédie du valet

Plaute, *L'Asinaria* ou *La Comédie des ânes*

Dramaturge latin, Plaute (254-184 av. J.-C.) fait jouer en 212 av. J.-C. sa première comédie, *L'Asinaria* ou *La Comédie des ânes*, inspirée du Grec Ménandre, le représentant de la « comédie nouvelle », désormais centrée sur des intrigues familiales et non plus sur des questions politiques ou morales. Dans cette pièce, le fils du vieux Démènète, Argyrippe, a besoin d'argent pour acheter l'amour de Philénie, une jeune fille que sa mère contraint à la prostitution. Comme Liban et Léonidas, les deux esclaves du père d'Argyrippe, ont réussi à se procurer la somme requise, ils en profitent pour humilier leur jeune maître.

LÉONIDAS. – Écoutez-moi, faites attention à ce que je vous dis, buvez mes paroles ! d'abord, nous ne nions pas être tes esclaves ; mais si l'on te procure vingt mines d'argent[1], comment nous appelleras-tu ?

5 ARGYRIPPE. – Affranchis !

---

1. La mine d'argent était une monnaie romaine. Au IIIᵉ siècle av. J.-C., vingt mines d'argent correspondaient environ à six ans de salaire d'un légionnaire.

Léonidas. – Pas tes patrons ?

Argyrippe. – Si, plutôt.

Léonidas. – Il y a vingt mines, ici, dans cette sacoche : si tu le veux, je te les donnerai.

10 **Argyrippe.** – Puissent les dieux veiller sur toi à jamais, sauveur de ton maître, honneur du peuple, source de richesses, salut des hommes, général des amours ! Pose cette sacoche, mets-la simplement à mon cou.

Léonidas. – Ah non, je ne veux pas, toi qui es mon maître, que tu
15 portes ce fardeau à ma place.

Argyrippe. – Mais non, décharge-toi de ce que tu portes et donne-le-moi.

Léonidas. – Non, je serai le porteur et toi, comme il sied à un maître, tu marcheras devant, sans rien porter.

20 **Argyrippe.** – Eh bien ?

Léonidas. – Quoi ?

Argyrippe. – Tu ne me donnes pas la sacoche, que je sente son poids sur mon épaule ?

Léonidas. – Dis-lui plutôt à elle, à qui tu vas la remettre, de me la
25 demander et de s'adresser directement à moi ; car c'est un endroit bien glissant, où tu m'invites à déposer ce sac.

Philénie. – Mon petit cœur, ma rose, ma vie, mon bonheur, Léonidas, donne-moi cet argent ; nous nous aimons, ne nous sépare pas.

30 **Léonidas.** – Dis-moi donc que je suis ton petit moineau, ta poule, ta caille, ton agnelet, que je suis ton petit chevreau, ou ton petit veau ; prends-moi par les oreilles, place tes lèvres sur mes lèvres.

Argyrippe. – Qu'elle te donne un baiser, pendard ?

Léonidas. – Qu'est-ce que tu as à y redire ? Eh bien, par Pollux[1],
35 tu n'auras pas la bourse, si on ne me frotte les genoux.

---

1. Pollux : fils, avec son frère jumeau Castor, de Zeus et Léda. Les Romains vouaient un culte à Castor et Pollux, considérés comme les protecteurs de la légion romaine.

ARGYRIPPE. – La pauvreté impose tous les sacrifices : frottons-les. Tu me donnes ce que je te demande ?

PHILÉNIE. – Allons, mon petit Léonidas, je t'en supplie, donne le salut à ton maître amoureux : achète-lui ta liberté au prix de ce
40 bienfait, fais de lui ton propre esclave avec cet argent.

LÉONIDAS. – Tu es trop gentille et trop charmante, et si cet argent était à moi, tes prières ne me laisseraient pas sourd ; mais c'est lui qu'il vaut mieux prier *(montrant Liban[1])* ; c'est lui qui m'a donné cette sacoche à garder. Va, ma toute belle, vas-y bellement. *(Il jette*
45 *la bourse à Liban.)* Attrape, s'il te plaît, Liban.

ARGYRIPPE. – Gibier de potence, tu viens encore de me rouler ?

LÉONIDAS. – Je m'en garderais bien, par Hercule[2], si tu ne me frottais aussi mal les genoux. *(À Liban.)* Vas-y maintenant, à ton tour, de ridiculiser celui-ci et d'embrasser la fille.

Plaute, *Théâtre complet*, t. I, *La Comédie des ânes* [212 av. J.-C.],
acte III, scène 3, trad. du latin par P. Grimal,
© Gallimard, « Folio classique », 1991.

Molière, *Les Fourberies de Scapin*

Dans *Les Fourberies de Scapin* (1671) de Molière (1622-1673), le valet Scapin sert secrètement les amours de Léandre, le fils de son maître Géronte, en soutirant à ce dernier de l'argent et en lui racontant toutes sortes de mensonges. Dans la scène dite du sac, Scapin se venge des mauvais traitements de son maître en lui faisant croire qu'il est recherché par des spadassins, ce qui lui permet de le bastonner, comme dans une farce.

GÉRONTE. – Ne saurais-tu trouver quelque moyen pour me tirer de peine ?

SCAPIN. – J'en imagine bien un ; mais je courrais risque, moi, de me faire assommer.

---

1. Liban : le nom de l'esclave renvoie probablement à la ruse que les Romains attribuaient aux Orientaux.
2. Hercule : héros de la mythologie romaine, demi-dieu, fils de Zeus et d'Alcmène.

5 **GÉRONTE**. – Eh ! Scapin, montre-toi serviteur zélé[1]. Ne m'abandonne pas, je te prie.

SCAPIN. – Je le veux bien. J'ai une tendresse pour vous qui ne saurait souffrir que je vous laisse sans secours.

GÉRONTE. – Tu en seras récompensé, je t'assure ; et je te promets
10 cet habit-ci, quand je l'aurai un peu usé.

SCAPIN. – Attendez. Voici une affaire que je me suis trouvée fort
à propos pour vous sauver. Il faut que vous vous mettiez dans ce
sac et que…

GÉRONTE, *croyant voir quelqu'un*. – Ah !

15 **SCAPIN**. – Non, non, non, non, ce n'est personne. Il faut, dis-je,
que vous vous mettiez là-dedans, et que vous gardiez de remuer
en aucune façon. Je vous chargerai sur mon dos, comme un
paquet de quelque chose, et je vous porterai ainsi au travers de
vos ennemis, jusque dans votre maison, où quand nous serons
20 une fois, nous pourrons nous barricader, et envoyer quérir main-
forte contre la violence.

GÉRONTE. – L'invention est bonne.

SCAPIN. – La meilleure du monde. Vous allez voir. *(À part.)* Tu me
payeras l'imposture.

25 **GÉRONTE**. – Eh ?

SCAPIN. – Je dis que vos ennemis seront bien attrapés. Mettez-
vous bien jusqu'au fond, et surtout prenez garde de ne vous point
montrer, et de ne branler pas, quelque chose qui puisse arriver[2].

GÉRONTE. – Laisse-moi faire. Je saurai me tenir…

30 **SCAPIN**. – Cachez-vous. Voici un spadassin[3] qui vous cherche. *(En
contrefaisant[4] sa voix.)* « Quoi ? Jé n'aurai pas l'abantage dé tuer
cé Géronte, et quelqu'un par charité né m'enseignera pas où il
est ? » *(À Géronte avec sa voix ordinaire.)* Ne branlez pas. *(Reprenant*

---

1. Zélé : très dévoué.
2. De ne branler pas, quelque chose qui puisse arriver : de ne pas bouger, quoi
qu'il arrive.
3. Spadassin : assassin à gages.
4. Contrefaisant : modifiant. Scapin prend dans cette tirade l'accent gascon.

son ton contrefait.) « Cadédis[1], jé lé trouberai, sé cachât-il au centre
35 dé la terre. » *(À Géronte avec son ton naturel.)* Ne vous montrez pas.
*(Tout le langage gascon est supposé de celui qu'il contrefait, et le reste
de lui.)* « Oh, l'homme au sac ! » Monsieur. « Jé té vaille un louis,
et m'enseigne où put être Géronte. » Vous cherchez le seigneur
Géronte ? « Oui, mordi[2] ! Jé lé cherche. » Et pour quelle affaire,
40 Monsieur ? « Pour quelle affaire ? » Oui. « Jé beux, cadédis, lé
faire mourir sous les coups de vaton. » Oh ! Monsieur, les coups
de bâton ne se donnent point à des gens comme lui, et ce n'est
pas un homme à être traité de la sorte. « Qui, cé fat dé Géronte,
cé maraut, cé velître ? » Le seigneur Géronte, Monsieur, n'est ni
45 fat, ni maraud, ni belître[3], et vous devriez, s'il vous plaît, parler
d'autre façon. « Comment, tu mé traites, à moi, avec cette hau-
tur ? » Je défends, comme je dois, un homme d'honneur qu'on
offense. « Est-ce que tu es des amis dé cé Géronte ? » Oui, Monsieur, j'en suis. « Ah ! Cadédis, tu es de ses amis, à la vonne hure. »
50 *(Il donne plusieurs coups de bâton sur le sac.)* « Tiens. Boilà cé que jé
té vaille pour lui. » Ah, ah, ah ! Ah, Monsieur ! Ah, ah, Monsieur !
Tout beau. Ah, doucement, ah, ah, ah ! « Va, porte-lui cela de ma
part. Adiusias[4]. » Ah ! diable soit le Gascon ! Ah ! *(En se plaignant
et remuant le dos, comme s'il avait reçu les coups de bâton.)*

Molière, *Les Fourberies de Scapin* [1671], acte III, scène 2,
Belin-Gallimard, « Classico », 2013.

Lesage, *Crispin rival de son maître*

**Romancier célèbre pour *Le Diable boiteux* et l'*Histoire de Gil Blas de
Santillane*, Alain-René Lesage (1668-1747) est aussi l'inventeur de
l'opéra-comique et l'auteur de plusieurs comédies, parmi lesquelles
Turcaret (1709) et *Crispin rival de son maître* (1707). Dans cette pièce en
un acte, Valère veut conquérir la noble et fortunée Angélique. Mais le**

---

1. Cadédis : juron provençal.
2. Mordi : pardi.
3. Fat : prétentieux. **Maraud** : coquin (péjoratif). **Bélître** : homme importun, dérangeant.
4. Adiusias : « adieu », en provençal.

père de celle-ci, Oronte, la destine à Damis, un libertin qui, ayant séduit une autre jeune fille à Chartres, est contraint de l'épouser. Informé de la situation par La Branche (valet d'Orgon, le père de Damis), Crispin (valet de Valère) décide de se faire passer pour Damis afin d'épouser Angélique et, surtout, de toucher son importante dot. Il est démasqué *in extremis* dans la scène de dénouement.

CRISPIN. – Hé bien, Monsieur Oronte, tout est-il prêt ? Notre mariage… ouf ! qu'est-ce que je vois ?

LA BRANCHE. – Ahi, nous sommes découverts, sauvons-nous.

Ils veulent se retirer, mais Valère court à eux et les arrête.

VALÈRE. – Oh vous ne nous échapperez pas, Messieurs les
5 marauds, et vous serez traités comme vous le méritez.

Valère la main sur l'épaule de Crispin. Monsieur Oronte et Monsieur Orgon se saisissent de La Branche.

M. ORONTE. – Ah ah, nous vous tenons, fourbes.

M. ORGON, *à La Branche*. – Dis-nous méchant. Qui est cet autre fripon que tu fais passer pour Damis ?

VALÈRE. – C'est mon valet.

10 **MME ORONTE**. – Un valet, juste ciel, un valet.

VALÈRE. – Un perfide[1] qui me fait accroire[2] qu'il est dans mes intérêts, pendant qu'il emploie pour me tromper le plus noir de tous les artifices.

CRISPIN. – Doucement, Monsieur, doucement, ne jugeons point
15 sur les apparences.

M. ORGON, *à La Branche*. – Et toi, coquin, voilà donc comme tu fais les commissions que je te donne.

LA BRANCHE. – Allons, Monsieur, allons bride en main[3], s'il vous plaît, ne condamnons point les gens sans les entendre.

---

1. **Perfide** : sournois, qui agit avec traîtrise.
2. **Accroire** : croire.
3. **Allons bride en main** : agissons avec retenue et prudence.

M. Orgon. – Quoi ! tu voudrais soutenir que tu n'es pas un maître fripon.

La Branche, *d'un ton pleureur.* – Je suis un fripon, fort bien. Voyez les douceurs qu'on s'attire en servant avec affection.

Valère, *à Crispin.* – Tu ne demeureras pas d'accord non plus toi, que tu es un fourbe, un scélérat[1] ?

Crispin, *d'un ton emporté.* – Scélérat, fourbe, que diable, Monsieur, vous me prodiguez[2] des épithètes qui ne me conviennent point du tout.

Valère. – Nous aurons encore tort de soupçonner votre fidélité, traîtres !

M. Oronte. – Que direz-vous pour vous justifier, misérables ?

La Branche. – Tenez, voilà Crispin, qui va vous tirer d'erreur.

Crispin. – La Branche vous expliquera la chose en deux mots.

La Branche. – Parle, Crispin, fais-leur voir notre innocence.

Crispin. – Parle toi-même, La Branche, tu les auras bientôt désabusés.

La Branche. – Non non, tu débrouilleras mieux le fait.

Crispin. – Hé bien, Messieurs, je vais vous dire la chose tout naturellement. J'ai pris le nom de Damis, pour dégoûter par mon air ridicule Monsieur et Madame Oronte de l'alliance de Monsieur Orgon, et les mettre par là dans une disposition favorable pour mon maître ; mais au lieu de les rebuter[3] par mes manières impertinentes, j'ai eu le malheur de leur plaire, ce n'est pas ma faute, une fois.

M. Oronte. – Cependant si on t'avait laissé faire, tu aurais poussé la feinte jusqu'à épouser ma fille.

Crispin. – Non, Monsieur, demandez à La Branche, nous venions ici vous découvrir tout.

---

1. Scélérat : qui a commis des crimes.
2. Prodiguez : donnez en abondance.
3. Rebuter : repousser.

VALÈRE. – Vous ne sauriez donner à votre perfidie des couleurs qui puissent nous éblouir ; puisque Damis est marié, il était inutile que Crispin fît le personnage qu'il a fait.

CRISPIN. – Hé bien, Messieurs, puisque vous ne voulez pas nous absoudre comme innocents, faites-nous donc grâce comme à des coupables. Nous implorons votre bonté.

Il se met à genoux devant Monsieur Oronte.

LA BRANCHE, *se mettant aussi à genoux.* – Oui, nous avons recours à votre clémence.

CRISPIN. – Franchement la dot nous a tentés. Nous sommes accoutumés à faire des fourberies, pardonnez-nous celle-ci à cause de l'habitude.

Alain-René Lesage, *Turcaret précédé de Crispin rival de son maître* [1707], scène 26, Le Livre de Poche, « Le Théâtre de Poche », 1999.

Marivaux, *Le Jeu de l'amour et du hasard*

Au début de la comédie de Marivaux (1688-1763) *Le Jeu de l'amour et du hasard* (1730), Silvia, jeune femme de condition, doit épouser Dorante. Mais elle souhaite d'abord le connaître. Pour l'observer à sa guise, elle échange ses habits avec sa femme de chambre, Lisette. Dorante, de son côté, a la même idée, si bien que son valet Arlequin se fait passer pour lui. La scène qui suit donne à voir le badinage de Lisette et d'Arlequin, qui peinent à soutenir leurs rôles de maîtres.

ARLEQUIN, *à part.* – Préparons un peu cette affaire-là… *(Haut.)* Madame, votre amour est-il d'une constitution bien robuste, soutiendra-t-il bien la fatigue, que je vais lui donner, un mauvais gîte lui fait-il peur ? je vais le loger petitement.

LISETTE. – Ah, tirez-moi d'inquiétude ! en un mot qui êtes-vous ?

ARLEQUIN. – Je suis… n'avez-vous jamais vu de fausse monnaie ? savez-vous ce que c'est qu'un louis d'or faux ? Eh bien, je ressemble assez à cela.

LISETTE. – Achevez donc, quel est votre nom ?

10 **ARLEQUIN**. – Mon nom! *(À part.)* Lui dirai-je que je m'appelle Arlequin? non; cela rime trop avec coquin.

LISETTE. – Eh bien?

ARLEQUIN. – Ah dame, il y a un peu à tirer[1] ici! Haïssez-vous la Qualité[2] de soldat?

15 **LISETTE**. – Qu'appelez-vous un soldat?

ARLEQUIN. – Oui, par exemple, un soldat d'antichambre[3].

LISETTE. – Un soldat d'antichambre! ce n'est donc point Dorante à qui je parle enfin?

ARLEQUIN. – C'est lui qui est mon capitaine.

20 **LISETTE**. – Faquin!

ARLEQUIN, *à part*. – Je n'ai pu éviter la rime.

LISETTE. – Mais voyez ce magot[4]; tenez!

ARLEQUIN, *à part*. – La jolie culbute[5] que je fais là!

LISETTE. – Il y a une heure que je lui demande grâce, et que je
25 m'épuise en humilités pour cet animal-là!

ARLEQUIN. – Hélas, Madame, si vous préfériez l'amour à la gloire, je vous ferais bien autant de profit qu'un Monsieur[6].

LISETTE, *riant*. – Ah, ah, ah, je ne saurais pourtant m'empêcher d'en rire avec sa gloire; et il n'y a plus que ce parti-là à prendre…
30 Va, va, ma gloire te pardonne, elle est de bonne composition.

ARLEQUIN. – Tout de bon, charitable Dame, ah, que mon amour vous promet de reconnaissance!

LISETTE. – Touche là, Arlequin; je suis prise pour dupe[7]: le soldat d'antichambre de Monsieur vaut bien la coiffeuse de Madame.

35 **ARLEQUIN**. – La coiffeuse de Madame!

---

1. Il y a un peu à tirer: il faut faire quelques efforts (expression familière).
2. Qualité: condition sociale.
3. Soldat d'antichambre: valet (périphrase).
4. Magot: singe; homme d'une grande laideur (terme familier).
5. Culbute: chute.
6. Un Monsieur: un homme de condition.
7. Je suis prise pour dupe: on s'est joué de moi.

LISETTE. – C'est mon capitaine ou l'équivalent.

ARLEQUIN. – Masque[1] !

LISETTE. – Prends ta revanche.

ARLEQUIN. – Mais voyez cette magotte[2], avec qui, depuis une
40 heure, j'entre en confusion[3] de ma misère !

LISETTE. – Venons au fait ; m'aimes-tu ?

ARLEQUIN. – Pardi oui, en changeant de nom, tu n'as pas changé
de visage, et tu sais bien que nous nous sommes promis fidélité en
dépit de toutes les fautes d'orthographe.

45 **LISETTE.** – Va, le mal n'est pas grand, consolons-nous ; ne faisons
semblant de rien, et n'apprêtons point à[4] rire ; il y a apparence
que ton maître est encore dans l'erreur à l'égard de ma maîtresse,
ne l'avertis de rien, laissons les choses comme elles sont : je crois
que le voici qui entre. Monsieur, je suis votre servante.

50 **ARLEQUIN.** – Et moi votre valet, Madame. *(Riant.)* Ha, ha, ha !

Marivaux, *Le Jeu de l'amour et du hasard* [1730], acte III, scène 6,
Belin-Gallimard, « Classico », 2011.

Beaumarchais, *Le Barbier de Séville*

Le Barbier de Séville (1775), premier volet de la trilogie de Beaumarchais,
auquel font suite *Le Mariage de Figaro* (1784) et *La Mère coupable* (1792),
présente la conquête par le comte Almaviva de sa future épouse, Rosine.
Celle-ci est alors tenue à l'écart du monde par Bartholo, personnage
incarnant le barbon de comédie, c'est-à-dire le vieillard amoureux d'une
jeune femme qu'il veut forcer à l'épouser. Au début de la pièce, le comte
Almaviva retrouve son ancien valet, Figaro, sur lequel il peut compter.
Dans cet extrait, Figaro mène le jeu en l'aidant à préparer son entrée
chez Bartholo.

---

1. **Masque** : femme rusée et malicieuse (terme familier).
2. **Magotte** : néologisme, féminin de « magot ».
3. **J'entre en confusion** : j'ai honte.
4. **N'apprêtons point à** : ne donnons pas l'occasion de.

Le Comte. – Heureux Figaro ! tu vas voir ma Rosine ! tu vas la voir ! Conçois-tu ton bonheur ?

Figaro. – C'est bien là un propos d'Amant ! Est-ce que je l'adore, moi ? Puissiez-vous prendre ma place !

5 **Le Comte.** – Ah ! si l'on pouvait écarter tous les surveillants !...

Figaro. – C'est à quoi je rêvais.

Le Comte. – Pour douze heures seulement !

Figaro. – En occupant les gens de leur propre intérêt, on les empêche de nuire à l'intérêt d'autrui.

10 **Le Comte.** – Sans doute. Eh bien ?

Figaro, *rêvant.* – Je cherche dans ma tête si la Pharmacie ne fournirait pas quelques petits moyens innocents...

Le Comte. – Scélérat !

Figaro. – Est-ce que je veux leur nuire ? Ils ont tous besoin de
15 mon ministère[1]. Il ne s'agit que de les traiter ensemble.

Le Comte. – Mais ce Médecin peut prendre un soupçon.

Figaro. – Il faut marcher si vite, que le soupçon n'ait pas le temps de naître. Il me vient une idée. Le Régiment de Royal-Infant arrive en cette Ville.

20 **Le Comte.** – Le Colonel est de mes amis.

Figaro. – Bon. Présentez-vous chez le Docteur en habit de Cavalier, avec un billet de logement[2] ; il faudra bien qu'il vous héberge ; et moi, je me charge du reste.

Le Comte. – Excellent !

25 **Figaro.** – Il ne serait même pas mal que vous eussiez l'air entre deux vins[3]...

Le Comte. – À quoi bon ?

---

1. **Ministère** : emploi, entremise.
2. **Billet de logement** : billet imposant à quelqu'un d'héberger un soldat.
3. **Entre deux vins** : un peu ivre.

Figaro. – Et le mener un peu lestement[1] sous cette apparence déraisonnable.

30 **Le Comte.** – À quoi bon ?

Figaro. – Pour qu'il ne prenne aucun ombrage[2], et vous croie plus pressé de dormir que d'intriguer chez lui.

Le Comte. – Supérieurement vu ! Mais que n'y vas-tu, toi ?

Figaro. – Ah ! oui, moi ! Nous serons bien heureux s'il ne vous
35 reconnaît pas, vous qu'il n'a jamais vu. Et comment vous introduire après ?

Le Comte. – Tu as raison.

Figaro. – C'est que vous ne pourrez peut-être pas soutenir ce personnage difficile. Cavalier… pris de vin…

40 **Le Comte.** – Tu te moques de moi. *(Prenant un ton ivre.)* N'est-ce point la maison du Docteur Bartholo, mon ami ?

Figaro. – Pas mal, en vérité ; vos jambes seulement un peu plus avinées[3]. *(D'un ton plus ivre.)* N'est-ce pas ici la maison…

Le Comte. – Fi donc ! tu as l'ivresse du peuple.

45 **Figaro.** – C'est la bonne ; c'est celle du plaisir.

Le Comte. – La porte s'ouvre.

Figaro. – C'est notre homme : éloignons-nous jusqu'à ce qu'il soit parti.

Beaumarchais, *Le Barbier de Séville* [1775], acte I, scène 4,
Belin-Gallimard, « Classico », 2017.

---

1. **Lestement** : avec rapidité et aisance.
2. **Pour qu'il ne prenne aucun ombrage** : pour ne pas susciter sa méfiance.
3. **Avinées** : simulant l'ivresse.

Victor Hugo, *Ruy Blas*

Dans son drame romantique *Ruy Blas* (1838), Victor Hugo (1802-1885) réconcilie comique et tragique, grotesque et sublime. Au début de la pièce, qui se déroule dans l'Espagne du XVIe siècle, don Salluste, un noble exilé par la reine, décide de se venger. À cette fin, il organise un complot dans lequel il implique son laquais Ruy Blas, secrètement amoureux de la reine. Il le fait passer pour un grand d'Espagne dénommé don César. Ruy Blas se prend au jeu et parvient parfaitement à tenir son rôle : il devient Premier ministre et se fait aimer de la reine. C'est alors que don Salluste, déguisé en valet, se rappelle à lui.

DON SALLUSTE, *posant la main sur l'épaule de Ruy Blas.*
Bonjour.

RUY BLAS, *effaré.*

À part.

Grand Dieu ! je suis perdu ! le marquis !

DON SALLUSTE, *souriant.*
Je parie
Que vous ne pensiez pas à moi.

RUY BLAS
Sa seigneurie
En effet, me surprend.

À part.

Oh ! mon malheur renaît.
5 J'étais tourné vers l'ange[1] et le démon venait.

*Il court à la tapisserie qui cache le cabinet secret,
et en ferme la petite porte au verrou ;
puis il revient tout tremblant vers don Salluste.*

DON SALLUSTE
Eh bien ! comment cela va-t-il ?

---

1. **L'ange** : allusion à la reine.

Ruy Blas, *l'œil fixé sur don Salluste impassible,*
pouvant à peine rassembler ses idées.

Cette livrée[1]?…

Don Salluste, *souriant toujours.*

Il fallait du palais me procurer l'entrée.
Avec cet habit-là l'on arrive partout.
J'ai pris votre livrée et la trouve à mon goût.

Il se couvre. Ruy Blas reste tête nue.

Ruy Blas

10 Mais j'ai peur pour vous…

Don Salluste

Peur ! Quel est ce mot risible ?

Ruy Blas

Vous êtes exilé ?

Don Salluste

Croyez-vous ? C'est possible.

Ruy Blas

Si l'on vous reconnaît, au palais, en plein jour ?

Don Salluste

Ah bah ! des gens heureux, qui sont des gens de cour,
Iraient perdre leur temps, ce temps qui sitôt passe,
15 À se ressouvenir d'un visage en disgrâce !
D'ailleurs, regarde-t-on le profil d'un valet ?

Il s'assied dans un fauteuil,
et Ruy Blas reste debout.

À propos, que dit-on à Madrid, s'il vous plaît ?
Est-il vrai que, brûlant d'un zèle hyperbolique[2],
Ici, pour les beaux yeux de la caisse publique,

---

1. Livrée : tenue de domestique.
2. Zèle hyperbolique : dévouement démesuré.

20 Vous exilez ce cher Priego[1], l'un des grands ?
Vous avez oublié que vous êtes parents.
Sa mère est Sandoval, la vôtre aussi. Que diable !
Sandoval porte d'or à la bande de sable[2].
Regardez vos blasons, don César. C'est fort clair.
25 Cela ne se fait pas entre parents, mon cher.
Les loups pour nuire aux loups font-ils les bons apôtres ?
Ouvrez les yeux pour vous, fermez-les pour les autres.
Chacun pour soi.

RUY BLAS, *se rassurant un peu.*

Pourtant, monsieur, permettez-moi.
Monsieur de Priego, comme noble du roi,
30 A grand tort d'aggraver les charges de l'Espagne.
Or, il va falloir mettre une armée en campagne ;
Nous n'avons pas d'argent, et pourtant il le faut.
L'héritier bavarois penche à mourir bientôt.
Hier, le comte d'Harrach, que vous devez connaître,
35 Me le disait au nom de l'empereur son maître.
Si monsieur l'archiduc veut soutenir son droit,
La guerre éclatera…

DON SALLUSTE

L'air me semble un peu froid.
Faites-moi le plaisir de fermer la croisée.

*Ruy Blas, pâle de honte et de désespoir, hésite un moment ;
puis il fait un effort et se dirige lentement vers la fenêtre,
la ferme, et revient vers don Salluste, qui, assis dans
le fauteuil, le suit des yeux d'un air indifférent.*

RUY BLAS, *reprenant et essayant
de convaincre don Salluste.*

Daignez voir à quel point la guerre est malaisée.
40 Que faire sans argent ? Excellence, écoutez.

---

1. **Priego** : marquis d'Espagne, dans l'intrigue.
2. **D'or à la bande de sable** : blason doré avec une bande noire, signe de noblesse.

Le salut de l'Espagne est dans nos probités[1].
Pour moi, j'ai, comme si notre armée était prête,
Fait dire à l'empereur que je lui tiendrais tête…

> **DON SALLUSTE**, *interrompant Ruy Blas*
> *et lui montrant son mouchoir,*
> *qu'il a laissé tomber en entrant.*

Pardon ! ramassez-moi mon mouchoir.

> *Ruy Blas, comme à la torture, hésite, puis se baisse,*
> *ramasse le mouchoir, et le présente à don Salluste.*

> **DON SALLUSTE**,
> *mettant le mouchoir dans sa poche.*
> Vous disiez ?…

> **RUY BLAS**, *avec effort.*

45 Le salut de l'Espagne ! oui, l'Espagne à nos pieds,
Et l'intérêt public demandent qu'on s'oublie.
Ah ! toute nation bénit qui la délie[2].
Sauvons ce peuple ! Osons être grands, et frappons !
Ôtons l'ombre à l'intrigue et le masque aux fripons !

Victor Hugo, *Ruy Blas* [1838], acte III, scène 5,
Belin-Gallimard, « Classico », 2009.

Jean Genet, *Les Bonnes*

Pour écrire *Les Bonnes* (1947), Jean Genet semble s'être inspiré d'un
fait divers, celui des sœurs Papin, deux employées de maison qui
avaient assassiné leurs patronnes en 1933. La scène d'exposition de
la pièce présente Claire et Solange qui s'adonnent à un jeu cérémonial ;
elles jouent respectivement les rôles de « Madame », leur maîtresse, et
de Claire.

---

1. Probités : marques de droiture, qui consistent notamment à respecter les droits
et les devoirs imposés par la justice.
2. Délie : délivre.

La chambre de Madame. Meubles Louis XV. Au fond, une
fenêtre ouverte sur la façade de l'immeuble en face. À droite, le
lit. À gauche, une porte et une commode. Des fleurs à profusion.
C'est le soir. L'actrice qui joue Solange est vêtue d'une petite robe
noire de domestique. Sur une chaise, une autre petite robe noire,
des bas de fil noirs, une paire de souliers noirs à talons plats.

CLAIRE, *debout, en combinaison*[1], *tournant le dos à la coiffeuse*[2]. *Son*
geste – le bras tendu – et le ton seront d'un tragique exaspéré. – Et ces
gants! Ces éternels gants! Je t'ai dit souvent de les laisser à la
cuisine. C'est avec ça, sans doute, que tu espères séduire le lai-
5 tier. Non, non, ne mens pas, c'est inutile. Pends-les au-dessus de
l'évier. Quand comprendras-tu que cette chambre ne doit pas
être souillée? Tout, mais tout! ce qui vient de la cuisine est cra-
chat. Sors. Et remporte tes crachats! Mais cesse!

> *Pendant cette tirade, Solange jouait avec une paire*
> *de gants de caoutchouc, observant ses mains gantées,*
> *tantôt en bouquet, tantôt en éventail.*

Ne te gêne pas, fais ta biche. Et surtout ne te presse pas, nous
10 avons le temps. Sors!

> *Solange change soudain d'attitude et sort humblement,*
> *tenant du bout des doigts les gants de caoutchouc.*
> *Claire s'assied à la coiffeuse. Elle respire les fleurs,*
> *caresse les objets de toilette, brosse ses cheveux, arrange son visage.*

Préparez ma robe. Vite le temps presse. Vous n'êtes pas là? *(Elle se*
retourne.) Claire! Claire!

> *Entre Solange.*

SOLANGE. – Que Madame m'excuse, je préparais le tilleul *(Elle*
prononce tillol.) de Madame.

15 CLAIRE. – Disposez mes toilettes[3]. La robe blanche pailletée.
L'éventail, les émeraudes.

SOLANGE. – Tous les bijoux de Madame?

---

1. **Combinaison**: sous-vêtement féminin léger.
2. **Coiffeuse**: meuble à tiroirs, surmonté d'une glace.
3. **Toilettes**: vêtements somptueux.

CLAIRE. – Sortez-les. Je veux choisir. *(Avec beaucoup d'hypocrisie.)*
Et naturellement les souliers vernis. Ceux que vous convoitez
20 depuis des années.

> *Solange prend dans l'armoire quelques écrins[1]*
> *qu'elle ouvre et dispose sur le lit.*

Pour votre noce sans doute. Avouez qu'il vous a séduite ! Que vous
êtes grosse[2] ! Avouez-le !

> *Solange s'accroupit sur le tapis et, crachant*
> *dessus, cire des escarpins vernis.*

Je vous ai dit, Claire, d'éviter les crachats. Qu'ils dorment en
vous, ma fille, qu'ils y croupissent. Ah ! ah ! vous êtes hideuse, ma
25 belle. Penchez-vous davantage et vous regardez dans mes souliers.
(Elle tend son pied que Solange examine.) Pensez-vous qu'il me soit
agréable de me savoir le pied enveloppé par les voiles de votre
salive ? Par la brume de vos marécages ?

SOLANGE, *à genoux et très humble.* – Je désire que Madame soit
30 belle.

CLAIRE, *elle s'arrange dans la glace.* – Vous me détestez, n'est-ce
pas ?

Jean Genet, *Les Bonnes* [1947], scène d'exposition,
Belin-Gallimard, « Classico », 2010.
© Gallimard.

Groupements de textes

Joël Pommerat, *Cercles / Fictions*

Dans *Cercles / Fictions*, Joël Pommerat (né en 1963), dramaturge
contemporain, rompt avec la tradition de l'unité d'action et avec l'ordre
chronologique en entremêlant six histoires. Dans le premier épisode
de la première histoire, intitulé « 9 septembre 1914 », un homme aristocrate déclare son amour à son premier domestique, qui s'excuse
de refuser ses avances. Dans le deuxième épisode, « 3 août 1914 », le
couple d'aristocrates célèbre un anniversaire avec tout son personnel.

---

1. Écrins : petits coffrets à bijoux.
2. Grosse : enceinte.

L'atmosphère est festive et certains convives commencent à s'enivrer. C'est alors que les domestiques s'amusent à imiter la femme aristocrate, aux apparences affables, puis son mari.

LE PREMIER DOMESTIQUE. – Hé?!... vous voudriez pas qu'on essaie là tout de suite?

LE TROISIÈME DOMESTIQUE. – Quoi donc?

LE PREMIER DOMESTIQUE. – Eh bien, le «tu».
5 Moi j'aimerais bien que ça fonctionne comme ça avec tout le monde dans cette maison mais pour la plupart des employés c'est hors de question, ils bloquent, ils sont «bloqués». Je ne leur en veux pas bien sûr. Alors?

Rires.

LE TROISIÈME DOMESTIQUE. – Alors quoi donc?

10 **LE PREMIER DOMESTIQUE.** – Si on essayait le «tu» là tout de suite, avant qu'on bloque… Oh là là ça m'amuserait vraiment qu'on essaie. Vous seriez d'accord c'est sûr? je ne vous force pas au moins? c'est certain?

LE TROISIÈME DOMESTIQUE. – Je ne sais pas.

15 **LE PREMIER DOMESTIQUE.** – Bon j'y vais. Salut Philippe, moi c'est Élisabeth j'espère que ça roule comme tu veux pour toi dans la vie.

Rires.

LE TROISIÈME DOMESTIQUE. – Euh… Oui oui ça va.

LE PREMIER DOMESTIQUE. – Ça roule pour toi?

Rires.

20 **LE TROISIÈME DOMESTIQUE.** – Euh oui…

LE PREMIER DOMESTIQUE. – Attends je t'arrête là il faut que tu m'adresses directement la parole. Sinon ça marche pas.

LE TROISIÈME DOMESTIQUE. – Ah bon? Ah oui d'accord!

LE PREMIER DOMESTIQUE. – Bon vas-y. Pose-moi une question.

25 **LE TROISIÈME DOMESTIQUE.** – Il fait drôlement beau aujourd'hui, non?

LE PREMIER DOMESTIQUE. – C'est ta question, ça ?

LE TROISIÈME DOMESTIQUE. – Euh oui.

LE PREMIER DOMESTIQUE. – Ah oui tu n'es pas très malin comme
30 garçon, je vois ça.

LA FEMME ARISTOCRATE 1 (en riant). – Oh non, vous exagérez…

L'HOMME ARISTOCRATE. – Oui mais c'est ça le comique c'est l'exagération.
Il est très doué. C'est drôle !

35 **LE PREMIER DOMESTIQUE.** – Il a fait du théâtre.

LA FEMME ARISTOCRATE 1. – Ah oui ? Essayez avec mon mari.

LE PREMIER DOMESTIQUE. – Bon je te laisse un peu avec mon
mari. (*Il fait un tour sur lui-même. Imitant l'homme aristocrate.*) Bonjour Philippe.

Rires.

40 **LE TROISIÈME DOMESTIQUE.** – Bonjour Monsieur.

LE PREMIER DOMESTIQUE. – Vous savez je partage les mêmes idées
que ma femme.

LE TROISIÈME DOMESTIQUE. – Ah bon ?

LE PREMIER DOMESTIQUE. – J'ai pour principe d'en finir avec les
45 principes.

Rires.

LE TROISIÈME DOMESTIQUE. – Bien, Monsieur.

LE PREMIER DOMESTIQUE. – Et j'aimerais qu'il n'y ait pas trop de
distance entre nous.

LE TROISIÈME DOMESTIQUE. – Ah ! bien, Monsieur.

50 **LE PREMIER DOMESTIQUE.** – Déjà si vous pouviez ne plus mettre
cet uniforme !

LE TROISIÈME DOMESTIQUE. – Et je mettrais quoi à la place ?

LE PREMIER DOMESTIQUE. – Oh vous savez si je m'écoutais, je vous
demanderais de ne rien mettre du tout. On vivrait bien mieux

55 sans rien sur le corps. Les vêtements, moi je trouve que ça crée une frontière entre les gens.

Le troisième domestique. – Ah bon ?

Le premier domestique. – En plus je suis sûr que ça vous irait très bien de ne rien mettre du tout. Vous êtes sportif, non ?

60 **Le troisième domestique.** – Oui, Monsieur.

Le premier domestique. – Et vous êtes marié, c'est ça ?

Le troisième domestique. – Oui, Monsieur.

Les rires, qui s'étaient progressivement estompés à partir de l'imitation de l'homme aristocrate, se sont arrêtés.

Le premier domestique (ne percevant pas le changement d'ambiance autour de lui). – Ah oui c'est ça. Vous voudriez pas qu'on
65 prenne le temps d'aller discuter d'égal à égal, quelque part, pour casser les frontières définitivement ?

Le troisième domestique. – Je ne sais pas ! Et où ça, Monsieur ?

Le premier domestique. – Je ne sais pas dans ma chambre par exemple c'est calme. Quand ma femme n'y est pas.

*Grand silence.
Le domestique croise le regard de la femme aristocrate 1
et perçoit le malaise qu'il a créé. Il s'éloigne vers le fond
du salon, visiblement accablé de honte.*

Joël Pommerat, *Cercles / Fictions*,
© Actes Sud Papiers, 2010.

Scènes de reconnaissance

Sophocle, *Œdipe roi*

Le dramaturge grec Sophocle (v. 496–v. 406 av. J.-C.) fonde le modèle de la tragédie avec sa pièce *Œdipe roi*. À peine arrivé à Thèbes, Œdipe, un personnage boiteux qui vient de tuer un inconnu en chemin, se distingue par sa perspicacité. Il est proclamé roi et mari de Jocaste, l'épouse du défunt roi Laïos. Pour trouver l'assassin du roi, Œdipe mène alors une enquête qui se double d'une effrayante quête des origines. Le régicide qu'il cherche n'est autre que lui-même : sans le savoir, il a tué son père et s'est marié avec sa mère.

ŒDIPE. – Si tu ne veux pas parler de bon gré, tu parleras de force et il t'en cuira.

LE SERVITEUR. – Ah ! je t'en supplie, par les dieux, ne maltraite pas un vieillard.

5 ŒDIPE. – Vite, qu'on lui attache les mains dans le dos !

LE SERVITEUR. – Hélas ! Pourquoi donc ? que veux-tu savoir ?

ŒDIPE. – C'est toi qui lui remis l'enfant dont il nous parle ?

LE SERVITEUR. – C'est moi. J'aurais bien dû mourir le même jour.

ŒDIPE. – Refuse de parler, et c'est ce qui t'attend.

10 LE SERVITEUR. – Si je parle, ma mort est bien plus sûre encore.

ŒDIPE. – Cet homme m'a tout l'air de chercher des délais.

LE SERVITEUR. – Non, je l'ai dit déjà : c'est moi qui le remis.

ŒDIPE. – De qui le tenais-tu ? De toi-même ou d'un autre ?

LE SERVITEUR. – Il n'était pas à moi. Je le tenais d'un autre.

15 ŒDIPE. – De qui ? De quel foyer de Thèbes sortait-il ?

LE SERVITEUR. – Non, maître, au nom des dieux, n'en demande pas plus.

ŒDIPE. – Tu es mort, si je dois répéter ma demande.

Le serviteur. – Il était né chez Laïos.

20 **Œdipe.** – Esclave?… ou parent du roi?

Le serviteur. – Hélas! j'en suis au plus cruel à dire.

Œdipe. – Et pour moi à entendre. Pourtant je l'entendrai.

Le serviteur. – Il passait pour son fils… Mais ta femme, au palais, peut bien mieux que personne te dire ce qui est.

25 **Œdipe.** – C'est elle qui te l'avait remis?

Le serviteur. – C'est elle, seigneur.

Œdipe. – Dans quelle intention?

Le serviteur. – Pour que je le tue.

Œdipe. – Une mère!… La pauvre femme!

30 **Le serviteur.** – Elle avait peur d'un oracle des dieux.

Œdipe. – Qu'annonçait-il?

Le serviteur. – Qu'un jour, prétendait-on, il tuerait ses parents.

Œdipe. – Mais pourquoi l'avoir, toi, remis à ce vieillard?

Le serviteur. – J'eus pitié de lui, maître. Je crus, moi, qu'il l'em-
35 porterait au pays d'où il arrivait. Il t'a sauvé la vie, mais pour les pires maux! Si tu es vraiment celui dont il parle, sache que tu es né marqué par le malheur.

Œdipe. – Hélas, hélas! ainsi tout à la fin serait vrai! Ah! lumière du jour, que je te voie ici pour la dernière fois, puisque
40 aujourd'hui, je me révèle le fils de qui je ne devais pas naître, l'époux de qui je ne devais pas l'être, le meurtrier de qui je ne devais pas tuer!

(Il se rue dans le palais.)

Sophocle, *Œdipe roi* [v. 430-415 av. J.-C.], dans *Tragédies*, t. II,
Ajax – Œdipe roi – Électre, trad. du grec ancien par Paul Mazon.
© Les Belles Lettres (1re publication: 1958).

Molière, *L'École des femmes*

Avec *L'École des femmes* (1662), Molière (1622-1673) introduit une nouveauté dans le théâtre de son époque, en mêlant la farce et le grotesque aux règles de la «grande comédie», en cinq actes et en alexandrins. Dans cette pièce, Arnolphe incarne le type du barbon de comédie: vieillard jaloux, il garde chez lui sa pupille Agnès, qu'il compte épouser. Mais, en son absence, le jeune Horace s'éprend d'Agnès et la courtise. Craignant d'être trompé, Arnolphe met tout en œuvre pour accélérer son mariage avec Agnès. Dans le même temps, Oronte, le père d'Horace, s'accorde avec un dénommé Enrique pour unir son fils à la fille de celui-ci. Arnolphe est ravi de savoir Horace promis à une inconnue. Or, dans cette dernière scène, on apprend par Oronte et Chrysalde, les amis d'Arnolphe, que cette jeune fille n'est autre qu'Agnès. Sans le savoir, les pères ont ainsi contribué au bonheur de leurs enfants et au désarroi d'Arnolphe.

ARNOLPHE

Je vous ai conseillé, malgré tout son murmure,
D'achever l'hyménée[1].

ORONTE

        Oui. Mais pour le conclure,
Si l'on vous a dit tout, ne vous a-t-on pas dit
Que vous avez chez vous celle dont il s'agit,
5 La fille qu'autrefois de l'aimable Angélique,
Sous des liens secrets, eut le seigneur Enrique?
Sur quoi votre discours était-il donc fondé?

CHRYSALDE

Je m'étonnais aussi de voir son procédé.

ARNOLPHE

Quoi?…

CHRYSALDE

        D'un hymen secret ma sœur eut une fille,
10 Dont on cacha le sort à toute la famille.

---

1. **Hyménée (ou hymen)**: mariage.

ORONTE

Et qui sous de feints noms, pour ne rien découvrir,
Par son époux aux champs fut donnée à nourrir.

CHRYSALDE

Et dans ce temps, le sort, lui déclarant la guerre,
L'obligea de sortir de sa natale terre.

ORONTE

15 Et d'aller essuyer mille périls divers
Dans ces lieux séparés de nous par tant de mers.

CHRYSALDE

Où ses soins ont gagné ce que dans sa patrie
Avaient pu lui ravir l'imposture et l'envie.

ORONTE

Et de retour en France, il a cherché d'abord,
20 Celle à qui de sa fille il confia le sort.

CHRYSALDE

Et cette paysanne a dit avec franchise
Qu'en vos mains à quatre ans elle l'avait remise.

ORONTE

Et qu'elle l'avait fait sur votre charité[1],
Par un accablement d'extrême pauvreté.

CHRYSALDE

25 Et lui, plein de transport et l'allégresse en l'âme,
A fait jusqu'en ces lieux conduire cette femme.

ORONTE

Et vous allez enfin la voir venir ici,
Pour rendre aux yeux de tous ce mystère éclairci.

---

1. Sur votre charité : en comptant sur votre charité.

Je devine à peu près quel est votre supplice ;
30 Mais le sort en cela ne vous est que propice :
Si n'être point cocu vous semble un si grand bien,
Ne vous point marier en est le vrai moyen.

ARNOLPHE, *s'en allant*
tout transporté, et ne pouvant parler.

Oh !

ORONTE

D'où vient qu'il s'enfuit sans rien dire ?

HORACE

Ah ! mon père,
Vous saurez pleinement ce surprenant mystère.
35 Le hasard en ces lieux avait exécuté
Ce que votre sagesse avait prémédité :
J'étais par les doux nœuds d'une ardeur mutuelle
Engagé de parole avecque cette belle ;
Et c'est elle, en un mot, que vous venez chercher,
40 Et pour qui mon refus a pensé vous fâcher.

ENRIQUE

Je n'en ai point douté d'abord que je l'ai vue,
Et mon âme depuis n'a cessé d'être émue.
45 Ah ! ma fille, je cède à des transports si doux.

Molière, *L'École des femmes* [1662], acte V, scène 9,
Belin-Gallimard, « Classico », 2013.

Beaumarchais, *Le Barbier de Séville*

Tandis que le docteur Bartholo, un vieux barbon, veut épouser sa pupille Rosine, le comte Almaviva, qui se fait passer pour Lindor, lui chante des romances sous son balcon. Grâce au soutien et aux ruses de Figaro, et malgré la surveillance vigilante de Bartholo, le comte obtient un rendez-vous nocturne avec Rosine. Accablée par l'attente, la jeune femme finit par tout dévoiler à son tuteur et accepte de l'épouser. Mais Almaviva – Lindor – paraît justement à la fenêtre et lui révèle sa véritable identité.

Figaro allume toutes les bougies qui sont sur la table.

LE COMTE. – La voici. – Ma belle Rosine !…

ROSINE, *d'un ton très composé.* – Je commençais, Monsieur, à craindre que vous ne vinssiez pas.

LE COMTE. – Charmante inquiétude !… Mademoiselle, il ne me convient point d'abuser des circonstances pour vous proposer de partager le sort d'un infortuné ! mais quelque asile que vous choisissiez, je jure sur mon honneur…

ROSINE. – Monsieur, si le don de ma main n'avait pas dû suivre à l'instant celui de mon cœur, vous ne seriez pas ici. Que la nécessité justifie à vos yeux ce que cette entrevue a d'irrégulier[1].

LE COMTE. – Vous, Rosine ! la compagne d'un malheureux sans fortune, sans naissance !…

ROSINE. – La naissance, la fortune ! Laissons là les jeux du hasard, et si vous m'assurez que vos intentions sont pures…

LE COMTE, *à ses pieds.* – Ah ! Rosine ! je vous adore !…

ROSINE, *indignée.* – Arrêtez, malheureux !… vous osez profaner !… Tu m'adores !… Va ! tu n'es plus dangereux pour moi ; j'attendais ce mot pour te détester. Mais avant de t'abandonner au remords qui t'attend *(En pleurant.)*, apprends que je t'aimais ; apprends que je faisais mon bonheur de partager ton mauvais sort. Misérable Lindor ! j'allais tout quitter pour te suivre. Mais le lâche abus que tu as fait de mes bontés, et l'indignité de cet affreux comte Almaviva, à qui tu me vendais, ont fait rentrer dans mes mains ce témoignage de ma faiblesse. Connais-tu cette lettre ?

LE COMTE, *vivement.* – Que votre tuteur vous a remise ?

ROSINE, *fièrement.* – Oui, je lui en ai l'obligation.

---

1. D'irrégulier : d'inhabituel, d'inconvenant.

Le comte. – Dieux, que je suis heureux! il la tient de moi. Dans mon embarras, hier, je m'en suis servi pour arracher sa confiance; et je n'ai pu trouver l'instant de vous en informer. Ah, Rosine! il est donc vrai que vous m'aimez véritablement!

Figaro. – Monseigneur, vous cherchiez une femme qui vous aimât pour vous-même…

Rosine. – Monseigneur!… Que dit-il?

Le comte, *jetant son large manteau, paraît en habit magnifique.* – Ô la plus aimée des femmes! il n'est plus temps de vous abuser: l'heureux homme que vous voyez à vos pieds n'est point Lindor; je suis le comte Almaviva, qui meurt d'amour, et vous cherche en vain depuis six mois.

Rosine *tombe dans les bras du comte.* – Ah!…

Le comte, *effrayé.* – Figaro!

Figaro. – Point d'inquiétude, Monseigneur: la douce émotion de la joie n'a jamais de suites fâcheuses; la voilà, la voilà qui reprend ses sens. Morbleu, qu'elle est belle!

Rosine. – Ah, Lindor!… Ah! Monsieur! que je suis coupable! j'allais me donner cette nuit même à mon tuteur.

Beaumarchais, *Le Barbier de Séville* [1775], acte IV, scène 6, Belin-Gallimard, «Classico», 2017.

Edmond Rostand, *Cyrano de Bergerac*

Dans *Cyrano de Bergerac*, Edmond Rostand (1868-1918) crée deux personnages, Christian de Neuvillette et Cyrano, tous deux amoureux de Roxane. Le premier est beau mais sans esprit, le second laid mais poète. Cyrano, conscient de son désavantage, accepte de prêter ses lettres d'amour à Christian, qui se croit aimé. Mais Christian meurt au siège d'Arras. Quinze ans s'écoulent. Inconsolable, Roxane s'est retirée dans un couvent. Alors que Cyrano, blessé et mourant, vient lui rendre une dernière visite, elle comprend que l'auteur des lettres, dont elle était amoureuse, n'était pas celui qu'elle croyait.

CYRANO

Sa lettre !… N'aviez-vous pas dit qu'un jour, peut-être,
Vous me la feriez lire ?

ROXANE

Ah ! vous voulez ?… Sa lettre ?

CYRANO

Oui… Je veux… Aujourd'hui…

ROXANE, *lui donnant*
le sachet pendu a son cou.

Tenez !

CYRANO, *le prenant.*

Je peux ouvrir ?

ROXANE

Ouvrez… lisez !…

Elle revient à son métier, le replie, range ses laines.

CYRANO, *lisant.*

« *Roxane, adieu, je vais mourir !…* »

ROXANE, *s'arrêtant, étonnée.*

5   Tout haut ?

CYRANO, *lisant.*

« *C'est pour ce soir, je crois, ma bien-aimée !*
J'ai l'âme lourde encor d'amour inexprimée,
Et je meurs ! jamais plus, jamais mes yeux grisés,
Mes regards dont c'était… »

ROXANE

Comme vous la lisez,

Sa lettre !

CYRANO, *continuant.*

« *dont c'était les frémissantes fêtes,*
10   *Ne baiseront au vol les gestes que vous faites ;* »

J'en revois un petit qui vous est familier
Pour toucher votre front, et je voudrais crier... »

ROXANE, *troublée.*

Comme vous la lisez, – cette lettre !

La nuit vient insensiblement.

CYRANO

« Et je crie :

Adieu !... »

ROXANE

Vous la lisez...

CYRANO

« Ma chère, ma chérie,

15   Mon trésor... »

ROXANE, *rêveuse.*

D'une voix...

CYRANO

« Mon amour !... »

ROXANE

D'une voix...

Elle tressaille.

Mais... que je n'entends pas pour la première fois !

Elle s'approche tout doucement, sans qu'il s'en aperçoive, passe derrière le fauteuil, se penche sans bruit, regarde la lettre. – L'ombre augmente.

CYRANO

« Mon cœur ne vous quitta jamais une seconde,
Et je suis et serai jusque dans l'autre monde
Celui qui vous aima sans mesure, celui... »

ROXANE, *lui posant la main sur l'épaule.*

20   Comment pouvez-vous lire à présent ? Il fait nuit.

*Il tressaille, se retourne, la voit là tout près, fait un geste d'effroi,
baisse la tête. Un long silence. Puis, dans l'ombre complètement
venue, elle dit avec lenteur, joignant les mains :*

Et pendant quatorze ans, il a joué ce rôle
D'être le vieil ami qui vient pour être drôle !

CYRANO

Roxane !

ROXANE

C'était vous.

CYRANO

Non, non, Roxane, non !

ROXANE

J'aurais dû deviner quand il disait mon nom !

CYRANO

25 Non ! ce n'était pas moi !

ROXANE

C'était vous !

CYRANO

Je vous jure…

ROXANE

J'aperçois toute la généreuse imposture :
Les lettres, c'était vous…

CYRANO

Non !

ROXANE

Les mots chers et fous,

C'était vous…

CYRANO

Non !

ROXANE
La voix dans la nuit, c'était vous !

CYRANO
Je vous jure que non !

ROXANE
L'âme, c'était la vôtre !

CYRANO
30 Je ne vous aimais pas.

ROXANE
Vous m'aimiez !

CYRANO, *se débattant.*
C'était l'autre !

ROXANE
Vous m'aimiez !

CYRANO, *d'une voix qui faiblit.*
Non !

ROXANE
Déjà vous le dites plus bas !

CYRANO
Non, non, mon cher amour, je ne vous aimais pas !

ROXANE
Ah ! que de choses qui sont mortes… qui sont nées !
– Pourquoi vous être tu pendant quatorze années,
35 Puisque sur cette lettre où, lui, n'était pour rien,
Ces pleurs étaient de vous ?

CYRANO, *lui tendant la lettre.*
Ce sang était le sien.

ROXANE

Alors pourquoi laisser ce sublime silence
Se briser aujourd'hui?

CYRANO

Pourquoi?…

Le Bret et Ragueneau entrent en courant.

Edmond Rostand, *Cyrano de Bergerac* [1897], acte V, scène 5,
Belin-Gallimard, «Classico», 2011.

Eugène Ionesco, *La Cantatrice chauve*

Les œuvres d'Eugène Ionesco (1909-1994) sont représentatives du
«théâtre de l'absurde». Dépourvues de réalisme, elles mettent en scène
des personnages déshumanisés et dérisoires, des sortes de marion-
nettes en prise avec les difficultés et les contradictions du langage.
Dans *La Cantatrice chauve* (1950), la scène de reconnaissance décon-
certante, dans laquelle M. et Mme Martin s'aperçoivent qu'ils sont mari
et femme, permet à l'auteur d'exhiber les conventions et les artifices
théâtraux.

Un moment de silence. La pendule sonne 2-1.

M. MARTIN. – Depuis que je suis arrivé à Londres, j'habite rue
Bromfield, chère Madame.

MME MARTIN. – Comme c'est curieux, comme c'est bizarre! moi
aussi, depuis mon arrivée à Londres j'habite rue Bromfield, cher
5 Monsieur.

M. MARTIN. – Comme c'est curieux, mais alors, mais alors, nous
nous sommes peut-être rencontrés rue Bromfield, chère Madame.

MME MARTIN. – Comme c'est curieux, comme c'est bizarre!
C'est bien possible après tout! Mais je ne m'en souviens pas, cher
10 Monsieur.

M. MARTIN. – Je demeure au n° 19, chère Madame.

MME MARTIN. – Comme c'est curieux, moi aussi j'habite au n° 19,
cher Monsieur.

M. Martin. – Mais alors, mais alors, mais alors, mais alors, mais
15 alors, nous nous sommes peut-être vus dans cette maison, chère
Madame ?

Mme Martin. – C'est bien possible, mais je ne m'en souviens pas,
cher Monsieur.

M. Martin. – Mon appartement est au cinquième étage, c'est le
20 numéro huit, chère Madame.

Mme Martin. – Comme c'est curieux, mon Dieu, comme c'est
bizarre ! et quelle coïncidence ! moi aussi j'habite au cinquième
étage, dans l'appartement numéro huit, cher Monsieur.

M. Martin, *songeur.* – Comme c'est curieux, comme c'est curieux,
25 comme c'est curieux et quelle coïncidence ! Vous savez, dans ma
chambre à coucher j'ai un lit. Mon lit est couvert d'un édredon
vert. Cette chambre, avec ce lit et son édredon vert, se trouve
au fond du corridor, entre les water et la bibliothèque, chère
Madame !

30 **Mme Martin.** – Quelle coïncidence, ah mon Dieu, quelle coïncidence ! Ma chambre à coucher a elle aussi un lit avec un édredon
vert et se trouve au fond du corridor, entre les water, cher Monsieur, et la bibliothèque !

M. Martin. – Comme c'est bizarre, curieux, étrange ! alors,
35 Madame, nous habitons dans la même chambre et nous dormons
dans le même lit, chère Madame. C'est peut-être là que nous nous
sommes rencontrés !

Mme Martin. – Comme c'est curieux et quelle coïncidence !
C'est bien possible que nous nous y soyons rencontrés, et peut-
40 être même la nuit dernière. Mais je ne m'en souviens pas, cher
Monsieur.

M. Martin. – J'ai une petite fille, ma petite fille, elle habite avec
moi, chère Madame. Elle a deux ans, elle est blonde, elle a un œil
blanc et un œil rouge, elle est très jolie, elle s'appelle Alice, chère
45 Madame.

Mme Martin. – Quelle bizarre coïncidence ! Moi aussi j'ai une petite fille, elle a deux ans, un œil blanc et un œil rouge, elle est très jolie et s'appelle aussi Alice, cher Monsieur !

M. Martin, *même voix traînante, monotone.* – Comme c'est curieux
50 et quelle coïncidence ! et bizarre ! C'est peut-être la même, chère Madame !

Mme Martin. – Comme c'est curieux ! C'est bien possible, cher Monsieur.

> *Un assez long moment de silence...*
> *La pendule sonne vingt-neuf fois.*

M. Martin, *après avoir longuement réfléchi, se lève lentement et, sans*
55 *se presser, se dirige vers Mme Martin qui, surprise par l'air solennel de M. Martin, s'est levée, elle aussi, tout doucement ; M. Martin a la même voix rare, monotone, vaguement chantante.* – Alors, chère Madame, je crois qu'il n'y a pas de doute, nous nous sommes déjà vus et vous êtes ma propre épouse... Élisabeth, je t'ai retrouvée !

60 *Mme Martin s'approche de M. Martin sans se presser. Ils s'embrassent sans expression. La pendule sonne une fois, très fort. Le coup de pendule doit être si fort qu'il doit faire sursauter les spectateurs. Les époux Martin ne l'entendent pas.*

Mme Martin. – Donald, c'est toi, darling !

> *Ils s'assoient dans le même fauteuil, se tiennent embrassés et*
> *s'endorment. La pendule sonne encore plusieurs fois.*

Eugène Ionesco, *La Cantatrice chauve* [1950], scène 4,
Belin-Gallimard, « Classico », 2009.
© Gallimard.

Wadji Mouawad, *Incendies*

Dans *Incendies* (2003), Wajdi Mouawad (né en 1968) propose une réflexion sur la question de l'origine. La pièce commence chez un notaire où sont convoqués des jumeaux, Jeanne et Simon, à la suite du décès de leur mère, Nawal. Dans son testament, cette dernière demande à ses enfants de retrouver leur père, qu'ils croyaient morts, et leur frère, dont ils ignoraient l'existence, pour remettre à chacun d'eux une enveloppe contenant une lettre. La pièce entrelace des scènes du passé de la jeune Nawal et celles où l'on assiste à l'enquête que mènent ses enfants. Ils découvrent finalement que leur frère a violé leur mère lorsqu'elle était en prison et qu'ils sont nés de cette agression. Leur père et leur frère ne font donc qu'un seul homme, Nihad, auquel sont destinées les lettres qui suivent.

36. Lettre au père

Jeanne donne l'enveloppe à Nihad. Nihad ouvre l'enveloppe. Nawal (65 ans) lit.

NAWAL. Je vous écris en tremblant.
5 Les mots, je les voudrais enfoncés dans votre cœur de bourreau.
J'appuie sur mon crayon et j'y inscris chaque lettre.
En ayant en mémoire les noms de tous ceux qui ont expiré sous vos mains.
Ma lettre ne vous étonnera pas.
10 Elle n'est là que pour vous dire voilà :
Votre fils et votre fille sont en face de vous.
Que leur direz-vous ? Leur chanterez-vous une chanson ?
Ils savent qui vous êtes.
Jannaane et Sarwane.
15 Tous deux fils et fille du bourreau et nés de l'horreur.
Regardez-les.
La lettre vous a été remise par votre fille.
À travers elle, je veux vous dire que vous êtes encore vivant.
Bientôt vous vous tairez.
20 Je le sais.
Le silence est pour tous devant la vérité.
La femme qui chante
Pute n° 72
Cellule n° 7
25 À la prison de Kfar Rayat[1].
Nihad finit la lecture de la lettre. Il regarde Jeanne et Simon. Il déchire la lettre.

---

1. Kfar Rayat : lieu fictif. La pièce évoque souvent les conflits du Moyen-Orient et le Liban.

37. Lettre au fils

Simon donne son enveloppe à Nihad, qui l'ouvre.

30 **NAWAL.** Je t'ai cherché partout.
Là-bas, ici, n'importe où.
Je t'ai cherché sous la pluie,
Je t'ai cherché au soleil
Au fond des bois
35 Au creux des vallées
En haut des montagnes
Dans les villes les plus sombres
Dans les rues les plus sombres
Je t'ai cherché au sud,
40 Au nord,
À l'est,
À l'ouest,
Je t'ai cherché en creusant sous la terre pour y enterrer mes amis morts,
45 Je t'ai cherché en regardant le ciel,
Je t'ai cherché au milieu des nuées d'oiseaux
Car tu étais un oiseau.
Et qu'y a-t-il de plus beau qu'un oiseau,
Qu'un oiseau plein d'une inflation solaire ?
50 Qu'y a-t-il de plus seul qu'un oiseau,
Qu'un oiseau seul au milieu des tempêtes
Portant aux confins du jour son étrange destin ?
À l'instant, tu étais l'horreur.
À l'instant tu es devenu le bonheur.
55 Horreur et bonheur.
Le silence dans ma gorge.
Tu doutes ?
Laisse-moi te dire.
Tu t'es levé
60 Et tu as sorti ce petit nez de clown.
Et ma mémoire a explosé,
Ne tremble pas.
Ne prends pas froid.

Ce sont des mots anciens qui viennent du plus loin de mes sou-
65 venirs.
Des mots que je t'ai si souvent murmurés.
Dans ma cellule,
Je te racontais ton père.
Je te racontais son visage,
70 Je te racontais ma promesse faite au jour de ta naissance.
Quoi qu'il arrive je t'aimerai toujours,
Quoi qu'il arrive je t'aimerai toujours
Sans savoir qu'au même instant, nous étions toi et moi dans notre
défaite
75 Puisque je te haïssais de toute mon âme.
Mais là où il y a de l'amour, il ne peut y avoir de haine.
Et pour préserver l'amour, aveuglément j'ai choisi de me taire.
Une louve défend toujours ses petits.
Tu as devant toi Jeanne et Simon.
80 Tous deux tes frère et sœur
Et puisque tu es né de l'amour,
Ils sont frère et sœur de l'amour.
Écoute
Cette lettre je l'écris avec la fraîcheur du soir.
85 Elle t'apprendra que la femme qui chante était ta mère
Peut-être que toi aussi te tairas-tu.
Alors sois patient.
Je parle au fils, car je ne parle pas au bourreau.
Sois patient. Au-delà du silence,
90 Il y a le bonheur d'être ensemble.
Rien n'est plus beau que d'être ensemble.
Car telles étaient les dernières paroles de ton père.
Ta mère.
Nihad finit de lire la lettre. Il se lève.
95 *Jeanne et Simon se lèvent et lui font face.*
Jeanne déchire toutes les pages de son carnet de notes.

Wajdi Mouawad, *Incendies*, Lettres 36 et 37,
© Actes Sud, « Babel », 2011.

■ La comédie du valet

1. Créez un tableau dans lequel vous indiquerez, pour chacun des textes du corpus:

– quelles sont les caractéristiques du valet;

– quelles sont ses fonctions;

– quels sont ses effets (comique, satirique, pathétique…);

– quelle est la nature des relations qu'il entretient avec les autres personnages;

– en quoi consiste sa théâtralité, c'est-à-dire sa façon de jouer la comédie.

2. [Activité d'appropriation] Arlequin, Crispin, Scapin, Sganarelle, mais aussi Mascarille ou Brighella, sont des valets de théâtre dont les noms sont restés célèbres. Rappelez comment ils sont devenus populaires (auteurs, œuvres, types de théâtre, époques), puis effectuez une recherche sur l'étymologie et la signification de leurs noms.

3. [Explication de texte] Vous proposerez une explication de texte linéaire de *Crispin rival de son maître* de Lesage, de «Ah ah, nous vous tenons, fourbes» à «il était inutile que Crispin fît le personnage qu'il a fait» (p. 267-269).

Vous montrerez que ce dénouement opère un retour à l'ordre tout en ménageant des effets comiques. Vous pourrez vous appuyer sur les axes d'étude suivants:

– la condamnation des valets malhonnêtes;

– la défense comique des valets.

4. [Étude de la langue] «Si on t'avait laissé faire, tu aurais poussé la feinte jusqu'à épouser ma fille» (p. 268). Dans cette citation de *Crispin rival de son maître*:

a. repérez la proposition subordonnée et la proposition principale;

b. indiquez la nature et la fonction de la proposition subordonnée;

c. remplacez-la par une autre proposition subordonnée qui sera introduite par une autre conjonction de subordination. Vous ferez attention à employer le mode verbal et le temps qui conviennent.

■ Scènes de reconnaissance

1. Pour chaque texte du groupement, rappelez quel est le personnage dont l'identité est révélée, et à qui elle est dévoilée. Indiquez quelle est la position du lecteur et du spectateur, ainsi que des autres personnages présents sur scène: en savent-ils davantage que le personnage ignorant?

2. À partir de ces éléments, vous expliquerez pourquoi les dramaturges ont souvent recours à une scène de reconnaissance, en précisant les effets (dramaturgiques, dramatiques, émotionnels, moraux, esthétiques...) qu'elle permet.

Vers le Bac

La comédie du valet

Les valets dans *Le Mariage de Figaro*

1 Figaro détient le rôle principal de la pièce. C'est lui qui prononce le plus de répliques. Expliquez, cependant, qui de Figaro ou de Suzanne vous semble le plus habile, le plus efficace pour mener les intrigues. Vous justifierez votre propos en vous appuyant sur des exemples précis.

2 Figaro est un personnage théâtral qui exige une performance très physique du comédien qui l'incarne. Justifiez cette idée en vous appuyant sur des scènes et des exemples variés (gestes, soufflets, mimes, intonations...).

3 Dans la comédie classique, les personnages sont souvent des stéréotypes qui incarnent des caractères sans nuance (l'ingénue, le barbon, l'avare, le séducteur...) et ont une fonction précise. Ainsi, le valet de comédie doit faire rire. Qu'en est-il chez Beaumarchais ? Suzanne et Figaro sont-ils uniquement des personnages comiques ?

La satire de la société dans la comédie du XVIIIᵉ siècle

4 En centrant sa pièce sur les relations amoureuses et le mariage de jeunes gens, Beaumarchais inscrit clairement *Le Mariage de Figaro* dans le genre de la comédie. Rappelez les différentes formes de comique sur lesquelles la pièce repose.

5 *Le Mariage de Figaro* est souvent présenté comme une pièce révolutionnaire. Dites quelle image du peuple et de la noblesse Beaumarchais propose dans sa comédie, puis expliquez dans quelle mesure elle vous semble contestataire pour l'époque.

6 Le dramaturge ne se contente pas d'interroger la hiérarchie sociale en renouvelant les rapports entre maîtres et valets. Précisez sur quels autres aspects sociaux porte sa critique.

Mettre en scène *Le Mariage de Figaro*

7 Beaumarchais a prévu un décor différent pour chaque acte. Relisez les didascalies qui présentent ces décors, puis décrivez l'atmosphère induite par les espaces scéniques prévus et le ton qu'ils donnent aux actes.

8 L'écriture théâtrale se distingue de l'écriture narrative : elle doit prendre en compte les décors, les déplacements des comédiens mais aussi les objets. Choisissez-en un (le ruban, le billet, l'épingle...), rappelez quand il intervient dans la comédie de Beaumarchais et précisez ses fonctions.

📝 *Activités d'appropriation*

1. (**Lecture cursive**) Lisez le premier volet de la trilogie de Beaumarchais, *Le Barbier de Séville*. À l'écrit, expliquez ensuite comment le comte Almaviva a réussi à conquérir Rosine, puis comment les rapports de Figaro et du comte Almaviva ont évolué entre les deux pièces.

2. Faites le portrait chinois de Figaro ou de Suzanne. Le portrait chinois est un jeu littéraire dans lequel on associe un personnage à des objets et des éléments divers. *Exemples : « Si Figaro était un fruit, il serait... », « Si Figaro était un animal, il serait... », « Si Figaro était un vêtement, il serait... ».* Vous prêterez attention aux modes et aux temps verbaux employés.

3. Dix ans après son union avec Suzanne, Figaro la trompe avec une autre servante du château, plus jeune. Mais Suzanne, intelligente et lucide, a vu clair dans son jeu ; elle l'accuse de se comporter en libertin, comme le comte Almaviva l'a fait avec elle avant leur mariage. Rédigez la scène qui rapporte l'altercation de Figaro et de Suzanne.

4. Composez un florilège de citations où apparaissent les traits d'esprit de Figaro. Vous préciserez la place de ces citations entre parenthèses (acte et scène).

👁 *Prolongements artistiques et culturels*

Une œuvre comique

1. Observez les photographies reproduites au verso de la couverture, en début d'ouvrage, et page I du cahier photos (sections «Le comique» et «Simulation et dissimulation»). Indiquez à quelles scènes elles correspondent, puis expliquez quelle mise en scène vous semble le mieux servir le comique de la pièce. Justifiez votre choix.

2. Observez la tenue, la posture et les accessoires du comte dans la mise en scène de François Ha Van (➡ voir verso de la couverture, en début d'ouvrage). Selon vous, quelle image du comte le metteur en scène a-t-il voulu donner ?

Mettre en scène *Le Mariage de Figaro*

1. Comparez les mises en scène en costumes d'époque et celles en costumes contemporains en observant les photographies reproduites dans le volume (➡ voir cahier photos et verso de la couverture, en début et en fin d'ouvrage) puis les bandes-annonces du *Mariage de Figaro* monté par la compagnie Colette Roumanoff en 2011 et par Rémy Barché en 2015, disponibles sur les sites Internet suivants :
– theatre.roumanoff.com/le-mariage-de-figaro ;
– theatre-contemporain.net/spectacles/Le-Mariage-de-Figaro-13942.

Selon vous, quels sont les avantages et les inconvénients d'une mise en scène en costumes ou d'une représentation plus contemporaine ? Est-il nécessaire de représenter *Le Mariage de Figaro* de manière réaliste ?

2. La «folle journée» comprend des scènes de pantomime, de musique, de chant et de danse. Rappelez quelles sont ces scènes puis, en vous appuyant sur l'observation des photographies reproduites au verso de la couverture, en fin d'ouvrage, dans la section «*Le Mariage de Figaro*, un spectacle total», expliquez comment le recours à ces différentes formes artistiques a inspiré les metteurs en scène.

De la comédie de Beaumarchais à l'opéra de Mozart

1. La comédie de Beaumarchais a inspiré à Mozart l'opéra *Les Noces de Figaro* (1786) (➡ voir page IV du cahier photos), dont le livret a été écrit par Lorenzo Da Ponte. Comparez le monologue de Figaro de la scène 3 de l'acte V (p. 202-205) à celui du livret, que vous trouverez sur le site Internet suivant : murashev.com/opera/Le_nozze_di_Figaro_libretto_ Italian_French (Quatrième acte, n° 26, « Récitatif et air »).

2. Écoutez le monologue de Figaro dans l'opéra de Mozart, par exemple sur le site Internet suivant : opera-arias.com/mozart/le-nozze-di-figaro/ tutto-e-disposto. Que ressentez-vous en tant que spectateur et auditeur ? Préférez-vous l'expérience de la lecture ? Expliquez votre choix.

Vers l'oral du Bac

Extrait 1

La découverte des deux valets, acte I, scène 1, p. 51-55

Vers le Bac

■ *Activités préparatoires*

1. Relisez la scène d'exposition en vous concentrant sur le personnage de votre choix, Figaro ou Suzanne. Comment l'imaginez-vous ?

2. À quoi sont occupés les personnages ? Que disent ces activités de leur quotidien et de leurs préoccupations ?

3. Que pensez-vous de la manière dont le personnage de Figaro se comporte ? Quel est le ton de ses propos ? Dans une situation similaire, réagiriez-vous comme lui ?

4. Lorsqu'il dit « J'avais assez fait pour l'espérer » (l. 43), Figaro fait allusion à son passé et aux services qu'il a rendus au comte pour l'aider à conquérir son épouse. Beaumarchais présente cet épisode de la vie de Figaro dans *Le Barbier de Séville*. En revanche, il ne précise rien du passé de Suzanne, si ce n'est qu'elle est la ca"mériste de la comtesse et la nièce du jardinier Antonio. Comment l'imaginez-vous ?

■ *Conseils pour la lecture à voix haute*

– Mettez le ton de manière à faire comprendre l'incompréhension
de Figaro et son désaccord au début de la scène.

– À la fin, changez d'intonation pour montrer que les rapports entre
les futurs époux se sont radoucis.

■ *Explication de texte*

Vous procéderez à la lecture linéaire du passage en vous efforçant
de répondre à cette question : « Dans quelle mesure la scène d'exposition
annonce-t-elle une comédie sentimentale de valets ? » Vous pourrez
vous appuyer sur les mouvements successifs du texte : les préparatifs
du mariage des valets (l. 1-33) ; la révélation de Suzanne (l. 33-55) ;
le badinage de Suzanne et Figaro (l. 56-90).

■ *Étude de la langue*

Figaro pose plusieurs questions à Suzanne, notamment : « Qu'entendez-
vous par ces paroles ? » (l. 30) et « Eh qu'est-ce qu'il y a ? » (l. 32). Récrivez-
les en employant des propositions subordonnées interrogatives indirectes.
Vous commencerez par : « Figaro demande à Suzanne... » Vous veillerez
à l'ordre des constituants dans la phrase.

Extrait 2

Une scène de confrontation entre le valet et le comte, acte III, scène 5, l. 1-63, p. 135-137

■ *Conseils pour la lecture à voix haute*

– Veillez à prononcer différemment les apartés et les répliques
destinées à être entendues par le comte ou par Figaro.

– Faites entendre la nervosité et l'impatience du comte qui finit
par s'emporter (l. 36-37).

– Changez de ton pour mettre en évidence l'insolence de Figaro
et ses mots d'esprit.

■ *Explication de texte*

Vous procéderez à la lecture linéaire du passage, en étudiant la façon dont Figaro réussit à se dérober face au comte. Vous pourrez vous appuyer sur les mouvements successifs du texte : le jeu d'approche de Figaro (l. 1-15) ; la confrontation de Figaro et du comte (l. 15-38) ; la justification de Figaro dans sa tirade divertissante (l. 48-63).

■ *Étude de la langue*

Vous proposerez l'analyse syntaxique de la phrase suivante : « ... Je n'ai pas trop compris ce qui vous avait forcé tantôt de courir un danger inutile, en vous jetant... » (l. 24-25).

Extrait 3

Un couple de valets, acte IV, scène 1, l. 1-64, p. 171-173

■ *Explication de texte*

Vous procéderez à la lecture analytique du passage en expliquant pourquoi et comment Beaumarchais présente le couple de valets. Vous pourrez vous appuyer sur l'analyse guidée proposée dans l'Arrêt sur lecture 4 (p. 196-198).

■ *Étude de la langue*

Vous proposerez l'analyse syntaxique de la phrase suivante : « Aucune des choses que tu avais disposées, que nous attendions, mon ami, n'est pourtant arrivée ! » (l. 15-16). Vous justifierez les accords de « disposées » et de « arrivée ».

Extrait 4

Figaro ou le renouvellement du personnage du valet, acte V, scène 3, l. 6-46, p. 202-203

■ *Explication de texte*

Vous procéderez à la lecture analytique du passage en expliquant comment Beaumarchais enrichit le personnage du valet de comédie dans ce monologue. Vous pourrez vous appuyer sur l'analyse guidée proposée dans l'Arrêt sur lecture 5 (p. 234-236).

■ *Étude de la langue*

« La nuit est noire en diable, et me voilà faisant le sot métier de mari, [quoique je ne le sois qu'à moitié !] » (V, 3, l. 15-16).

1. Indiquez la nature et la fonction de la proposition subordonnée entre crochets.

2. Par quelle conjonction la proposition est-elle introduite ?

3. Quel mode verbal cette conjonction entraîne-t-elle ?

4. Reformulez la phrase en employant une autre conjonction de subordination de même sens.

5. Proposez une autre phrase décrivant le sort de Figaro en utilisant « quoi que » et expliquez la différence d'emploi avec « quoique ».

Entretien avec l'examinateur

En quoi cette comédie, *Le Mariage de Figaro*, vous a-t-elle séduit(e) ?

Pour répondre à cette question, vous pourrez présenter vos réactions de lecteur ou de spectateur, ainsi que les réflexions que l'œuvre a suscitées pour vous et les liens éventuels que vous avez pu établir avec les questions d'actualité. Vous illustrerez toujours votre propos par des exemples précis et vous prendrez appui sur le commentaire de plusieurs scènes qui vous permettront de valoriser votre connaissance de l'intégralité de la pièce.

Vers l'écrit du Bac

Commentaire

■ *Sujet 1* (VOIES GÉNÉRALES)

Vous commenterez l'extrait de *Ruy Blas* de Victor Hugo proposé
dans le groupement de textes 1, « La comédie du valet », p. 274-277.

■ *Sujet 2* (VOIES TECHNOLOGIQUES)

Vous commenterez l'extrait du *Jeu de l'amour et du hasard* de Marivaux
proposé dans le groupement de textes 1, « La comédie du valet », p. 269-271:

– vous expliquerez comment les valets finissent par se démasquer;

– vous étudierez la manière dont le duo amoureux fait sourire
les spectateurs.

Dissertation (VOIES GÉNÉRALES)

■ *Sujet 1*

Au sujet de Figaro, Jacques Seebacher écrit qu'il « réalise l'harmonie
joyeuse des classes » (Jacques Seebacher, « Beaumarchais »,
in *Manuel d'histoire littéraire de la France*, dir. P. Abraham et R. Desné,
Éditions sociales, 1969, t. III, p. 245). Ce propos vous semble-t-il
permettre de définir le rôle du valet de comédie? Vous répondrez dans
un développement structuré et argumenté, en vous appuyant sur votre
lecture du *Mariage de Figaro*, sur les textes étudiés en classe ainsi
que sur vos lectures et votre culture personnelles.

■ *Sujet 2*

Présentant l'évolution du valet de comédie, Yves Moraud écrit qu'il
est passé « du jeu au je, de l'aliénation à la libération, du stéréotype
à la personne, de la conscience des autres à la conscience de soi,
de l'extériorité à l'intériorité, du hors-la-loi au citoyen, de l'homme

sans conséquence à l'homme avec qui il faut compter » (Y. Moraud, *La Conquête de la liberté de Scapin à Figaro*, PUF, 1981). Vous discuterez ce propos dans un développement structuré et argumenté, en vous appuyant sur votre lecture du *Mariage de Figaro*, sur les textes étudiés en classe ainsi que sur vos lectures et votre culture personnelles.

Fenêtres sur...

 Des ouvrages à lire

En lien avec *Le Mariage de Figaro*

- Beaumarchais, *Le Barbier de Séville* [1775], Belin-Gallimard, « Classico », 2017.
- Beaumarchais, *La Mère coupable* [1792], Gallimard, « Folio classique », 1984.
- Ödon von Horváth, *Figaro divorce* [1936], L'Arche, « Scène ouverte », 2008.

D'autres pièces de théâtre du XVIIIᵉ siècle

- Marivaux, *L'Île des esclaves* [1725], Belin-Gallimard, « Classico », 2010.
- Marivaux, *Le Jeu de l'amour et du hasard* [1730], Belin-Gallimard, « Classico », 2011.

Sur Beaumarchais

- Jean-Pierre de Beaumarchais, *Beaumarchais, voltigeur des Lumières*, Gallimard, « Découverte », 1996.

Sur la comédie du valet aux XVIIᵉ et XVIIIᵉ siècles

(Voir Groupement de textes 1, p. 262-282, et Fiche 8, p. 256-259.)

- Les comédies de Molière, notamment *Les Fourberies de Scapin*, *L'École des femmes*, *Tartuffe*, *Le Médecin malgré lui*…

- Les comédies de Marivaux, notamment *L'Île des esclaves*, *Le Jeu de l'amour et du hasard*, *La Double Inconstance*, *Les Fausses Confidences*, *La Fausse Suivante*.
- Alain-René Lesage, *Turcaret* [1709], Le Livre de Poche, «Le Théâtre de Poche», 1999.
- Carlo Goldoni, *Arlequin serviteur de deux maîtres* [1746], trad. de l'italien par Valeria Tasca (éd. bilingue), GF-Flammarion, 2016.

Sur le libertinage
- Vivant Denon, *Point de lendemain* [1777], Gallimard, «Folio classique», 1998.
- Choderlos de Laclos, *Les Liaisons dangereuses* [1782], Belin-Gallimard, «Classico», 2012.

Un avatar contemporain du personnage de la suivante?
- Leïla Slimani, *Chanson douce*, Gallimard, «Blanche», 2016.

🎬 *Des mises en scène et des films à voir*
(Toutes les œuvres citées ci-dessous sont disponibles en DVD.)

Des mises en scène du *Mariage de Figaro*
- *Le Mariage de Figaro*, mise en scène de François Ha Van, 2007, DVD aux éditions L'Harmattan, 2009.
- *Le Mariage de Figaro*, mise en scène de Jacques Rosner, Comédie-Française, 1977, DVD aux éditions Montparnasse, 2010.
- *Le Mariage de Figaro*, mise en scène de Colette Roumanoff, 2016, DVD Sita Productions, 2017.
- *Le Mariage de Figaro*, mise en scène de Jean-Paul Tribout, 2016, DVD Copat, 2017.

Une adaptation du *Mariage de Figaro*
- *Le Mariage de Figaro,* adaptation pour la télévision de Marcel Bluwal, 1961, avec Jean-Pierre Cassel et Jean Rochefort.

Sur Beaumarchais

• *Beaumarchais l'insolent*, Édouard Molinaro, 1996, avec Fabrice Luchini, Manuel Blanc, Jacques Weber, Sandrine Kiberlain.

Sur la vie de cour et le bel esprit au XVIIIᵉ siècle

• *Ridicule*, Patrice Leconte, 1996, avec Charles Berling et Judith Godrèche.

🏛 *Des œuvres d'art à découvrir*

(Toutes les œuvres ci-dessous peuvent être vues sur Internet.)

• Carle Van Loo, *La Conversation espagnole*, Saint-Pétersbourg, Russie, musée de l'Ermitage, 1755.
• *Le Nozze di Figaro*, opéra de Mozart, livret de Da Ponte, 1786.
• Les gravures de Jean-Baptiste Liénard illustrant *Le Mariage de Figaro*, 1875.
• *Le Nozze di Figaro*, opéra de Mozart mis en scène par Jean-Louis Martinoty, théâtre des Champs-Élysées, 2004, DVD Bel-Air Classiques, 2018.

@ *Des sites Internet à consulter*

Sur Figaro, le valet révolutionnaire

Une émission sur le personnage de Figaro, à écouter sur le site de France Inter :

• https://www.franceinter.fr/emissions/ca-peut-pas-faire-de-mal/ca-peut-pas-faire-de-mal-15-aout-2013

Sur la trilogie de Figaro de Beaumarchais

Une émission pour découvrir la célèbre trilogie de Beaumarchais qui retrace «le roman de la famille Almaviva» en trois folles journées, à écouter sur le site de France Inter :

• http://www.comedie-francaise.fr

Fenêtres sur…

Sur des mises en scène du *Mariage de Figaro*

Présentation et programme de la mise en scène de Christophe Rauck
à la Comédie-Française en 2007 (dans l'onglet «Saisons passées»):
• http://www.comedie-francaise.fr

Adaptation radiophonique de la mise en scène de Jean Vilar au TNP (1957)
à écouter sur le site de l'INA:
• http://www.ina.fr/art-et-culture/arts-du-spectacle/audio

Sur le XVIIIe siècle

Exposition virtuelle de la BNF «Lumières!»:
• http://expositions.bnf.fr/lumieres/index.htm

Site du musée Cognacq-Jay, consacré au XVIIIe siècle:
• http://www.paris.fr/portail/loisirs/Portal.lut?page_id=6466

Une émission pour découvrir le siècle des Lumières à travers quelques
grands textes philosophiques ou romanesques, à écouter sur le site
de France Inter:
• https://www.franceinter.fr/emissions/ca-peut-pas-faire-de-mal/ca-peut-
pas-faire-de-mal-25-mai-2013

Fenêtres sur...

Glossaire

Aparté : paroles prononcées par un personnage sans que les autres personnages présents sur scène ne l'entendent. L'aparté introduit un commentaire et permet souvent des effets comiques.

Coup de théâtre : péripétie imprévue qui survient dans le cours de l'action et qui renverse la situation des personnages, créant alors un effet de surprise.

Cynisme : mépris des conventions et de l'opinion publique, souvent avec une intention de provocation.

Dénouement : fin de l'action et de la pièce, qui lève les obstacles et résout les péripéties.

Didascalies : indications destinées aux acteurs et au metteur en scène et qui portent sur le décor, les costumes les mouvements ou les intonations. Elles ne sont pas prononcées par les comédiens et sont inscrites en italique.

Double énonciation : situation d'énonciation spécifique au théâtre, puisque les répliques échangées sont adressées à deux destinataires : les personnages présents sur scène et les spectateurs.

Exposition : scènes de l'acte I qui délivrent au lecteur ou au spectateur toutes les informations essentielles à la compréhension de l'intrigue.

Ironie : procédé qui consiste à introduire un décalage entre le pensé et le dit ou entre le dit et ce qui doit être compris. L'ironie relève souvent de l'antiphrase (qui consiste à dire le contraire de ce que l'on pense ou de ce que l'on veut faire comprendre), mais elle ne se caractérise pas forcément par des mots (sourire, intonation).

Monologue: texte prononcé par un personnage seul sur scène.

Pantomime: spectacle théâtral muet (voir acte IV, scène 9). Dans les comédies du XVIIIe siècle, musique et pantomimes pouvaient servir à passer d'un acte à l'autre sans baisser le rideau.

Parade: court spectacle burlesque et populaire, fondé sur l'exagération des effets ainsi que sur une intrigue et des plaisanteries conventionnelles, souvent accompagné de musique. Beaumarchais a notamment écrit *Jean Bête à la Foire* (1760-1765).

Pathos: nom emprunté au grec, «passion». En rhétorique, le pathos renvoie aux émotions que l'orateur doit s'efforcer de susciter chez les auditeurs (voir III, 16).

Période oratoire: en rhétorique, longue phrase argumentative qui repose sur l'articulation, logique et sonore, de plusieurs propositions grammaticales.

Picaro: personnage de roman qui apparaît en Espagne à la fin du XVIe siècle. Il s'agit d'un aventurier jeune, d'origine populaire, seul et marginal, que la pauvreté pousse à la ruse et conduit à de nombreuses épreuves. Habile à se tirer d'embarras, il est souvent ballotté par des événements hasardeux qui rendent sa vie chaotique.

Quatrième mur: expression de Diderot désignant le mur fictif qui est supposé fermer la scène pour séparer le monde des comédiens de celui des spectateurs.

Quiproquo: procédé dramatique qui repose sur la confusion et le malentendu. Par exemple, un personnage fait erreur en prenant une personne pour une autre.

Satire: voir p. 166

Stichomythie: suite de répliques courtes qui s'enchaînent vivement pour créer une accélération du rythme et, en général, faire sentir une tension entre les personnages.

Théâtralité: caractère de ce qui se prête tout particulièrement à la représentation théâtrale dans une œuvre.

Théâtre dans le théâtre: procédé qui consiste à redoubler l'illusion théâtrale en montrant sur scène certains acteurs jouer leur personnage qui interprète lui-même un autre rôle.

Tirade: longue réplique qui a tendance à ralentir le rythme dramatique (voir p. 166).

Dans la même collection

CLASSICOCOLLÈGE

Homère – *L'Odyssée* (14)
Victor Hugo – *Claude Gueux* (6)
Victor Hugo – *Les Misérables* (110)
Joseph Kessel – *Le Lion* (38)
Rudyard Kipling – *Le Livre de la Jungle* (133)
Jean de La Fontaine – *Fables* (74)
J.M.G. Le Clézio – *Mondo et trois autres histoires* (34)
Mme Leprince de Beaumont – *La Belle et la Bête* (140)
Jack London – *L'Appel de la forêt* (30)
Guy de Maupassant – *Histoire vraie et autres nouvelles* (7)
Guy de Maupassant – *Le Horla* (54)
Guy de Maupassant – *Nouvelles réalistes* (97)
Prosper Mérimée, Théophile Gautier, Guy de Maupassant – *La Vénus d'Ille et autres nouvelles fantastiques* (136)
Marivaux – *L'Île des esclaves* (139)
Molière – *L'Avare* (51)
Molière – *Le Bourgeois gentilhomme* (62)
Molière – *Les Fourberies de Scapin* (9)
Molière – *George Dandin* (115)
Molière – *Le Malade imaginaire* (42)
Molière – *Le Médecin malgré lui* (13)
Molière – *Le Médecin volant et L'Amour médecin* (52)
Jean Molla – *Sobibor* (32)
Michael Morpurgo – *Cheval de guerre* (154)
Jean-Claude Mourlevat – *Terrienne* (159)
George Orwell – *La Ferme des animaux* (130)
Ovide – *Les Métamorphoses* (37)
Charles Perrault – *Contes* (15)
Edgar Allan Poe – *Trois nouvelles extraordinaires* (16)
Jules Romains – *Knock ou le Triomphe de la médecine* (10)
Edmond Rostand – *Cyrano de Bergerac* (58)
Antoine de Saint-Exupéry – *Lettre à un otage* (11)
William Shakespeare – *Roméo et Juliette* (70)
Sophocle – *Antigone* (81)
John Steinbeck – *Des souris et des hommes* (100)
Robert Louis Stevenson – *L'Étrange Cas du Dr Jekyll et de M. Hyde* (155)
Robert Louis Stevenson – *L'Île au Trésor* (95)
Jonathan Swift – *Gulliver. Voyage à Lilliput* (151)
Jean Tardieu – *Quatre courtes pièces* (63)
Michel Tournier – *Vendredi ou la Vie sauvage* (69)
Mark Twain – *Les Aventures de Tom Sawyer* (150)
Fred Uhlman – *L'Ami retrouvé* (80)
Paul Verlaine – *Romances sans paroles* (12)
Anne Wiazemsky – *Mon enfant de Berlin* (98)
Émile Zola – *Au Bonheur des Dames* (128)

CLASSICOLYCÉE

Pour obtenir plus d'informations, bénéficier d'offres spéciales enseignants ou nous communiquer vos attentes, renseignez-vous sur **www.collection-classico.com** ou envoyez un courriel à **contact.classico@editions-belin.fr**

Cet ouvrage a été composé par Palimpseste à Chevreuse.
Imprimé en Espagne par Novoprint (Barcelone)
N° d'édition : 03580532-01 – Dépôt légal : mai 2019